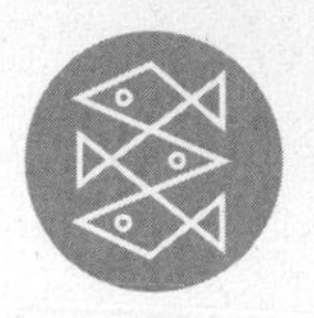

D1096889

Andrea Schnidt in Höchstform!

»Ich mutiere immer mehr zu einer frustrierten und missmutigen Frau. Wo um alles in der Welt ist mein lustiges Leben geblieben?«

Andrea Schnidt merkt, wie die Wechseljahre unausweichlich auf sie zukriechen und sich an ihrem Körper zu schaffen machen. Auch der ewig Golf spielende Gatte und die pubertierenden Kinder, die keine Lust auf Schule haben, tragen nicht gerade zur guten Laune bei. Schwiegervater Rudi, der nach dem Tod seiner Frau bei ihnen eingezogen ist, hebt natürlich auch nicht die Stimmung.

Soll es das etwas gewesen sein?

Ein Leben als Putzfrau, Köchin, Chauffeurin, Aufräumerin und Trösterin mit Nebenjob in einer Werbeagentur? Nein! beschließt Andrea Schnidt und merkt schon bald: Ja, da geht noch was!

Susanne Fröhlich ist erfolgreiche Fernsehmoderatorin und Bestsellerautorin. Ihre Sachbücher und Romane haben sich weit über eine Million Mal verkauft. »Lackschaden« ist ihr neuester Roman.

Weitere Informationen, auch zu E-Book-Ausgaben, finden Sie bei www.fischerverlage.de

Susanne Fröhlich

Lackschaden

Roman

Fischer Taschenbuch Verlag

3. Auflage: September 2013

Veröffentlicht im Fischer Taschenbuch Verlag,
einem Unternehmen der S. Fischer Verlag GmbH
Frankfurt am Main, Juli 2013

Druck und Bindung: CPI books GmbH, Leck
Printed in Germany
ISBN 978-3-596-17494-2

Wie immer für Charlotte und Robert und für Conny

1

»Isch will uff jeden Fall, des ihr mich verbrenne tut! Und isch will net, des so en Mordsgedöns bei maaner Beerdigung gemacht wärd!«

Der Mann, der mir das täglich morgens um sechs mit Trauermiene und ganz leiser Stimme mitteilt, ist mein Schwiegervater Rudi, der nunmehr seit vier Wochen bei uns wohnt. Genau vor einem Monat hat er, bei dem Versuch eigenständig ein Wannenbad zu nehmen, dummerweise seine eigene Wohnung geflutet und seither beehrt er uns mit seiner Anwesenheit.

Schon während ich den ersten Kaffee des Tages trinke, will er mit mir die Details seiner Beerdigung besprechen. Dabei ist Rudi keineswegs todkrank. Er ist aber ein Mann, der nichts gerne dem Zufall überlässt und außerdem, wie er immerzu betont, »aaner, der wo gerne die Züschel in der Hand hält!« Im Moment ist er allerdings nur in seiner Vorstellung ein Mann, der »wo die Züschel in der Hand hält«. Seit dem Tod meiner Schwiegermutter Inge ist Rudi von Tatkraft und Zügelhalten etwa so weit entfernt wie Heidi Klum von Waldorfpädagogik. Er ist traurig und verwirrt – und wenn er könnte, würde er direkt neben seine Frau (»Niemand hat Schweinebrate wie meine Inge gemacht!«) in die Grube springen.

Etwa zeitgleich höre ich jeden Morgen die Sätze: »Ich weiß einfach nicht, was ich da soll. Ich habe keine Lust mehr auf Schule. Das gibt mir nichts!«

Die junge Frau, die mir diese Information täglich in ähnlichen Varianten um die Ohren schleudert, ist meine

Tochter Claudia, hormonell völlig verwirrt, kurz davor Ehrenmitglied bei den Messies zu werden und mittlerweile sechzehn Jahre alt.

»Wenn die hierbleiben darf, bleibe ich auch!«, bekundet ihr Bruder Mark dann gleichfalls täglich, fast so, als würde ich immer wieder dieselbe Schallplatte mit Sprung zum Frühstück hören.

Dann ist da noch der Kerl, der mir regelmäßig zu alldem nur sagt: »Darum kann ich mich nicht auch noch kümmern!« Dieser Mann ist mein Ehemann Christoph, der eigentlich kaum mehr zu Hause auftaucht. Wie auch – er verbringt fast seine gesamte Freizeit neuerdings auf dem Golfplatz, denn »ohne Golf, Andrea, geht auch geschäftlich nichts. Das ist kein Spaß, das ist Networking.«

All das erklärt vielleicht im Ansatz, warum es Momente gibt, in denen ich wirklich sehr gerne aufstehen und gehen würde. Egal wohin – einfach nur weg. Raus aus der Tür und alles hinter mir zurücklassen: Beerdigungen, Schulverweigerer und den Darum-Kann-Ich-Mich-Nicht-Auch-Noch-Kümmern-Kerl!

Schließlich hätte ich auch einiges zu jammern, nur fällt mir niemand ein, der das hören will. Ich merke, wie die Wechseljahre auf mich zukriechen, spüre den schweißigen Hauch des Klimakteriums im Nacken, habe seit fünf Monaten keinen Sex mehr gehabt (obwohl oder gerade weil ich verheiratet bin), zudem erste graue Schamhaare entdeckt und mein Östrogenspiegel fällt parallel zu meiner Laune. Und das Einzige, womit es kontinuierlich aufwärts geht, ist mein Gewicht.

»Das ist das Alter, Frau Schnidt. Der Körper klammert sich an sein Fett und die Hormone tun ihr Übriges!«, konstatiert mein Gynäkologe und schließt mit dem tröstlichen Satz: »So ist die Natur.«

Ich hätte ihm gerne eine geknallt. Und der Natur gleich eine mit. Das hat sie sich nicht wirklich fein ausgedacht. Ich bin in einem Alter, in dem ich ein Mehr an hormoneller Unterstützung ausgesprochen gut vertragen könnte. Und meiner Tochter würde ein Weniger auch sehr gut tun. Sehr, sehr gut sogar. Alle würden profitieren! Welcher Sadist hat das also so verkehrt herum angelegt? Ist das etwa ein schöner Einstieg ins Altern? Das Fleisch wird welk und die Hormone machen die Flatter, verlassen das sinkende Schiff.

Das einzig, im Ansatz, Tröstliche: Ich bin nicht allein. Wenn ich mich mit Freundinnen treffe, ist die allgemeine Stimmung nicht gerade dopingverdächtig. Wir sind alle wie kleine Hamster in unseren jeweiligen Rädern. Was ist aus uns geworden? Ich jedenfalls mutiere immer mehr zu einer frustrierten und missmutigen Frau.

Wo um alles in der Welt ist mein lustiges Leben geblieben? Ich arbeite und den Rest der Zeit versuche ich meine Umgebung bei Laune zu halten und nicht im Chaos zu versinken. Ich bin Vollzeit-Dienstleisterin: Putzfrau, Köchin, Chauffeurin, Aufräumerin, Trösterin und dann sitze ich auch noch halbtags in einer kleinen Agentur und schreibe Werbetexte. Soll das etwa alles sein? Für den Rest meines Lebens? Wer interessiert sich für meine Befindlichkeiten?

Ich kann mich noch nicht mal richtig in Selbstmitleid ergehen, denn während ich noch nach weiteren Minuspunkten in meinem Leben suche, nähert sich auch schon mein Schwiegervater.

»Derf ich disch emal was frache?«, haucht er mit seiner, neuerdings ganz leisen, Stimme.

»Natürlich, Rudi«, antworte ich, wissend, dass diese Frage sowieso rein rhetorischer Natur ist.

»Also«, beginnt er, »ich hab mir überlescht, es wär mir en Herzenswunsch, wenn du uff meiner Beerdigung die Trauerred halte könntest, Andrea.«

Ich hoffe, ich habe mich verhört.

»Rudi«, versuche ich mit aller Vorsicht, eine Antwort zu formulieren, komme aber nicht weit, weil es da auch schon aus dem ersten Stock plärrt: »Wo sind meine Turnschuhe?«

Rudi dreht sich beleidigt weg, ich überlege sofort, wo sie sein könnten, obwohl es ja, weiß Gott, nicht meine Schuhe sind und die Trauerredenfrage ist somit erst mal abgewendet. Die Turnschuhe sind mal wieder verschwunden, Mark mein Sohn guckt vorwurfsvoll, als hätte ich sie versteckt, gefressen oder sonst was. Rudi hat sich mittlerweile in sein Zimmer verkrümelt. Immerhin ein kleiner Teilerfolg. Mark schnappt sich meine Joggingschuhe.

»Barfuß kann ich ja wohl keinen Sport machen!«, entscheidet er und fügt leicht spöttisch hinzu: »Du benutzt die ja eh nicht!« Er stopft die Schuhe, ohne eine Reaktion von mir abzuwarten, in seinen Ranzen.

Ich finde sehr wohl, dass man barfuß Sport machen kann, vor allem wenn man zu doof ist, seine eigenen Turnschuhe zu finden. Aber obwohl ich in der Theorie konsequentes Handeln phantastisch finde, sogar oft flammende Reden darüber halte, habe ich in der Praxis keine Lust auf noch mehr Gezacker. Dabei hätte ich gerade heute vielleicht Sport gemacht. Aber ohne Schuhe wird das schwierig. Perfekte Ausrede für einen weiteren Tag ohne sportliches Engagement.

Mark hastet zur Tür und knallt sie zu. Claudia muss

auch los, steckt aber noch in ihrem Zimmer. Styling braucht Zeit.

»Claudia, du musst los!«, brülle ich rauf in den ersten Stock und fühle mich bereits eine dreiviertel Stunde nach dem Aufstehen schon völlig erschöpft.

Nach dem dritten Rufen erscheint meine Tochter dann gelangweilt in der Küche. Ich reiche der Gnädigsten ein Schulbrot, und sie guckt, als hätte ich ihr einen brennenden Molotowcocktail in die Hand gegeben.

»Igitt, da ist ja Wurst drauf!«, schnaubt sie verächtlich.

»Ja und?«, antworte ich. Seit Jahren ist entweder Wurst oder Käse auf dem Schulbrot, an guten Tagen noch Kresse, Gurke oder Schnittlauch, also hält sich die Sensation ja wohl in Grenzen.

»Ich bin jetzt Veganerin!«, erklärt sie und donnert die Brotdose auf die Küchentheke. Veganerin – das ist ja mal was ganz Neues. Auch das noch.

Die Neu-Veganerin hat sich ihre Augen so schwarz umrandet, dass man denken könnte, sie gehe als Waschbär in die Schule. Sollte ich ihr mitteilen, dass heute kein Fasching ist? Sollte ich darauf bestehen, dass sie das entfernt? Ich sollte, weiß aber, dass ich damit einen herrlichen Streit entfachen würde. Also lass ich es bleiben. Stattdessen sage ich nur: »Interessantes Augenmake-up!«

Sie antwortet nicht mal, guckt nur kurz auf und ihr Blick sagt alles. Ich soll sie in Ruhe lassen, ich hab eh keine Ahnung, ich bin eine altmodische Kuh, von mir lässt sie sich doch nichts sagen und außerdem zieht sie sowieso bald aus … Immerhin beehrt sie mich beim Gehen noch mit einem gezischten: »Tschüss.« Man muss für kleine Gesten dankbar sein.

»Ich wünsche dir einen schönen Tag, viel Spaß in der

Schule!«, verabschiede ich mein Kind, gerade so, als wäre es ein wunderbar harmonischer Morgen gewesen, und als sie endlich das Haus verlassen hat, mache ich mich über ihr Schulbrot her. Ich brauche dringend Kohlenhydrate, und am Morgen sind sie ja noch gestattet.

Veganerin! Die tickt ja nicht mehr richtig. Was soll ich der denn demnächst kochen? Tofu? Da wird sich der Rest der Familie sicherlich sehr freuen. Das einzig Gute an der Altersklasse meiner Tochter: Heute Veganerin und morgen zu McDonalds. Was ich damit sagen will: Grundsätze sind in diesem Alter noch ausgesprochen variabel. Wer weiß also, was heute Mittag bei ihr los ist. Mittlerweile bin ich ja schon froh, wenn sie ab und an überhaupt mit mir spricht. Soll sie essen, was sie will. Solange sie keine extra Kocheinlagen erwartet, ist es mir egal.

Ich habe heute frei und bin zum Frühstück eingeladen. Bei einer meiner Nachbarinnen. Netter kleiner Frauenbrunch! Schöne Gelegenheit, uns gegenseitig was vorzulügen: Über unsere wunderbaren Kinder, unser herrliches Leben und unsere phantastischen Ehemänner.

Anita hat eingeladen. Das Gute ist, Anita ist immer eins a informiert und kennt den neusten Klatsch und Tratsch. Anita ist so was wie die personifizierte Vorstadtbunte. Schon deshalb freue ich mich auf unser kleines Frühstück.

Bevor ich gehe, kommt Rudi auf mich zu, immer noch im Bademantel.

»Wesche der Trauerred, Andrea, isch hab hier schon emal was notiert, was dir helfe könnt!«

Er drückt mir einen kleinen Zettel in die Hand. Der arme Rudi. Seit Inge tot ist, ist er fast nicht mehr aus dem Bademantel herausgekommen und schon das tägliche Aufstehen bereitet ihm Mühe. Er tut mir einerseits unendlich leid, aber andererseits ist er auch wie ein weiteres Kind im Haus und nervt mich so doch schon ein wenig. Ich reiße mich zusammen, nehme den Zettel, sage ihm, dass ich für die nächsten zwei Stunden nicht da sein werde.

»Lass mich ruhisch allein, des bin ich tief drinne sowieso«, antwortet er nur.

Jetzt tatsächlich das Haus zu verlassen, ist ziemlich herzlos, aber es heitert ihn auch nicht wirklich auf, wenn ich mich zu ihm setze. Ich nehme ihn in den Arm, tröste ihn und mich selbst mit den Worten: »Ich bin nicht lange weg! Nur nebenan bei Anita. Wenn was ist, kannst du mich jederzeit erreichen!« Man verlässt nicht gerne das Haus und lässt ein Häufchen Elend darin zurück.

Meine Schwiegermutter ist vor acht Wochen plötzlich verstorben, aber Rudi kann es bis heute nicht fassen. Wie auch? Die beiden waren eine Ewigkeit verheiratet und Rudi fühlt sich wie amputiert. Inge ist auf dem Weg in die Stadt an einer Straßenbahnhaltestelle umgefallen und war tot. Einfach so. Ohne Vorwarnung. Manche finden, das sei der perfekte Tod. Ich weiß nicht so recht. Für die, die zurückbleiben, ist er alles andere als perfekt. Wenn jemand schwer krank ist, bleibt Zeit sich vorzubereiten. Sich zu verabschieden. Die Trauer mag genauso groß sein, verteilt sich aber auf einen längeren Zeitraum.

Ich bin selbst auch sehr traurig über Inges Tod. Ich habe sie wirklich geliebt. Inge war das, was man einen guten Menschen nennt. Das klingt vielleicht ein wenig pathetisch, aber entspricht der Wahrheit. Inge war eine liebenswerte und freundliche Frau. Nie zynisch, gehässig oder boshaft. Seit Rudi bei uns wohnt, traue ich mich kaum mehr zu trauern. Schon, weil ich das Gefühl habe, dass es mir nicht wirklich zusteht. Immerhin hat Rudi seine Frau verloren, mein Mann seine Mutter – ich ja bloß die Schwiegermutter. Trotzdem könnte ich, schon während ich darüber nachdenke, weinen.

Christoph, meinen Mann, habe ich, seit dem Tod seiner Mama, noch kein Mal weinen sehen. Warum nicht? Hat er das Gefühl, stark sein zu müssen, weil er sieht, wie gebrochen sein Vater ist? Anders kann ich mir sein Verhalten kaum erklären. Natürlich habe ich ihn dazu befragt. Er hat irgend so was Ähnliches wie »Manche heulen eher nach innen« dazu gesagt. Seit seine Mutter tot ist, geht er noch häufiger zum Golfen als vorher. Mit anderen Worten, er ist kaum mehr zu Hause. »Das zieht mich alles so runter!«, hat er mal gesagt, als ich ihm deswegen ein paar winzig kleine Vorwürfe gemacht habe. Der Satz hat mir gerade noch gefehlt: »Das zieht mich alles so runter!« Unverschämt. Was denkt der denn, wie mich das alles so runter zieht. Glaubt der vielleicht, ich wäre heiß auf das Pubertätsgemuffel, seinen verzweifelten Vater und den gesamten, auch nicht gerade erheiternden, Rest?

»Und was ist mit mir?«, habe ich ihn gefragt.

»Du kannst ja mitkommen zum Golfen!«, hat er lapidar geantwortet, wohl wissend, dass ich überhaupt kein Golf spiele und auch nicht zu dem Typ Frau gehöre, der stundenlang nebenher läuft und Schläge bewundert. Soweit kommt es noch! Außerdem finde ich, dass es kaum etwas Langweiligeres als Golf gibt. Wenn ich mit alten Leuten spazieren gehen will, findet sich mit Sicherheit auch eine andere Möglichkeit. Davon abgesehen, darf man nicht mal einfach so Golf spielen, man muss dafür eine Art Führerschein machen. Etikette büffeln, Regeln lernen und das Ganze nennt sich dann hochtrabend Platzreife. Christoph war stolz wie ein Erstklässler über einen Smiley im Hausaufgabenheft, als er seine Platzreife bestanden hat. »Null Fehler in der Theorie!«, hat er überall ungefragt rumerzählt. Seitdem dreht sich alles um sein Handicap. Detailliert bekommen wir bei den wenigen Mahlzeiten, die wir gemeinsam verbringen, jeden einzelnen Schlag auf seinen Runden geschildert.

»Als ich an der sieben diesen Wahnsinnsabschlag hatte, war ich mit dem zweiten fast schon am Grün, mit dem dritten habe ich den Ball draufgechippt, richtig nah an die Fahne, besser ging's gar nicht und dann habe ich leider drei Putts gebraucht, sonst hätte ich Par gespielt. Also, das wäre der Hammer gewesen.«

Diese Erzählungen sind an Langeweile kaum zu übertreffen. Wir haben alle schon versucht, ihm das klarzumachen. Solche Geschichten interessieren, wenn überhaupt – und auch das ist kaum vorstellbar – andere Golfer. Aber bei jemandem, der diesen »Sport« nicht betreibt, ist das bestimmt die sicherste Möglichkeit, ihn ins Koma zu reden.

Neben den ausschweifenden Erzählungen hat Golf noch weitere Nachteile. Der Golfplatz liegt etwa 35 Minuten Fahrtzeit von unserem Zuhause entfernt. Eine Runde Golf dauert – je nachdem, mit wem man spielt und wie voll es ist – ungefähr vier Stunden. Ich sage nur: Auf Wiedersehen Wochenende! Zu all den Nachteilen kommen noch die Kosten. Golf ist nicht gerade das, was man ein Schnäppchen nennt. Da war mir Christophs exzessives Joggen um Klassen lieber, aber leider wird mir kein Mitspracherecht bei der Wahl seines Sportprogramms gewährt.

Es klingelt. Anne steht vor der Tür. Sie wohnt erst seit einigen Monaten hier in der Gegend und ist heute auch bei Anita eingeladen.

»Hallo, Andrea, ich wollte dich gerade schnell abholen!«, strahlt sie mich an. Anne strahlt immer. Gerade so, als hätte man ihr was ins Trinkwasser gemischt oder als hätte sie in der Sekunde erfahren, dass sie den Lotto-Jackpot geknackt hat. So viel gute Laune macht mich immer ein wenig skeptisch. Ich kann mir einfach kaum vorstellen, dass ihr Leben so unglaublich erheiternd sein kann. Ich kenne Anne nicht wirklich gut, habe aber ihren Mann schon mal getroffen. Der kann wohl kaum der Grund für dieses permanente Grinsen sein. Ich weiß natürlich, dass man nicht vorschnell urteilen soll. Und nur weil jemand muffig aussieht, muss er das noch lange nicht sein. Aber dass dieser Kerl der Grund für diese grandiose Stimmung sein soll, erscheint mir doch unvorstellbar.

»Ich bin fertig, wir können sofort los. Ich muss nur gerade noch meinem Schwiegervater Tschüss sagen!«, begrüße ich Miss Sonnenschein.

»Rudi, mach's gut. Ich bin nebenan bei Anita! Wenn was ist, komm einfach vorbei«, rufe ich ins Haus und ziehe die Tür hinter mir zu. Irgendwie schließt die nicht richtig, aber was soll's. Hauptsache mal endlich raus hier.

»Wer kommt denn noch?«, will Anne auf den fünf Metern bis zu Anita wissen. Ich habe keine Ahnung und gehöre auch nicht zu den Leuten, die vorher genau nachfragen. Ich habe keine Befindlichkeiten. Ich mag natürlich manche lieber als andere, bin aber mit keiner der eingeladenen Frauen so zerstritten, dass ich nicht kommen würde.

Wir sind zu acht und Anita hat mal wieder ordentlich aufgefahren. Gekocht, gebraten und angerichtet als gelte es, einem Catering-Unternehmen Konkurrenz zu machen. Fingerfood, klassisches Frühstück mit Brötchen, jeder Art von Ei und dazu ein bombastisches Süßspeisenbüfett. Selbstverständlich frisch gepresster O-Saft und frisch aufgebrühter Kaffee – wahlweise Latte macchiato, Cappuccino mit oder ohne Koffein und Grüner Tee.

Diese Mengen an Lebensmitteln machen mir sofort Druck. So etwas setzt einfach Maßstäbe. Wer hier bestehen will, muss vor seiner Einladung tagelang werkeln. Schon deshalb kann ich mich an diesen Ladungen Lebensmitteln nicht nur erfreuen. Keiner von uns ist so abgemagert, dass er diese Berge bräuchte. Hier geht es mal wieder nur darum, aufzutrumpfen, den anderen zu zeigen, wie man eben mal, einfach so nebenbei Wagenladungen von herrlichen, kleinen Leckereien zaubert. Und natürlich gibt es direkt die entsprechenden Kommentare. Grinse-Anne kriegt sich gar nicht mehr ein.

»Oh, Anita, das ist ja großartig. Wie du das immer nur machst! Waaaahnsinn!«

Ein einfaches Danke von Anita als Reaktion auf die Lobeshymne wäre ausreichend, aber natürlich geht es jetzt los mit dem Tiefstapeln, um gleich darauf noch mehr Komplimente zu bekommen.

»Das war doch gar nichts, habe ich schnell heute Morgen gemacht!«, lautet deshalb die Antwort von Anita. Wann bitte schön fängt bei Anita der Morgen an? Nachts um eins? Eine Welle von Ahs und Ohs schwappt durch den Raum. Wir stehen andächtig vor den Häppchen, so als hätte Anita gerade Wasser in Wein verwandelt. Bis auf eine Frau, kenne ich alle. Kein Wunder. Es sind alles Siedlungsfrauen. Frauen, die hier in einem der Reihenhäuser wohnen. Anita übernimmt, nachdem sie noch mal eben erwähnt hat, dass das doch alles null Mühe gemacht hat (pah!), die gegenseitige Vorstellung.

»Das hier ist die Jacky. Die kennen die meisten von euch wahrscheinlich noch nicht. Jacky und ich sind zusammen beim Yoga«, sie kichert, »also das ist nicht ganz richtig, Jacky ist die Lehrerin, und ich gehe in ihren Kurs.«

Jacky ist ungefähr 1,80 groß und sieht ein bisschen aus wie ein menschlicher Stangensellerie. Groß, sehr schlank und garantiert unglaublich biegsam. Ich bin direkt neidisch. Ich habe mehr Fett an einem einzelnen Unterarm als diese Frau an ihrem gesamten Körper. Gut, rede ich mir selbst zu, ich habe schließlich zwei Kinder, so was geht an keinem Körper spurlos vorbei.

»Jacky hat vier Kinder und näht ihre komplette Garderobe selbst, und sie macht die tollsten Dinkel-Muffins aller Zeiten«, redet Anita weiter, mit einem Stolz in der Stimme, als hätte sie Jacky höchstpersönlich selbst erschaffen.

Ich glaube, diese Jacky macht mir, obwohl sie, ehrlich gesagt, nett aussieht, ziemlich schlechte Laune. Ich werfe Tamara, die auch nicht direkt als Gazelle durchgeht, einen Blick zu – und verdrehe leicht die Augen. Dinkel-Muffins!

Dann werden wir der Wunder-Muffin-Gazelle vorgestellt.

»Das sind die Andrea, meine Nachbarin, die Tamara, die wohnt vorne an der Ecke, die Kati aus der Sackgasse hinten, die Leonie aus der Achtundneunzig, die Franzi aus der Elf und zu guter Letzt die Paula, unsere gute Seele.«

Immerhin eine hat es geschafft, nicht nur als Nachbarin oder Hausnummer vorgestellt zu werden. Endlich dürfen wir uns hinsetzen und essen. Kaum haben wir den ersten

Bissen im Mund (verdammt lecker!) beginnt Anita mit einer kleinen Ansprache.

»Also, ich habe für heute was tolles Neues vorbereitet. Sonst geht es ja immer nur um Kinder und so. Ich wollte mal ein bisschen Abwechslung in unsere Runde bringen, und da hat mich die Jacky auf eine Idee gebracht. Wir wählen ein Thema für den Vormittag und über das wird dann geredet.«

Muss auch noch jemand ein Referat halten? Bevor ich aufmucke, stopfe ich mir schnell ein kleines Croissant in den Mund, fein gefüllt mit winzigen Shrimps und einer phantastischen Kräutersauce. Ich bin tief beeindruckt. Ob sie die echt selbst gemacht hat? Die anderen schnattern wild durcheinander. »Was für ein Thema denn?« »Und wer bestimmt das Thema?« Fragen prasseln auf Anita ein.

»Halt«, ruft sie entschlossen und hebt den Arm, »ich habe alles geplant. Hier in dieser Schale sind fünf Zettel. Auf jedem steht ein Thema. Eine zieht einen Zettel – und das Thema kommt heute dran. Wir reden dann ausschließlich über das, was auf dem Zettel steht.«

Die ersten fangen an zu kichern. Ich komme mir ein bisschen vor wie in der Schule. Müssen wir uns auch noch melden? Aber bitte, ich bin ja flexibel und habe eigentlich zu allem was zu sagen.

Anita holt eine kleine silberne Schale (sehr stilvoll), stellt sie auf die Tischmitte und sagt: »Wer zieht?«

Tamara schnappt sich die Schale und sagt schlicht: »Ich.«

»Na dann, walte deines Amtes!«, lacht Anita.

Tamara wühlt demonstrativ durch die paar Zettelchen, alle ordentlich gefaltet und holt einen aus der Schale.

»Mach auf! Lies vor!«, wird sie gleich aufgefordert.

Tamara holt ihre Lesebrille aus der Handtasche, entfaltet das Stückchen Papier und lacht. »Letzter Sex? Hier steht einfach nur letzter Sex, mit einem kleinen Fragezeichen.«

Soll das jetzt ein Thema sein? Letzter Sex?

Das könnte in eine Art Gedächtnistraining ausarten, jedenfalls bei mir. Ich brauche sofort Alkohol, geht mir durch den Kopf. Anita kann anscheinend Gedanken lesen.

»Jemand Prosecco auf den Schreck?«, fragt sie in die erstarrte Runde. Bis auf Jacky sind alle dabei. Ich bin nicht wild auf Prosecco, aber besser als gar kein Alkohol.

»Also« unterbricht Anita das immer noch andauernde Schweigen, »es geht darum, wann man mit wem den letzten Sex hatte!«

Sackgassenkati ist die Erste die etwas sagt: »Na ja, Anita, ein bisschen indiskret ist diese Frage aber schon!«

»Ein bisschen?«, fügt Paula hinzu.

Ich bin unsicher. Wir haben schon gemeinsam über Hämorrhoiden, Beckenbodenschwäche und Ähnliches gesprochen. Sicherlich auch nicht gerade Themen, über die man sonst öffentlich spricht.

Tamara zieht nur die Schultern hoch und guckt in die Runde: »Mann, seid ihr prüde. Wo ist das Problem? Sex gehört zum Leben, ich bitte euch, wir kennen uns doch alle gut.«

Immer noch Schweigen am Tisch.

Tamara kommt in Fahrt: »Bei mir war es vorgestern. Nach dem Tatort. Da machen wir es meistens. Emil ist dann im Bett, und dann legen wir los. War diesmal nichts Besonderes. Standard. Bisschen rein – raus. Ihr wisst schon. Aber trotzdem nicht schlecht, eine Sieben etwa. Wir haben da so eine Skala. Zehn ist Wow-Sex mit allem und dann geht es runter auf der Skala bis Null. Hatten wir aber noch nie!«

Franzi unterbricht sie: »Keine Details bitte.«

Dabei wäre es genau jetzt erst spannend geworden. Obwohl ich auch ein wenig zurückhaltend bin, wenn es um solche Schilderungen geht. Sex kann interessant sein, vor allem wenn man ihn hat, aber Sexschilderungen von Bekannten sind mir irgendwie peinlich. Aus welchem Grund auch immer – vielleicht auch aus der Angst heraus, dass sie wesentlich aufregendere Dinge treiben als man selbst. Oder dass man ihnen nach den Sexberichten nicht mehr in die Augen gucken kann, weil man sie sich immer in Action vorstellt.

»Die Nächste bitte!«, fordert uns Anita auf.

Dass Anita ab und an Sex hat, weiß ich ziemlich genau. Schließlich ist sie meine direkte Nachbarin. Und ihr Mann Friedhelm hört nicht mehr so gut, dementsprechend spricht er etwas lauter. Er ist überhaupt etwas lauter. Eben nicht nur beim Sprechen. Deshalb sind Christoph und ich oft unfreiwillig Zeugen, wenn es bei unseren Nachbarn in die alles entscheidende Runde geht.

»Ich kann mich nicht erinnern!«, sage ich auf einmal spontan, und es ist mir nicht mal wirklich peinlich. »In diesem Jahr war es jedenfalls nicht«, setze ich noch einen drauf.

Ein Raunen am Tisch. Aber ich bekomme Unterstützung.

»Geht mir genauso«, stöhnt Paula, »nach der Geburt von Celine hatten wir nur zweimal Sex und Celine wird in diesem Sommer eingeschult.«

Uff, ich bin schon mal nicht Letzte auf der Wann-War-Dein-Letzter-Sex-Liste.

»Zählt jeder Sex?«, will Kati nun wissen. »Oder muss es mit dem eigenen Mann gewesen sein?«

Ich bin kurz vor der Schnappatmung. Hier tun sich ja Abgründe auf. Ich will nicht despektierlich sein, aber dass Kati sich aushäusig vergnügt, ist schwer vorstellbar. Sie ist mit Sicherheit die größte Spießerin von uns allen. Ich bin garantiert auch nicht frei von Spießertum, aber für Kati wurde dieser Begriff quasi erfunden. Anita versucht sichtlich cool zu bleiben.

»Jeder Sex, egal mit wem!«, antwortet sie lapidar ohne irgendeine Gemütsregung zu zeigen.

»Na ja«, beginnt Kati und der Rest lauscht gebannt, »wir sind da eher offen in unserer Ehe, wenn es einen packt, darf man auch mal mit jemand anderem. Wir fragen nicht nach. Jeder, wie er Lust hat.«

Kati und Siegmar führen also eine offene Beziehung. Das hätte ich im Leben nicht für möglich gehalten. Da hätte ich alles dagegen gewettet. Siegmar, seit Ewigkeiten mit Kati verheiratet, ist ungefähr 170 cm groß, hat schütteres Haar, ein fliehendes Kinn und helle, wässerige Augen. Seine Figur ist, mit viel gutem Willen, als mittelmäßig zu bezeichnen. Leider hat er eher breite Hüften und dafür schmale Schultern. Gut – er ist schlank, wirkt aber untrainiert. Insgesamt ein blasser Mann, der immer irgendwie schwammig aussieht. Im Paarvergleich ist Kati eindeutig die Attraktivere von beiden. Sie ist ungefähr genauso groß wie ihr Mann, aber schmal und mit reichlich Busen. Sie hat ein nettes Gesicht, große Augen (die Augenbrauen müssten dringend mal gezupft werden!) längeres, welliges Haar in dunkelblond (könnten ein paar Strähnchen gut vertragen) und eine etwas schiefe, aber niedliche Stupsnase. Kati ist die typische Jeans-Und-T-Shirt-Vorstadt-

Frau: natürlich und sympathisch. Ihre Jeans sitzen eher in der Taille, sie trägt gerne bequeme Schuhe und cremt sich konsequent nur mit Nivea ein. Geschminkt habe ich sie noch nie gesehen. Keiner der beiden, weder Kati noch Siegmar, ist optisch wirklich auffällig, allerdings ist Kati bei näherem Hinsehen durchaus hübsch. So eine Auf-Den-Zweiten-Blick-Hübsche. Aber wo und vor allem mit wem hat Siegmar bloß aushäusigen Sex?

»Tja, also ich hatte meinen letzten Sex vor etwa einem Monat. Mit wem kann ich euch nicht sagen, aber der Sex war gut. Richtig gut. Heiß. Sehr heiß. Und ziemlich versaut. Ich war extra vorher beim Brazilian Waxing!«, lacht Kati.

Drei Knüller in einem Satz. Nummer eins: Mit wem kann ich euch nicht sagen! Das kann ja nur bedeuten, dass wir denjenigen kennen. Ansonsten würde es ja keine Rolle spielen. Ist es etwa der Mann, von einer, die hier mit am Tisch sitzt? Meiner jedenfalls nicht, da bin ich mir sicher. Christoph steht auf einen anderen Typ Frau. Mehr so Upperclass-Tussi. Er mag Statussymbole, teure Klamotten, Schmuck und, wenn möglich, Platzreife! Auch die anderen am Tisch haben geschluckt, als Kati »mit wem kann ich euch nicht sagen« gesagt hat. Nummer zwei: Brazilian Waxing. Für mich mindestens genauso interessant. Eine Frau, die wahrscheinlich noch nie in ihrem Leben einen Lipgloss benutzt hat, die Nagellack albern findet, eine solche Frau geht zum Waxing? Ich muss fast lachen. Und dann hat sie frisch gewachst auch noch – Nummer drei – versauten Sex. Die Frau, deren Kinder für »böse Wörter« Strafe in ein kleines Sparschwein zahlen müssen. »Fluchzoll« nennt Kati das. Böse Wörter sind bei Kati schon Ausdrücke wie »Scheiße« oder »Arschloch«. Ich will hier jetzt nicht behaupten, dass diese Worte zum gepflegten Sprachschatz gehören, aber ehrlich gesagt, benutze ich beide Ausdrücke auch ab und an. Das Scheiße-Sagen bestrafen, und selbst versauten Sex haben. Interessante Kombi.

Anita fängt sich als Erste wieder. »Jetzt sag halt Kati!«, bettelt sie um Details, »Los, wir sagen es auch nicht weiter, wir wollen Namen!«

Kati schüttelt nur den Kopf: »Keine Chance, das geht halt einfach nicht. Glaubt es mir. Das wollt ihr gar nicht wirklich wissen!«

Jetzt werde ich doch ein wenig unsicher. Stimmt meine Logik? Ist es Männern nicht letztlich relativ egal, mit wem sie was haben? Bin ich mir über Christophs Vorlieben wirklich so im Klaren? Ich hätte ja auch nie gedacht, dass der mal Golf spielen würde. Und spricht nicht mein brachliegendes Sexleben dafür, dass er sich anderweitig austobt? Sind Männer, was ihr Sexleben angeht, nicht ziemlich flexibel? Paula scheint ähnliche Gedanken zu haben.

»Ist es einer von unseren Männern?«, fragt sie direkt. Sie klingt ein bisschen aggressiv.

»Keine weiteren Informationen«, antwortet Kati bestimmt, »aber regt euch nicht auf. Kein Grund zur Sorge.«

Was soll denn das nun wieder heißen? Ein eindeutiges Nein war das jedenfalls nicht. Ich bin am Grübeln. Aus vielerlei Gründen. Betrügen Männer ihre Frauen, weil sie zu Hause keinen Sex haben, oder weil sie nicht genug bekommen können und sowohl zu Hause als auch sonst wo jede Menge Sex haben wollen? Wie wäre es für mich, wenn Christoph der Mann wäre, mit dem Kati »versauten Sex« hat? Ich wäre wütend, keine Frage, gedemütigt, es wäre mir peinlich. Aber würde es mich unglücklich machen, mich verzweifeln lassen? Komischerweise eher nicht. Das jedenfalls ist mein erstes Gefühl. Und was sagt das jetzt über unsere Beziehung aus?

Anita unterbricht meine Gedanken.

»Die Nächste bitte!«, ermuntert sie die Runde. Anita, Anna, Leonie, Franzi und Jacky fehlen noch.

Ich bin unsicher, ob ich noch mehr hören will. Irgendwie zieht mich das hier mental runter.

Anita, die immerhin für alles verantwortlich ist, ergreift das Wort: »Bei uns ist zwei Mal die Woche normal. Die ganz große Leidenschaft ist weg, aber wir tun es einfach. Weil es dazugehört und manchmal ja auch eine nette Sache ist.«

Sex – eine nette Sache? Ist das nicht ein bisschen profan? Oder liegt hier einer meiner entscheidenden Denkfehler? Erwarte ich zu viel? Habe ich wenig Sex, weil ich ihm zu viel Bedeutung beimesse? Ist das die Krux? Sollte man es einfach tun, so wie man sich die Zähne putzt (vielleicht nur nicht ganz so oft!)?

»Wir haben feste Termine, damit wir dran denken«, unterbricht Leonie meine Gedanken.

»Termine für Sex?«, kommt prompt die erste erstaunte Nachfrage. »Ja«, bestätigt Leonie, »ich weiß, das hört sich schräg an, aber wenn wir keine Termine machen, dann kommen wir irgendwie nicht dazu. Es ist immer was anderes und mal ehrlich – wenn man weiß, man könnte jederzeit, dann tut man es oft nicht. Gerade weil man immer könnte. Rein theoretisch jedenfalls.«

Das, finde ich, ist eine interessante These.

»Ihr verabredet euch für Sex?«, will ich es genau wissen.

»Ja, so machen wir es. Anfang des Monats checken wir unsere Termine und so, wie wir ausmachen, wer zum Beispiel Kirsten zum Kieferorthopäden fährt, oder wer zum

Elternabend geht, so klären wir auch, wann wir Sex haben. Drei Mal im Monat ist Pflicht – mehr ist aber immer erlaubt. Quasi als Kür. An den verabredeten Terminen muss was gehen. Alles, was darüber geht, basiert auf Freiwilligkeit«, erklärt uns Leonie ihre seltsame Sexplanung.

»Man kann sich Sex doch nicht vornehmen und terminieren, so wie eine Yogastunde?«, schnaubt Anita.

»Doch, klar, kann man das. Und vor allem bleibt man in Übung. Wenn man lange keinen Sex hat, wächst da so ein Unbehagen und man wird immer klemmiger. Es baut sich da so was auf und das wollen wir erst gar nicht entstehen lassen!«, erklärt Leonie ihre spezielle Vorgehensweise.

Ich kann durchaus verstehen, was Leonie meint. Je länger man keinen Sex hat, umso komischer wird die Vorstellung, welchen zu haben. Das geht mir ähnlich. Wenn monatelang nichts läuft, wächst der Anspruch. Einfach mal so eine entspannte kleine Nummer zu schieben, erscheint unvorstellbar. Da will man dann, schon weil man ja so ewig lange abstinent war, das ganz große Programm. Volle Leidenschaft, voller Einsatz. Und schon der Gedanke an all die Ansprüche lässt es einen nicht tun, weil man ahnt, dass das nicht klappen wird. Es gab doch mal ein Ehepaar, das – ähnlich wie Leonie – ein Sexexperiment gemacht hat. Hundert Tage lang – täglich Sex.

»Erinnert ihr euch«, frage ich die anderen Frauen, »an dieses Paar, wo die Frau ihrem Mann zum Geburtstag hundert Tage lang täglich Sex geschenkt hat?«

»Abartig!«, urteilt Anita sofort, »wo bleibt da die Spontaneität? Das ist ja völlig ritualisiert. Zwang, Druck – was soll das? Das hat doch bei dem Thema nichts zu suchen! Sex auf Knopfdruck!«

Sie regt sich richtig auf. Als hätte man sie persönlich angegriffen. Ich bin mir da gar nicht so sicher.

Jacky mischt sich ein: »Das habe ich gelesen, da gibt's ein Buch. Mir hat das damals eingeleuchtet. Einfach mal wieder in Übung kommen, das macht doch Sinn.«

Ich finde, das klingt wirklich ganz einleuchtend, aber hundert Tage lang täglich Sex? Das macht mir auch Angst. Wann, um alles in der Welt, soll der denn in meinem vollgepackten Tag noch stattfinden? Was, wenn man müde oder erschöpft ist, oder schlicht keine Lust auf Sex hat? Ich denke kurz darüber nach, ob das ein nettes Geschenk zu Christophs Geburtstag sein könnte, bin mir aber insgeheim sicher, dass er lieber einen neuen Eisensatz für sein geliebtes Golf hätte.

Es klingelt. Ich höre es schon aus dem Esszimmer. An der Tür ist eindeutig mein Schwiegervater Rudi.

»Andrea, ist für dich!«, ruft da auch schon Anita.

Ich eile zur Tür.

»Des wird dir net gefalle, was ich jetzt sach!«, beginnt er. »Isch hab misch ema um unser Haustür gekümmert. Des Schloss war irschendwie net rischtig drin. Isch habs ausgebaut. Jetzt is es drausse, aber irschendwie kriesch ich es net mer enei.« Er schüttelt bedauernd den Kopf.

Der hat was? Unser Haustürschloss ausgebaut? Meine Güte, muss ich jetzt schon einen Opasitter beauftragen. Ich bin genervt, aber nach einem Blick in Rudis zerknirschtes Gesicht tut es mir direkt leid. Wie immer hat er es ja nur gut gemeint!

»Rudi, was heißt das jetzt genau für unsere Tür?«, frage ich vorsichtig und versuche, freundlich zu klingen.

»Gebt ihr misch jetzt ins Heim?«, umgeht er meine Frage mit einer Gegenfrage. Meine Güte! Was für eine Taktik, mir direkt ein schlechtes Gewissen zu machen. Ich habe eine richtige Beißhemmung.

»Ich mach's ja eh net mer lang, da lohnt so en Heim gar net mer. Bis ich drin bin, bin ich eh hin.«

Jetzt sind wir mal wieder beim alles entscheidenden Thema. Wie soll ich da mit so etwas Belanglosem wie einem Türschloss kommen? Tod gegen Türschloss – da hat ein Türschloss natürlich keinerlei Chancen.

»Du bist lebendig und musst auch nicht ins Heim. Aber es wäre natürlich toll, wenn wir unsere Haustür schließen könnten!«, gebe ich eine möglichst verbindliche Antwort. Steht unsere Tür jetzt etwa offen? Werden wir gerade ausgeraubt? Eigentlich hätte ich große Lust, Rudi anzuschreien, aber so wie er guckt, fängt der glatt an zu heulen. Innerlich tadele ich mich selbst. Andrea, reiß dich zusammen, er hat seine Frau verloren, er denkt, er stirbt bald und ist einfach zutiefst unglücklich. Du wirst doch einen solch armen Mann nicht hauen wollen! Ich will aber trotzdem. Bei aller Traurigkeit – er muss sich doch nicht an unserem Haustürschloss vergreifen.

»Ich krieg des wiedä hin, Andrea. Ich brauch nur en paar Schräubscher. Dann klappt des. Resch disch net uff.«

Ich hätte hier noch irrsinnige Sexanregungen bekommen können, aber jetzt ist mein Vormittag gelaufen und ich kann mich der Haustür widmen.

»Ich komme mit dir rüber, Rudi. Ich reg mich nicht auf, du hast es ja gut gemeint«, behaupte ich schnell. »Geh schon mal vor, ich komme gleich nach!«

Natürlich rege ich mich auf. Und sobald ich das Elend sehe, wahrscheinlich noch mehr. Aber ich habe mich unter Kontrolle.

»Bleib ruhisch, isch versuch des zu rescheln, isch wollt disch net störn.«

Das liebe ich ja ganz besonders. Erst stören und dann sagen, dass man ja nicht stören will! So was geht mir auch bei meinen Kindern auf den Wecker. Zum Beispiel, wenn sie mich erst absichtlich nerven und sich dann dafür in einem Ton entschuldigen, als würden sie mich eine blöde Kuh nennen. Um Missverständnissen vorzubeugen: Natürlich bin ich eine große Freundin von Entschuldigungen – aber dieses schnell dahingesagte, berechnende und nicht ernst gemeinte »Entschuldigung«, das mag ich nicht besonders.

Am liebsten würde ich Christoph anrufen und ihm sagen, dass er herkommen soll. Ist es mein oder sein Vater!?

»Soll isch hier uff disch warte?«, fragt Rudi noch mal nach.

»Ich komme sofort! Bewach lieber unser Zuhause!« Mit diesen Worten schicke ich Rudi heim. Seit Rudi bei uns wohnt, habe ich wirklich das Gefühl, noch ein Kind mehr zu haben. Ein Kind, das ganz besondere Aufmerksamkeit erfordert. Ein liebes Kind, das aber reichlich Zeit kostet.

»Isch geh ja schon!«, trollt sich Rudi.

»Ich muss leider gehen!«, teile ich meinen Freundinnen mit. Jetzt wissen alle über mein Sexleben Bescheid – über mein nicht existentes Sexleben. Ich hingegen bin mit meinem verfrühten Abgang auf Sekundärinformationen angewiesen. Von Jacky, Anna und Franzi weiß ich nämlich noch nichts. Ärgerlich. Hätte ich mit meiner Sexbeichte doch lieber noch ein bisschen gewartet. Die Peinlichkeit hätte ich mir ersparen können. Einerseits. Andererseits: Ist es wirklich peinlich keinen Sex zu haben? Oder sagen wir mal, sehr selten Sex zu haben? Geht es nicht Millionen von Paaren genauso? Erstaunlicherweise sind es mittlerweile oft die Männer, die nicht so recht wollen. Nicht jeder ist eben ein Tiger Woods.

»Pack dir doch noch ein bisschen Essen ein!«, fordert mich Anita auf. »Deine Familie freut sich doch, wenn sie mal was Leckeres bekommt!«

Wie so ein klitzekleines Wort einen ganzen Satz ruinieren kann. »Mal« was Leckeres. Was soll das denn bitte heißen? Meine Tochter würde sofort ihren neuen Lieblingssatz »Das geht ja gar nicht!« sagen. Mal was Leckeres. Ich bin keine Gourmetköchin, aber es ist auch nicht so, dass bei mir zu Hause alle darben. Was rege ich mich auf?! Kann mir doch komplett wurscht sein, was Anita von meinen Kochkünsten hält. Schließlich ist Kochen weder mein Beruf noch meine Passion. Trotzdem wurmt es mich, weil tief in mir drin auch eine Miss Perfekt steckt. Man will im Frauenwettbewerb, egal wie albern man ihn findet, doch gerne bestehen. Ich versuche seit Jahren, mich davon frei zu machen. Ich muss nicht die schlausten und begabtesten Kinder haben, die herrlichsten und kompliziertesten Essen zaubern können und auch nicht die Schlankste und Schönste sein. Aber wenigstens in einem Bereich ganz vorne zu sein, wäre insgeheim natürlich schon schön. Noch schöner wäre es allerdings, einfach drüber zu stehen. Stattdessen packe ich mir von Anitas Delikatessen ordentlich was ein. Man muss manchmal auch praktisch denken. Einmal Abendessen gespart. Ist doch auch was.

»Nimm dir einfach ein bisschen Alufolie und ein paar Tupperschälchen. Du weißt ja, wo alles steht!«, ruft mir Anita aus dem Esszimmer zu.

Während ich einpacke, fällt mir das silberne Schälchen mit den Themenzettelchen ins Auge. Die anderen sind beschäftigt, und ich bin neugierig. Also entfalte ich jeden einzelnen und staune. Es steht überall das Gleiche drauf. Da guck mal einer. Wieso nur wollte Anita unbedingt darüber reden? Letzter Sex? Letzter Sex? … Immer wieder: Letzter Sex? Seltsam. Aber wenn ich jetzt nachfrage, verrate ich mich selbst. Eine Patt-Situation. Also lasse ich das erst mal und verabschiede mich.

»Danke für den aufregenden Vormittag, danke fürs Essen. Macht's gut.«

Ich wäre besser bei Anita geblieben. Bei mir zu Hause sieht es grauenvoll aus. Rudi hat den gesamten Werkzeugkasten ausgeleert und alles im Eingangsbereich verteilt.

»Isch musst mer erst ema en Überblick verschaffe, mir fehle Schraube«, klärt er mich auf.

»Aber da waren doch Schrauben drin. Wo sind die denn?«, frage ich, möglicherweise etwas naiv, nach.

»Des passt alles net gut, des war von der Konstruktion her irschendwie falsch. Was die heut en Zeusch mache!«, entrüstet sich mein Schwiegervater.

Unsere Tür kann man leider nicht mehr schließen. Da, wo mal ein Sicherheitsschloss war, ist jetzt einfach nichts, ein Loch sozusagen.

»So kann das aber nicht bleiben, Rudi!«, stelle ich klar.

»Isch hab alles durchdacht«, antwortet er, und es hört sich fast schon ein wenig ärgerlich an. »Falls ich heut net fertisch werd, hol isch mir ne Matratze hier runner in en Flur und schlaf hier. Damit kaaner rein kann.«

Welch großartige Idee. Ich würde mich mit Sicherheit sofort irrsinnig gut bewacht fühlen. Mein Schwiegervater als lebendes Türschloss! Wäre das alles nicht so lästig, müsste ich lachen. Früher konnte ich das gut: Über widrige Situationen lachen. Das fällt mir inzwischen sehr viel schwerer. Ich bin eben nicht so lässig, wie ich es gerne wäre.

»Rudi, räum zusammen, ich rufe den Schlüsseldienst, und du kannst ganz normal im Bett übernachten.«

»Des kommt überhaupt net in Frage!«, beschließt mein Schwiegervater und in seiner Stimme liegt eine Dominanz, von der in den letzten Wochen nichts zu spüren war. Eigentlich ganz erfreulich ihn mal wieder so zu hören.

»Isch werd's richten. Außerdem hab ich was über Schlüsseldienste gesehe, beim Meyer von der Akte. Und die habe gesagt, des sin alles Verbrächer. Die komme mer net in mein Haus. Nicht über diese Schwelle.«

Ich könnte jetzt gemein sein und ihn kurz daran erinnern, wessen Haus das hier ist. Jedenfalls nicht seins. Und ehrlich gesagt, käme sowieso keiner über diese Schwelle, denn alles liegt voller Werkzeug.

»Du müsstest mich nur ebe mal in de Baumarkt fahrn, damit ich des hol, was mer fehlt«, bekomme ich Anweisungen.

Das hingegen fehlt mir gerade noch. Ein Ausflug zum Baumarkt. An meinem freien Tag. Phantastisch. Das war alles anders geplant. Ich merke, wie sich meine Mundwinkel nach unten ziehen.

»Du musst damit aufhören, die Falten graben sich schon richtig ein!«, hat mir meine Mutter neulich gesagt. Charmant, aber wahr. Ich hasse diese Furchen, die sich von den Mundwinkeln abwärts ziehen. Man sieht so miesepetrig aus. Beherzt versuche ich ein Lächeln.

»Rudi, die Kinder kommen mittags zum Essen nach Hause und vielleicht wäre es doch sicherer, wenn wir schnell den Schlüsseldienst rufen.«

»Dann gäb mir dein Auto und isch erledige des eben!«, bietet er an.

Rudi und mein Auto? Das hört sich nach einer unheilvollen Kombination an. Wenn das so ähnlich wie mit dem Türschloss endet? Rudi fährt seit einiger Zeit kein Auto mehr. Inge und er hatten jahrelang ein Wohnmobil, aber im letzten Jahr hat Christoph seinen Vater davon überzeugt, dass es auch ohne Auto ein Leben gibt.

»Du fährst doch gar kein Auto mehr, Rudi!«, versuche ich ihm in Erinnerung zu rufen.

»Abä ich kann es doch noch. Des verlernt mer doch net. Des is wie Fahrradfahrn, vor allem mit deinem klaane Autochen. Mer sin mit unserer Bertha dörsch ganz Europa!«

Bertha war der Name von Rudis Wohnmobil. Es ist Zeit, diese Leih-Mir-Dein-Auto-Debatte zu beenden.

»Nein, Rudi, das will ich nicht!«, sage ich entschlossen und fühle mich mal wieder schlecht. Das würde mir auch schön stinken, wenn mir jemand vorschreiben würde, wie lange ich Auto fahren darf.

»Gut!«, kommt es beleidigt von Rudi, »dann nehm ich den Bus. So krank wie ich bin. Bitte sehr!«

Er dreht sich um, steigt über das verstreute Werkzeug und stapft in sein Zimmer. Sieht sehr nach einer Form von Alterspubertät aus. Ich räume alles ein bisschen auf die Seite und lehne die kaputte Tür wenigstens an. Am liebsten würde ich zurück zu Anita gehen, mich an den Tisch setzen, mir ein paar dieser fettigen Mini-Croissants mit Shrimps in den Mund schieben und das hier einfach verdrängen. Aber das klappt ja doch nicht. Also versuche ich noch kurz, Rudi von seinem Vorhaben abzubringen, lasse ihn dann aber einfach gehen. Vielleicht tut es ihm gut. Er ist schon lange nicht mehr freiwillig aus dem Haus gegangen. Ein bisschen Abwechslung kann ja nicht schaden. Außerdem gehört mein Haus dann mal wieder kurz mir allein. Auch schön.

Ich denke darüber nach, schnell den Schlüsseldienst zu holen, entscheide mich aber dagegen. Das wäre Rudi gegenüber nicht fair. Soll er es halt noch einmal versuchen, wenn es dann nicht hinhaut, kann ich immer noch anrufen.

Mein Handy brummt. Eine SMS von Christoph.

Habe eine tolle Überraschung für Dich! Komme heute später, gehe noch ein paar Löcher nach der Arbeit!

Schlau eingefädelt: Erst ein Leckerchen und dann die Hiobsbotschaft. Gehe noch ein paar Löcher. Wenn ich das schon höre! Übersetzt bedeutet das: Wartet nicht auf mich. Esst allein! Schon das zweite Mal in dieser Woche. Wäre auf Dauer wahrscheinlich praktischer, er würde sich ein Zimmer im Golfclub mieten. Pardon: Im Golf- und Country-Club. Da legt mein Mann Wert drauf.

Vielleicht könnte ich doch noch schnell zurück zu Anita gehen – die Alternative wäre, das Chaos hier zu lichten. Anita ist verlockender. Obwohl wahrscheinlich keine der Frauen mehr lange da sein wird. Gegen halb zwei kommen die meisten Kinder aus der Schule und die gute Mama hat dann das Essen selbstverständlich auf die Minute fertig. Aber ein halbes Stündchen geht auf jeden Fall noch. Die Tür lasse ich eben offen. Wird schon nicht ausgerechnet in der halben Stunde ein potentieller Einbrecher vorbeikommen.

Ich bin zu spät für die Sexberichte. Die Damen sind schon eins weiter und ziemlich angeschickert. Kati hält gerade ein flammendes Plädoyer für unten ohne: »Heute trägt eigentlich niemand mehr Schambehaarung!«

Ich möchte nicht schon wieder die Erste sein, die Einspruch einlegt oder sozial auffällig wird. Kein Sex – aber dafür Schamhaare. Genaugenommen möchte ich auch gar nicht wissen, wie meine Freundinnen im Detail ihr Schamhaar tragen.

»Brazilian Waxing ist phantastisch«, kommt Kati ins Schwärmen, »nichts Störendes, gerade wenn man – na ja ihr wisst schon.«

Wir wissen nicht, aber ahnen, was sie meint.

Tamara, anscheinend keine Angehörige der Nacktschneckenfraktion, muckt auf. »Das hat für mich was Pädophiles. Ich bin doch kein Kind mehr und muss deshalb untenrum ja wohl auch nicht so aussehen!«, argumentiert sie.

»Das tut doch bestimmt sauweh!«, sagt Anita und Kati grinst.

»Na ja, ein Spaß ist es nicht, aber das Ergebnis ist es allemal wert. Siegmar geht auch hin.«

Hilfe! Wie soll ich ab heute reagieren, wenn ich Siegmar beim Einkaufen oder auf der Straße treffe? Ich werde an nichts anderes mehr denken können. Kahlschlag bei Siegmar! Eine grausige Vorstellung, die ich sofort aus meinem Kopf bekommen muss.

Anita scheint auch nicht begeistert:

»Also, ich weiß nicht, so Haare haben ja durchaus auch was Dekoratives, man will doch nicht immer alles so genau sehen. Ich finde das, sagen wir mal, gewöhnungsbedürftig.«

Anita kann sehr verbindlich sein. Gewöhnungsbedürftig ist ja gelinde gesagt etwas untertrieben.

»Und, ist das teuer?«, zeigt Franzi Interesse.

»Knapp vierzig Euro, aber mit Pofalte!«, kommt prompt die Antwort von Kati.

Mit Pofalte! Es gibt wirklich Berufe, die ich um nichts in der Welt ausüben wollte! Pofaltenhaarentfernung bei Wildfremden! Oder bei Siegmar!

»Du kannst ja auch eine harmlosere Variante wählen«, kichert Kati, »manchmal mache ich Landing Stripe oder lasse mir ein Herzchen stehen!«

»Das muss doch etwas peinlich sein, ich meine vor der Angestellten so alles zu zeigen, das ist ja wie beim Gynäkologen«, wirft Tamara ein.

Ausgerechnet Tamara. Der ist normalerweise doch so schnell nichts peinlich.

Jacky, bisher ziemlich schweigsam, meldet sich zu Wort: »Ich sehe das ja oft bei uns im Studio, mittlerweile sind die meisten rasiert. Kahlrasiert. Für junge Leute ist das normal.«

Für mich nicht. Ich bin allerdings, selbst wohlwollend gesehen, nicht mehr jung. Vielleicht an guten Tagen für Rudi, das war es dann aber auch.

Jenseits der vierzig ist jung der falsche Ausdruck. Das ist nicht weiter schlimm, man kann eben nicht immer jung sein. Das Blöde ist nur, man soll immer so aussehen. Das ist anstrengend. Und wenn man sich dazu noch Familie und sogar Beruf leisten will oder – was Letzteres angeht – muss, dann ist es fast schon eine unlösbare Aufgabe. Oder jedenfalls eine, bei der man immerzu ein wenig hinterherhinkt.

Ich gehe mittlerweile regelmäßig zur Fußpflege – aber Brazilian Waxing habe ich noch nie ausprobiert. Sieht ja eh kaum einer. Eigentlich keiner außer mir. Und selbst mir ist der Blick durch den Bauch teilweise versperrt. Ich lege den Fokus eben auf die Dinge, die offensichtlich sind. Das hat ein bisschen was von außen hui und innen pfui, aber man muss im Leben Prioritäten setzen, und das ganze Programm ist mir zeitlich doch zu anspruchsvoll.

»Es lohnt sich, das Geld auszugeben, das bringt sexuell gesehen richtig was«, bewirbt Kati ihr Brazilian Waxing. »Wer heute unten rum zottelig rumläuft, kriegt im Leben keinen Kerl mehr ab. Die rennen ja schreiend weg. Der Siegmar würde nie mit einer was anfangen, die nicht rasiert ist!«

Das spricht eigentlich sofort gegen eine Rasur. Siegmar gehört nun wirklich nicht in mein Beuteschema. Einerseits. Andererseits, wenn schon Siegmar ein solches Anforderungsprofil hat – ein Mann, der mit Trends und Ähnlichem sonst ja offensichtlich gar nichts zu tun hat –, dann wird es mit den anderen auch schwierig. Das könnte mir theoretisch egal sein, aber sollte Christoph im Schlafzimmer weiterhin wie sediert sein, muss ich mir eventuell Alternativen suchen. Ich kann doch nicht mit Mitte vierzig meinen endgültigen Abschied vom Sexleben einläuten. Das wäre wirklich erbärmlich und auch irgendwie traurig.

»Ich kann euch jederzeit die Adresse geben. Die Gaby macht das irre gut. Ratsch, ratsch und weg ist das Fell. Und es hält ne Weile, und wenn ihr sagt, dass ihr meine Freundinnen seid, kriegt ihr auch sofort einen Termin. Die ist sonst total ausgebucht«, bietet Kati an.

Schöne Offerte, aber jetzt muss ich mich erst mal profaneren Dingen wie dem Mittagessen widmen. Das geht auch unten mit.

Es herrscht allgemeine Aufbruchsstimmung. Alle verabschieden sich und beteuern wie ungeheuer spannend es war.

Unser Haus ist noch da. Keine Einbrecher zu sehen. Auch kein Rudi weit und breit. Gut, die kleine Busreise zum Baumarkt und zurück wird ihn schon ein paar Stunden beschäftigen.

Ich mache Grüne Soße, Eier und Kartoffeln. Das wird für die Mal-Wieder-Vegetarierin schon gehen. Mein Sohn schaufelt sowieso alles in sich rein. Ohne großen Kommentar. Die Zeiten, in denen meine Kinder in Ekstase über ein Mittagessen ausgebrochen wären, sind lange vorbei. Mittagessen gehört zu den Standarddienstleistungen einer Mutter. Die müssen weder erwähnt, noch gedankt werden.

Mark kommt als Erster nach Hause. Ist mir jedes Mal rätselhaft, wieso meine Kinder in unterschiedlichen Bussen von der Schule nach Hause kommen, selbst dann, wenn sie zur gleichen Zeit Schulschluss haben.

»Und wie war dein Tag?«, frage ich freundlich bei meinem Sohn nach.

»Wie immer«, brummt es zurück, der Ranzen fliegt neben den Werkzeugkasten, und Mark ist weg.

»Es gibt gleich Essen!«, schreie ich ihm, wie jeden Tag, hinterher.

Ich finde mich schon selbst langweilig. Öde. Aber ansonsten habe ich ja auch kaum Neuigkeiten zu verkünden. Denn mit Sicherheit möchte Mark nicht mit seiner Mutter über die neusten Schamhaartrends oder die Sexfrequenz seiner Eltern sprechen.

Zehn Minuten später kommt auch meine Veganerin nach Hause. Sie nickt mir zu, hat wie immer ihre Kopfhörer auf und ihr kunstvoller Smokey-Eye-Look geht inzwischen fast bis zu den Wangenknochen.

»Was gibt's zu essen?«, knurrt sie mir entgegen.

»Grüne Soße!«, antworte ich, und gnädig lässt sie sich am Tisch nieder. Auch Mark erscheint.

»Wo ist Opa?«, fragt er. »Ausgezogen?«

Ich erkläre die Situation. Mark will keine Grüne Soße.

»Die ganzen komischen Kräuter hängen mir dann in den Brackets, außerdem ist die so grob gehackt, da sieht man das alles noch so! Diesen Kräuterkram«, lautet sein bestechendes Argument.

»Sind da etwa Eier drin?«, will Claudia wissen.

»Natürlich sind da Eier drin. Das ist Frankfurter Grüne Soße, da gehören Eier rein!«, gebe ich bereitwillig Auskunft.

Muss ich jetzt demnächst noch die Inhaltsstoffe auflisten und den Kindern zur Genehmigung vorlegen?

»Eier ess ich nicht!«, sagt sie und nimmt sich Kartoffeln.

»Die ist aber sehr gesund!«, stellt der pädagogische Teil in mir fest.

»Quark, Joghurt, Eier und Mayo! Mann, ich bin Veganerin, das hab ich dir doch gesagt! Hörst du mir eigentlich nie zu?«, keift sie los.

Ich würde ihr die gesamte Grüne Soße am liebsten über den Kopf schütten. Die Vorstellung macht mir Spaß, der Gedanke, die Schweinerei nachher wieder aufzuwischen, leider weniger.

»Ich will auch nur Kartoffeln!«, bestimmt mein Sohn. »Kriegen wir jetzt kein Fleisch mehr, weil die keins isst?«, erkundigt er sich dann besorgt.

»Die« sagt nur »Arschloch«, und ich weiß wirklich nicht, wie ich das noch jahrelang aushalten soll.

»Übrigens, Mama, ich sehe keine Zukunft mehr für mich in der Schule!«, verkündet meine Tochter mir dann während sie in den Kartoffeln rumpickt.

Ich zähle bis drei und versuche, gelassen zu bleiben. Nicht aufregen.

»Ich sehe leider ohne Schule keine Zukunft!«, gebe ich freundlich, aber doch bestimmt zurück. Was für eine erwachsene Antwort. Ich bin richtiggehend stolz auf meine Reaktion. Ich hätte ja auch direkt rumschreien können.

Es kläfft. Ach du je – Karl. Der Rauhaardackel von Rudi und Inge. Den hatte ich ja komplett vergessen. Als Rudi bei uns eingezogen ist, hat er selbstverständlich Karlchen mitgebracht.

»Der Hund gehört zu mir, der is lieb und pflegeleicht, ein guter Hund!«, hat er damals betont. Ein guter, aber auch alter Hund mit einem klitzekleinen Problem. Karl neigt ein wenig zur Inkontinenz. Er muss selbst nachts häufig raus.

»Guck mal, wo Karl ist, und lass ihn raus!«, fordere ich meinen Sohn auf.

»Ist das mein Hund?«, fragt Mark ungerührt.

»Nein, aber meiner auch nicht, und hier hat jeder was beizusteuern, damit das alles läuft!«, antworte ich.

Er bleibt einfach sitzen.

»Geh jetzt!«, brülle ich, denn wenn es sachlich und freundlich nicht funktioniert, muss man es eben anders versuchen. »Sofort!«, schreie ich noch hinterher.

»Gott, Mama, geht's noch!«, kommentiert Claudia das Geschehen und Mark verlässt kopfschüttelnd den Tisch.

Nette Familie. »Da bist du ein bisschen selbst schuld!«, erklärt mir meine Mutter gerne, wenn ich mich über meine Kinder beschwere. »Die sind ein Produkt deiner Erziehung! Da musst du dich nicht weiter wundern!« Das ist sehr tröstlich. Alles läuft schief – und eine ist schuld. Ich. Habe ich meine Kinder zu sehr verzogen? Sollte ich endlich mal – wie mein Vater gerne sagt – andere Saiten aufziehen? Oder ist der Zug längst abgefahren? Ich habe neulich einen Hirnforscher gehört, der behauptet hat, bis zur Pubertät müsse man das mit der Erziehung erledigt haben, denn dann wäre alles gelaufen. Prima! Wenn das so ist, kann ich mir ja eigentlich jegliche Anstrengung sparen.

»Der Hund hat schon gemacht! Pipi!«, teilt mir Mark lapidar mit, als er die Treppe mit Karl runterkommt.

»Dann mache es weg! Ich will keine Details, mache es einfach weg!«

»Mama, das ekelt mich! Da muss ich kotzen!«

Natürlich macht er es nicht weg Und am Ende wische ich den Boden. Wer auch sonst? Ich könnte natürlich auf meinen hauseigenen Schlosser und Hundebesitzer warten, der leider gerade im Baumarkt ist, oder auf seinen Sohn, der dem Hund, rein familiär gesehen, wesentlich näher steht als ich, aber bevor sich der Geruch ausbreitet, erledige ich das wohl doch lieber selbst. Von allein wird der wohl kaum verschwinden.

Während ich auf Knien Karls Spuren beseitige, habe ich plötzlich das Gefühl, dass alles über mir zusammenbricht. Eine Welle der Traurigkeit kommt über mich. Angeschwappt wie aus dem Nichts. Was ist bloß los mit mir? Es war doch nicht mal ein außergewöhnlicher Tag. Aber ist es vielleicht genau das? Die Aneinanderreihung von nicht außergewöhnlichen Vorkommnissen? Sind es meine Hormone? Ist es meine Beziehung? Bin ich im Kreis all dieser Menschen um mich herum eigentlich allein? Brauche ich nur mal eine ordentliche Dosis Liebe? Oder werde ich geliebt und bin nur zu anspruchsvoll? Habe ich Erwartungen, die unrealistisch sind? Warum nur hadere ich so? Was fehlt?

Was die Liebe angeht bin ich unsicher. Liebe ich meinen Mann? Bin ich sogar verliebt? Prickelt es?

Ein Prickeln kann ich definitiv verneinen. Verliebt bin ich, bei genauerer Betrachtung, auch nicht. Zum Verliebtsein gehört nun mal dieses Prickeln, die Aufregung und Erregung, die Erwartung und die Leidenschaft dazu. Was ist mit der Liebe? Ist sie nicht um ein Vielfaches mehr – größer, gewaltiger und auch ruhiger. Entspannter.

Manchmal habe ich das Gefühl, es ist bei uns wie in dem Kästner-Gedicht mit dem Stock und dem Hut.

Als sie einander acht Jahre kannten
(und man darf sagen: sie kannten sich gut),
kam ihre Liebe plötzlich abhanden.
Wie andern Leuten ein Stock oder Hut.

Wo ist unsere Liebe hin? Geht Liebe einfach so, klammheimlich, still und leise? Wie kann man sie festhalten? Gibt es Wiederbelebungschancen? Eine Art Defibrillator für Gefühle? Oder ist es ein Fakt, dass die Liebe, so wie sie kommt, eben auch geht. Und das, was im besten Fall bleibt, ein warmes, freundschaftliches Gefühl ist. Kann man sich ein Leben lang innig lieben? Sind meine Erwartungen, meine romantischen Phantasien eventuell völlig realitätsfern und gar nicht umsetzbar? Haben aber Rudi und Inge nicht genau das gelebt? Die große andauernde, ausdauernde Liebe? Vielleicht sollte ich mal mit meinem Schwiegervater darüber reden. Was hat diese Liebe ausgemacht? Wie hat sie den Alltag ausgehalten? Sind Alltag und Liebe kompatibel? Was braucht es für die große Liebe? Jetzt fällt mir auch wieder ein, wie das Gedicht von Erich Kästner weitergeht. Ich habe es vor Jahren mal auswendig gelernt.

Sie waren traurig, betrugen sich heiter,
versuchten Küsse, als ob nichts sei,
und sahen sich an und wußten nicht weiter.
Da weinte sie schließlich. Und er stand dabei.

Vom Fenster aus konnte man Schiffen winken.
Er sagte, es wäre schon Viertel nach Vier
und Zeit, irgendwo Kaffee zu trinken.
Nebenan übte ein Mensch Klavier.

Sie gingen ins kleinste Café am Ort
und rührten in ihren Tassen.
Am Abend saßen sie immer noch dort.
Sie saßen allein, und sie sprachen kein Wort
und konnten es einfach nicht fassen.

Ich sitze im Hundepipi und heule leise vor mich hin. Über Erich Kästner, das Leben an sich und mich. Wie jämmerlich.

Zwei Stunden später habe ich mich wieder unter Kontrolle und kann kaum fassen, was da eben los war. Diese Stimmungsschwankungen machen mich fertig. Vielleicht brauche ich ein Hormonpflaster. Oder ich sollte wenigstens mal einen sogenannten Hormonstatus machen lassen. Mittags auf dem Boden hocken und einfach so vor sich hinweinen – das kann doch nicht normal sein. Aber – es hat gut getan. Warum auch immer. Jetzt komme ich mir zwar albern vor, aber es ist raus. Weggeheult. Also eigentlich jammern auf allerhöchstem Niveau!

Ich glaube, ich sollte ein Mittagsschläfchen halten. Immerhin ist es mein freier Tag. Die Kinder sind eh nicht heiß auf meine Gesellschaft, und so ein Mittagsschlaf ist etwas, was ich seit einiger Zeit durchaus zu schätzen weiß.

»Mama, Mama, der Opa hat sich gerade gemeldet. Ich soll ihn am Bus abholen, am besten mit Claudia zusammen, er schafft es nicht allein nach Hause!«, weckt mich mein Sohn.

Ich bin verwirrt. Wie hat der sich denn gemeldet? Rudi hat doch gar kein Telefon und was heißt: Er schafft es nicht allein nach Hause? Ich habe innerhalb von Sekunden ein schlechtes Gewissen. Hätte ich ihn mal besser gefahren. Stattdessen liege ich im Bett und mache ein schönes Schläfchen. Hilfsbereitschaft sieht anders aus. Vielleicht geht es Rudi tatsächlich so schlecht, wie er immer behauptet. Bisher habe ich seine Lange-Mach-Ich-Das-Nicht-Mehr-Behauptungen kaum ernst genommen, aber wenn er es nicht mehr allein von der Bushaltestelle bis zu uns schafft, dann spricht das nicht für seinen Gesundheitszustand. Hoffentlich ist ihm nichts passiert.

»Ich komme mit!«, entscheide ich und springe aus dem Bett.

»Mama, du bist ja nackt!«, ruft mein Sohn und man hört ein gewisses Entsetzen in seiner Stimme.

»Ich hab geschlafen, und das hier ist mein Bett. Du musst ja nicht hinschauen!«, verkünde ich und ziehe mich so schnell es geht an.

Meine Nacktheit scheint meinen Sohn schwer zu schockieren. Dabei ist es nicht das erste Mal, dass er mich nackt sieht. Wir sind keine Familie, in der alle ständig nackt rumlaufen, machen aber auch kein großes Bohei um ein bisschen nackte Haut. Jedenfalls Christoph und ich nicht. Meine Kinder habe ich schon lange nicht mehr nackt gesehen, fällt mir bei der Gelegenheit ein. Als ich meinen Sohn mal beiläufig fragte, ob er schon Achselhaar habe, hat er mich so panisch angeschaut, als hätte ich gesagt, dass ich ihn nach Indien zur Kinderarbeit verkaufe. Auf der nach oben offenen Peinlichkeitsskala war das so richtig weit oben. Ob er sich wohl die Achseln rasiert? Während ich überlege, ob ich das gut oder schlecht finden würde, ruft mir mein Sohn aus dem Treppenhaus (in das er sich bei dem schockierenden Anblick seiner nackten Mutter verzogen hat) zu, dass Claudia und er schon gehen.

»Wir holen den Opa. Entspann dich!«

Ich sollte wahrscheinlich Christoph anrufen und ihn informieren. Wenn jetzt noch was mit seinem Vater passiert, weiß ich nicht, ob er das verkraftet.

»Wartet, ich komme besser mit!«, rufe ich Mark hinterher. Aber die beiden sind schon weg. Nur Karl sitzt freundlich schwanzwedelnd im Wohnzimmer. Immerhin – keine Pfütze zu sehen.

Ich bin unruhig. Was, wenn Rudi zusammenbricht? Die Kinder haben doch keine Ahnung von Wiederbelebung und Ähnlichem. Ich natürlich in der Praxis auch nicht, aber immerhin habe ich reichlich Emergency Room gesehen und wüsste wenigstens, in welcher Gegend ich auf der Brust rumdrücken müsste. Außerdem wäre es für die Kinder sicherlich grauenvoll dabei zu sein, wenn ihr Opa stirbt. Erst eine nackte Mutter, dann ein toter Opa – ob ein Frischpubertierender wie Mark davon nicht dauertraumatisiert wäre, wage ich zu bezweifeln. Keine Panik, Andrea, versuche ich mich zu beruhigen, er hat ja telefoniert, also kann er auf jeden Fall noch sprechen.

Karlchen schleicht sich an mich heran und drückt seinen kleinen langen Kopf an mein Bein. Mal abgesehen von seiner lästigen Blasenschwäche, für die er ja nichts kann, ist er ein lieber Hund. Die Kinder waren zunächst völlig aus dem Häuschen wegen Karls Einzug. Bis es alle zwei Stunden hieß: »Wer geht mal mit Karl raus?« Am Anfang (etwa einen Tag lang) haben die Beiden fast darum gestritten, mit dem Hund rausgehen zu dürfen, heute stehe ich mit dem obligatorischen Plastikbeutelchen am Feldrand und säusele: »Mach mal ein feines Häufchen!« Karlchen ist, was die Dauer der Spaziergänge angeht, nicht anspruchsvoll (dafür ist er einfach zu alt), er liegt lieber gemütlich rum (was mir an sich sehr sympathisch ist!), aber er ist leider sehr wählerisch, wenn es um den perfekten Ort für sein Pipi geht. Da wird hier geschnüffelt, da gewedelt – und dann doch nichts gemacht. Nicht unbedingt sehr effizient. Nachts geht Rudi mit ihm raus und insgeheim bin ich mir sicher, dass unter diesen Ausflügen auch unser Türschloss sehr gelitten hat. Rudi sieht nicht besonders gut – vor allem nachts nicht – und wenn er dann von seinen kleinen Gassi-Ausflügen zurückkommt, bohrt er auch gerne mal mit dem falschen Schlüssel im Schloss rum.

Apropos Rudi. Ich höre die drei kommen. Zum Glück. Er lebt und kann laufen. Ich bin unglaublich erleichtert und renne nach draußen. Was ich da sehe, lässt mich erstarren. Rudi und meine Kinder tragen schnaufend eine riesige Tür. Eine Haustür.

»Was ist denn das!?«, entfährt es mir zur Begrüßung.

Rudi atmet schwer und sagt: »Eine Tür, Andrea. Absetzen. Danke ihr zwei. Kommt nachher emal hoch zum Opa, und dann gibt's was!«

»Danke!«, kommt es gleichzeitig von Claudia und Mark. Immerhin – elementare Grundregeln der Höflichkeit scheinen vorhanden.

»Brauchst du uns noch, Opa?«, fragt mein Sohn sogar nach.

»Ne, Kinner, alles gut. Mer lasse die hier im Vorgarte, bis ich soweit mit dem Einbau bin!«

»Was, um alles in der Welt, hat das zu bedeuten?«, frage ich meinen Schwiegervater.

»Des wird dir jetzt net gefalle, was ich dir zu sache hab, Andrea, aber eure Tür war hin. Und da hab isch gedacht, da greifste den junge Leut ma unner die Arme und holst ema e werklisch schöne Tür. Mit allem Drum un Dran.«

Jetzt erst komme ich dazu, die Tür genauer in Augenschein zu nehmen. Sie ist aus Holz, mit einem sehr geschwungenen Türgriff aus Messing und jeder Menge Glas in der Mitte. Gewölbtes Glas, so ähnlich wie Butzenscheiben. Gelblich getönt. Wenn wir in den Alpen, in einem Bauernhaus, leben würden, könnte ich mir vorstellen, dass das eine passende Tür wäre. Keine schöne Tür – aber vom Stil her okay. Sie sieht ein bisschen aus wie eine Tür in einer ländlichen Kneipe, die Art von Tür, die die Wirtsstube vom Kartenspielzimmer trennt. Unsere Haustür ist weiß – weiß, mit Aluminiumgriff. Keinerlei Verzierung, einfach und schlicht. Passend zu unserem Haus.

»Gell, da bist de baff, Andrea«, freut sich Rudi, der mein Schweigen wohl irgendwie fehlinterpretiert. »Ne richtische Tür is halt eben net so en modernes Plastikteil, sondern aus Holz. Des gibt gleich ne ganz anner Atmosphäre.« Er strahlt mich an.

Was nun? Kann ich dem psychisch angeschlagenen Rudi die ganze Wahrheit zumuten? Kann ich ihm sagen, dass ich die Tür scheußlich und geschmacklos finde und wir nicht im Allgäu, sondern in einem piefigen Vorort von Frankfurt leben. Ich schaffe es nicht. Irgendwo in mir drin ist doch so etwas wie ein Herz.

»Ach Rudi«, sage ich, »das war doch nicht nötig, ein neues Schloss hätte es doch völlig getan. Und rein optisch – also, die Tür ist natürlich schon irgendwie schön, aber jetzt zu unserem Haus, also ich weiß nicht recht, ob das so gut zusammenpasst.« Diplomatischer Dienst – ich komme. Besser und feinfühliger ging es wirklich nicht.

»Schätzscher, isch kenn disch, du machst der Sorge wegen dem Preis. Des is mein Einzugsgeschenk, un sie war auch im Angebot. Musst de dir kaan Kopp mache. Und wart ab, wenn die erst drin ist, wirst de sehe, wie gut die passt. Isch mach mich direkt an die Arbeit. Erst muss des kalte weiße Teil ema raus!«

Am liebsten würde ich schreien: »Nein, Rudi, das erlaube ich nicht!« Aber stattdessen sage ich nur: »Ja, da wartest du doch am besten bis Christoph kommt, und ihr Kerle erledigt das dann zusammen.«

Ich habe alles gegeben. Ihm die komplette Freude über dieses Einzugsgeschenk zu nehmen – das kann mal schön sein Sohn machen. Und eines ist sicher: Diese Tür wird Christoph nicht gefallen. Christoph mag keinen Kitsch. Auch auf Deko-Artikel steht er nicht besonders.

»Bauhaus, das hat Klasse, Andrea!«, predigt er gerne. Das mag sein, aber mit zwei Kindern und Hund eine derart puristische Atmosphäre zu erhalten, ist ein wenig schwierig.

Ich helfe Rudi, die immens schwere Tür ins Haus zu schleppen.

»Es wär schad, wenn die aaner mitgehe lässt«, meint

Rudi, und ich sage einfach nichts dazu. Wer sollte diese Tür schon mitgehen lassen?

»Magst du was essen?«, frage ich Rudi.

Mit gutem Appetit macht er sich über die Reste des Mittagessens her.

»Gar net übel«, lautet sein Urteil, »aber bei maaener Inge gab's die Eier immer separat. Net in de Soss drin!«

Ich erspare mir einen Kommentar und bin froh, dass er eine große Portion verputzt. Trotz des Eierfauxpas'.

»Hast du die Rede schon fertisch?«, fragt er, und ich stutze kurz. Welche Rede?

»Meine Trauerrede – es wär werklisch gut, wenn de disch bald ransetzt. Mer weiß nie, wie lange des mit mir noch gut geht. Isch habe escht einiges vorbereitet, des werd dir net mer viel Arbeit mache.«

Es ist an der Zeit für ein paar klare Worte.

»Rudi«, beginne ich meine kleine Ansprache, »dir geht es doch gut. Ich will mich nicht mit deiner Trauerrede beschäftigen, weil ich nicht glaube und hoffe, dass du bald stirbst. Ich freue mich, wenn es dir gut geht und halte das alles für etwas verfrüht.«

Ich lege ihm einen Arm um die Schultern und streichle sanft seinen Oberarm.

»Wir wollen noch lange was von dir haben. Wenn du dich so sorgst, dann gehe ich gerne mal mit dir zum Arzt. Aber du wirkst eigentlich nicht krank. Hast du denn irgendwo Schmerzen?«

Er macht ein sanftes Stöhn-Geräusch und antwortet mit seiner leisen Stimme: »Isch will disch damit net belasten, aber hier«, er fasst sich an den Brustkorb, »is schon ein immenser Druck. Glaub mir, isch kenn misch. Mer merkt, wenn die Zeit abgelaufe is. Un es macht mer aach nix.

Ohne meine Inge is halt alles net mer so wie es ma war!« Er schnieft und schon rollen die Tränen.

Mein Gott, was habe ich da angestellt. Eben war ich noch froh über seine neu erwachte Türschloss-Baumarkt-Tatkraft, und jetzt habe ich ihn durch meine unbedachten Äußerungen wieder zurück in seine Trauerecke getrieben.

»Komm her!«, fordere ich ihn auf und nehme ihn in den Arm.

Was gibt es schon für einen Trost? Was soll man sagen? Seine geliebte Frau ist tot, und ich glaube nicht, dass da Sprüche wie »Die Zeit heilt alle Wunden« helfen können. Aus Solidarität und weil er mich so anrührt, fange ich gleich an mitzuweinen.

Heute scheint mein Heultag zu sein.

»Ruh dich doch ein bisschen aus«, schlage ich Rudi vor, schließlich hat auch mir der Mittagsschlaf geholfen. Vielleicht lege ich mich gleich auch noch eine Runde hin. Es erscheint mir die beste Möglichkeit, den heutigen Tag rumzukriegen.

»Mama, hast du meine Turnschuhe gefunden?«, ruft mein Sohn, und Rudi löst sich erschrocken aus der Umarmung. Vor den Kindern gibt er gerne den tapferen Opa.

»Nein«, antworte ich, »ich habe allerdings auch nicht danach gesucht. Wieso auch, ich habe sie ja auch nicht verschlampt. Und – es sind auch nicht meine – sondern deine Schuhe.«

»Ich muss nachher zum Training, was soll ich denn da anziehen?«, fragt mein Sohn nach, ohne auch nur im Geringsten auf meine Antwort einzugehen.

»Wie wär's mit meinen Joggingschuhen!«, schlage ich vor.

»Die habe ich noch in der Schule«, kommt es ein wenig kleinlaut zurück.

Ich rege mich nicht auf. Nein, ich rege mich nicht auf. Auf keinen Fall werde ich mich aufregen.

»Verdammt nochmal«, schreie ich und rege mich doch auf. Was für einen Volltrottel habe ich da großgezogen?

Jetzt nimmt zur Abwechslung Rudi mich in den Arm.

»Ruhisch, Andrea, ganz ruhisch, des werd schon werden. Mer schaffe des schon. Es sin doch nur Schuh.«

Ich muss hier raus. Jetzt sofort. Es langt. Ich muss einfach mal was anderes sehen, was erleben. Ich brauche Ablenkung.

Wo auch immer, was auch immer. Hauptsache, nicht hier in diesem Haus.

»Rudi, kannst du heute Nachmittag nach den Kindern sehen? Ich habe was einzukaufen und zu erledigen«, erkläre ich kurz.

»Gern, Andrea, ich muss eh nach der Tür gucke, da is des kaan Problem. Die zwei un isch komme doch wunnerbar klar!«

Natürlich kommen sie wunderbar klar. Rudi macht keine Vorschriften, steckt ihnen dauernd ein paar Scheinchen zu und meckert nicht rum. Mit anderen Worten: Er ist der perfekte Erwachsene.

Eine viertel Stunde später verlasse ich das Haus. Einen Schlüssel muss ich nicht mitnehmen. Bis jetzt ist ja ohnehin noch unklar, ob wir heute Abend überhaupt eine Haustür haben werden. Und vor allem – welche …

Ich gehe und weiß nicht mal, wohin. Natürlich könnte ich eine Freundin anrufen oder wirklich mal einen Lebensmittelgroßeinkauf machen, aber dazu habe ich keine Lust.

Mir ist nicht nach Gesellschaft, ich finde mich selbst heute anstrengend genug. Ich muss mich niemandem zumuten. Stattdessen habe ich mir mein Notizbuch mitgenommen und werde versuchen, wieder mal eine Liste zu machen. Listenmachen schafft bei mir oft Abhilfe. Wenn ich mein Hirn sortieren, Ordnung in meine Gedanken bringen will, hilft es mir, Listen zu erstellen. Pro und Contra. Ich werde in die Stadt fahren, einen gigantischen Eisbecher verschlingen und einfach so rumsitzen bis der Abend kommt. Sollen doch hier alle treiben, was sie wollen.

Als ich ins Auto steigen will, taucht Anita neben mir auf.

»Hey, wo fährst du denn hin? Ich wollte gerade auf einen Kaffee bei dir vorbeikommen. Hast du es eilig?«

»Ich fahre in die Stadt, muss ein paar Sachen erledigen. Das mit dem Kaffee müssen wir leider verschieben!«, wimmle ich Anita ab.

Auf die kann ich momentan sehr gut verzichten. Anita ist unglaublich neugierig und gleichzeitig unglaublich vertratscht. Wahrscheinlich weiß mittlerweile die gesamte Siedlung, wie bescheiden mein Sexleben ist, und Anita will mir jetzt nur noch ein paar nennenswerte Details abringen. Darauf kann ich sehr gut verzichten.

»Dann gucke ich morgen mal vorbei!«, sagt sie und fügt hinzu: »Du weißt schon, dass ihr keine Haustür mehr habt!«

Ich bin seit gerade mal fünf Minuten aus dem Haus und Rudi hat schon unsere Tür aus den Angeln gehoben. Was soll's. Soll halt jeder ins Haus gucken. Ich habe nach meiner Spontanbeichte heute Morgen sowieso das Gefühl, dass ich keine Tür mehr brauche und mein Leben offen für alle auf dem Präsentierteller liegt. Das ist, an sich, mein kleinstes Problem. Während ich den Motor starte, fängt es in meinem Hirn an zu rattern. Wo genau liegt denn eigentlich dein Problem, Andrea, frage ich mich selbst.

Der Lack ist ab, denke ich, das ist das Problem. Der Lack ist ab, und das in jeder Hinsicht. Optisch gibt es keinen Zweifel. Mit Mitte Vierzig wächst der Aufwand, aber das Ergebnis steht dazu leider nicht mehr im optimalen Verhältnis. An guten Tagen, oder bei schlechtem Licht, gehe ich sicherlich noch als Enddreißigerin durch, aber was nutzt mir das? Ich gehe nun mal stramm auf die Fünfzig zu und an normalen Tagen, oder einem Tag wie heute, ist das auch wirklich kein Geheimnis.

In meiner Beziehung ist der Lack auch ausgesprochen bröckelig. Zu sagen, dass er ab wäre, würde vielleicht zu pessimistisch klingen, aber viel fehlt jedenfalls nicht. Wir wohnen zusammen in einem Haus, aber leben wir gemeinsam? Wann haben wir das letzte Mal Spaß miteinander gehabt? Unser Sexleben ist eindeutig lackfrei und das Verhältnis meiner Kinder zu mir ist auch nicht geprägt von grenzenlosem Vertrauen. Ich werde geduldet, weil ich in mancher Hinsicht sicherlich praktisch bin. An erster Stelle steht hier garantiert der Versorgungsaspekt. Vor allem für Claudia. Solange ihre Wäsche gemacht wird und ausreichend Nahrung im Haus ist, sind ihre Primärbedürfnisse, was mich angeht, abgedeckt. Ansonsten braucht sie für ihr persönliches Glück nur noch diverse Ladekabel und ihren Laptop. Bei Mark war es bis vor kurzem noch anders. Aber von Tag zu Tag zieht sich auch mein Sohn immer mehr in seine eigene Welt zurück. Eine Welt, in der alles peinlich ist, und zu der ich keinen Zutritt habe. Das macht mich traurig. Für mich ist es noch gar nicht so lange her, dass die zwei süß, verkuschelt und liebesbedürftig waren. Wahrscheinlich sind sie es noch heute, aber wissen es perfekt zu verbergen. Ich versuche, die verdammte Pubertät nicht persönlich zu nehmen (schließlich lautet so die Empfehlung aller einschlägigen Experten), aber es fällt mir schwer. Immerhin bin ich die Person, die ignoriert oder angemotzt wird. Christoph bekommt um einiges weniger ab. Er ist einfach zu selten da und wenn er dann mal da ist, hat er keine Lust auf Auseinandersetzungen. Ich kann das durchaus verstehen, würde ein Mehr an Unterstützung aber begrüßen. Vielleicht ist es ein grundlegender Fehler, solche Gedanken nur zu haben, sie aber nicht deutlich zu äußern. Solange keine Beschwerden kommen, ändern sich die Wenigsten. Wieso auch? Würde mir auch nicht einfallen.

Zur Lack-Ist-Ab-Liste in meinem Kopf addiere ich meinen Job. Als ich vor einigen Jahren begonnen habe, in einer kleinen Agentur Werbetexte zu schreiben, dachte ich noch, das sei mein beruflicher Jackpot. Die Zeiten sind lange vorbei. Der Druck ist groß, die Bezahlung hingegen klein. Dazu kommt, dass es kaum eine Branche gibt, in der man sich als Frau schneller alt fühlt als in dieser. Werberinnen sind jung und hip – ansonsten werden sie erst mal ins Hinterzimmer verbannt (ohne Kundenkontakt) und irgendwann durch eine Eben-Noch-Praktikantin, jetzt Juniortexterin, ersetzt. Das klingt sehr bitter, ich weiß das, aber es ist auch sehr bitter. Und sehr wahr. Lange wird es bei mir auch nicht mehr dauern.

Ich biege ins Parkhaus Goetheplatz ein und will mich auf einen der Frauenparkplätze stellen. Natürlich, wie sollte es an einem Tag wie diesem auch anders sein, biegt vor mir ein Typ mit einem fetten Jaguar in die Lücke. Das wird er bereuen, denke ich. Nicht heute – und vor allem heute nicht mit mir. Als erste kleine Warnung drücke ich auf die Hupe. Der Blödmann dreht sich nicht mal um. Einen Mann wie ihn hupt man anscheinend nicht an. Ich fahre bis direkt vor sein Auto, steige aus und schreie sofort los.

»Sind Sie umoperiert oder können Sie nicht lesen? Das ist ein Frauenparkplatz.«

Jetzt habe ich seine Aufmerksamkeit. Er dreht sich zu mir um und zuckt nur gelangweilt mit den Schultern. Alles, was ich an Testosteron in meinem Körper habe, will raus.

»Hey, verdammt, das ist ein Frauenparkplatz. Sie sind keine Frau, also weg da!«

Jetzt grinst er auch noch. »Ganz ruhig, entspann dich mal!«, antwortet er.

Der duzt mich einfach. Sicherlich nicht, weil ich so bezaubernd jung aussehe, sondern eher, weil er die Machtverhältnisse klarstellen will. Der tickt wohl nicht mehr richtig. Ich bin froh, dass ich generell keine Waffe bei mir trage. Ich wäre mir nicht sicher, ob ich nicht vielleicht etwas Unbedachtes tun würde. So ein Verhalten nervt mich grundsätzlich immer, nur dass ich normalerweise darüber hinwegsehe. Du hast viel zu lange alles geschluckt, ermuntere ich mich selbst, der hier kommt dir genau richtig. Ich stelle mich dem Mann in den Weg.

»Raus aus der Parklücke!«, sage ich in einem Ton, in dem man Ultimaten stellt. Ich höre mich wirklich furchterregend an.

»Du brauchst ehrlich professionelle Hilfe!«, kontert der Typ total cool, streicht sich durch sein gegeltes Haar und geht an mir vorbei.

Am liebsten würde ich ihn von hinten anspringen und ihm ein paar verpassen. Er ist allerdings ziemlich groß und wirkt auch eher breitschultrig, also entscheide ich mich gegen einen Angriff.

»Du bist wirklich ein Riesenarschloch!«, schreie ich ihm noch hinterher. Zugegebenermaßen ein gutaussehendes Arschloch.

Er dreht sich kurz um und ruft: »Sind das die Wechseljahre oder brauchst du mal wieder einen ordentlichen Fick?«

Das macht mich noch zorniger. Theoretisch ist er auf der richtigen Spur, aber das macht die Sache nicht besser. Ich meine, wer von uns beiden ist denn hier der Parkplatzdieb? Das kann ich unmöglich auf mir sitzen lassen. Betont ruhig parke ich mein Auto drei Plätze weiter (das Parkhaus ist nicht wirklich voll) und gehe dann zum Ausgang und versuche dabei die Lage der Kameras zu checken. Ich entdecke zwei und überlege, ob man von dort aus die Frauenparkplätze sehen kann. Würde ja Sinn machen. Und wenn schon. Ich muss nur schnell sein.

Ich nehme meinen Autoschlüssel, gehe zurück zu meinem Auto, so als hätte ich etwas vergessen, greife mir dabei noch demonstrativ an die Stirn (nach dem Motto: Was man nicht im Kopf hat …) und krame ein bisschen auf dem Beifahrersitz rum. Dann steige ich wieder aus und schlängele mich zwischen den geparkten Autos hindurch. Als ich an seinem vorbeikomme, umschließe ich mit der Faust fest den Schlüsselbund und fahre mit dem Schlüssel die gesamte Fahrerseite entlang. Es macht ein fieses Geräusch, hinterlässt aber einen herrlich fetten, langen Kratzer. Während der Kotflügel auch noch dran glauben muss, fällt mein Blick auf seine Motorhaube. Demonstrativ sitzt vorne drauf der Stolz aller Jaguarfahrer – ein silberner Jaguar im Sprung. Eine Kühlergrillfigur! Das wäre die richtige Trophäe, überlege ich. Du bist wohl komplett wahnsinnig geworden, meldet sich eine andere Stimme in mir.

Doch das wütende Tier, das auch noch in mir ist, will das Tier. »Wenn eine Alarmanlage losgeht«, flüstert die leise Stimme, »dann läufst du so schnell du kannst«, ergänzt die andere. Schon strecke ich die Hand aus, und der Jaguar geht locker und leicht aus der Halterung.

»Sie gehen wohl auf Nummer sicher?«, fragt da jemand.

Ich zucke zusammen. Vier Wagen weiter schließt ein älterer Herr gerade sein Auto auf. Der denkt, ich nehme den Jaguar mit, damit ihn niemand klaut.

»Genau, heutzutage ist ja leider nichts mehr sicher. Man kann überhaupt nichts mehr stehen lassen, nicht mal auf dem Frauenparkplatz!«, antworte ich mit knallrotem Kopf und wummerndem Herz.

Hoffentlich hat der kein gutes Gedächtnis. Es gibt ja tatsächlich Leute, die nur einen kurzen Blick auf jemanden werfen und aus dem Gedächtnis eine Eins-A-Personenbeschreibung liefern können. Ich gehöre keinesfalls zu diesen Menschen. Selbst, wenn ich dem Phantomzeichner meine Kinder beschreiben müsste, hätte ich Zweifel, ob jemand, anhand dieser Skizzen, meine Kinder identifizieren könnte.

»Schönen Tag noch«, rufe ich dem Mann zu und drehe mich schnell um. Jetzt aber nichts wie raus hier. Mit dem Jaguar in der Handtasche haste ich zum Ausgang.

Am liebsten würde ich direkt wieder nach Hause fahren. Aber vielleicht sollte ich die nächsten Stunden erst mal abwarten. Einerseits. Andererseits – wenn der Jaguar-Mann zurückkommt und sieht was passiert ist, wird er sich vielleicht an mich erinnern. Bestimmt wird der sich erinnern! Und wenn er sich an mich erinnert, dann vielleicht auch an mein Auto. Ein Skoda Kombi in Dunkelblau ist kein besonders eindrucksvolles Auto, aber wenn der Typ nicht saublöd ist, wird er sich schon was zusammenreimen können. Ich gehe nur einen Kaffee trinken und dann fahre ich wieder, treffe ich eine Entscheidung. Wenn ich jetzt sofort fahre, wirke ich ja erst recht extrem verdächtig. Aber wenn ich zu lange stehen bleibe, wird der Frauenparkplatzparker mich bestimmt entdecken. Dem darf ich auf keinen Fall begegnen. Ich sollte andere Klamotten anziehen und mir was auf den Kopf setzen. Männer sind keine genauen Beobachter, wenn ich ihm dann in die Arme laufe, dann wird der das nicht zusammenbringen. Eine bessere Ausrede für exzessives Shoppen hatte ich noch nie. Ich muss lachen. Destruktives Verhalten kann einen beflügeln, geht mir durch den Kopf. Der Jaguarklau hat richtig Spaß gemacht. »Hoffentlich haben dich die Kameras nicht im Visier gehabt«, mahnt die ängstliche Stimme in mir. Ich fasse in meine Handtasche und streichle meiner Beute über den kalten Metallkopf. Das beruhigt mich sofort. Der wird mein neuer Glücksbringer, entscheide ich und beginne mit der Operation Shopping.

Früher war ich eine 38/40 und fand mich zu fett. Heute würde ich viel dafür geben, wieder so »fett« wie damals zu sein. Untenrum 42 – obenrum eine gute 40 – das sind meine aktuellen Größen. Nichts, wofür man sich schämen müsste – Durchschnitt eben. Aber Durchschnitt ist nicht angesagt in angesagten Boutiquen.

Ich werde trotzdem fündig und schlage richtig zu. Trend in diesem Sommer sind Knallfarben, um die ich normalerweise einen großen Bogen mache. Aber heute ist nicht normalerweise. Gewöhnlich schreie ich auch keine wildfremden Kerle an, klaue nicht und zerkratze auch keine Autos. Ich kaufe eine pinke Hose, ein lila T-Shirt und dazu eine knallgrüne Jacke. Auf Wiedersehen Dezenz. Willkommen Farbrausch.

»Sie können das echt tragen, dieses Colour Blocking!«, unterstützt mich die Verkäuferin bei der Entscheidungsfindung.

Allein der Ausdruck! Colour Blocking. Noch ein azurblaues Gürtelchen und fertig ist der neue Look. Ich bin eine ganz neue Frau. Auffallend. Bunt. Weg mit dem Dauerschwarz, Grau und Beige. Wer hat eigentlich bestimmt, dass man ab einem bestimmten Alter langsam aber sicher in die Schlammfarbenabteilung zu wechseln hat? Sand, Beige und eventuell mal ein zartes Steingrau.

Ich trinke nach meinem Schnellshopping noch einen schönen Milchkaffee und beschließe, das Listenschreiben zu vertagen. Meine Stimmung ist erheblich besser als noch vor zwei Stunden.

Vielleicht sollte ich in den neuen Klamotten noch ausgehen. Wenn man schon mal in der Stadt ist – warum nicht, ermuntert mich die neue bunte Andrea. Rudi ist ja daheim, falls was mit den Kindern wäre, und Christoph ist ja schließlich auch unterwegs. Gleiches Recht für alle. Wer sagt eigentlich, dass ich brav daheim sitzen und warten muss bis Christoph ermattet nach Hause kommt und seine Golf-Anekdötchen erzählt? Ich glaube, eigentlich erwartet das wirklich niemand. Ich habe es nur einfach getan. Auch aus Mangel an Gelegenheit.

Die brave Mutti in mir ermahnt mich allerdings erst mal, zu Hause anzurufen und zu klären, ob das okay geht. Muss ich denn um Erlaubnis fragen? Nein, aber Bescheid sagen ist ja eher eine Sache der Höflichkeit. Rudi hat kein Problem damit, dass ich noch was erledige und erst später komme.

»Isch hab aach zu tun, des is hier komplizierter als gedacht!«, informiert er mich.

»Essen ist in der Küche«, teile ich ihm mit (Wo auch sonst. Aber bei Männern weiß man ja nie!), »genauer gesagt in den Tupperdosen.«

Auf seine Never-Ending-Türgeschichte gehe ich einfach nicht ein. Ist mir gerade ziemlich egal.

»Die Claudia is irschendwo unnerwegs, bei ner Freundin zum Lerne und der Bub is los, um Turnschuh zu kaufe. Ohne kann er ja werklisch nix mache.«

Claudia ist zum Lernen bei einer Freundin – toller Witz. Und Mark, das arme Kind, braucht endlich mal Turnschuhe. Nicht mal das bringt mich aus der Ruhe. Ich will nur gerade nichts mehr davon wissen.

»Ich danke dir, Rudi, und warte nicht, es kann spät werden!«, verabschiede ich mich.

Jetzt gibt es mehrere Möglichkeiten. Ich könnte eine Freundin anrufen, mit ihr irgendwo gemütlich zusammen sitzen und ein Gläschen Wein trinken. Oder ich könnte allein ausgehen. Eine Option, die ich normalerweise nicht mal in Betracht ziehe. Man sitzt alleine immer ein bisschen da wie bestellt und nicht abgeholt. Aber heute will ich nicht über mein Leben plaudern. Und darauf läuft es aber immer hinaus, wenn man mit Freundinnen ausgeht.

Also gehe ich doch mal wieder zum Apfelwein, beschließe ich – da sitzt man an langen Tischen, redet mit Fremden und gutes Essen gibt es auch.

Als ich am Parkautomaten bezahle, steigt ein Hauch von Angst in mir auf. Was, wenn der unverschämte Jaguar-Typ jetzt auch gerade zu seinem Auto geht? Wenn da unten längst ein Großaufgebot an Polizisten alles abgesperrt hat? Wenn sie inzwischen anhand meines Autokennzeichens meine Identität herausgefunden haben und mich schon suchen? So oder so – ich kann mein Auto nicht hier lassen.

Ich versuche, so unauffällig wie möglich, zu meinem Wagen zu kommen. In meiner neuen Pink-Lila-Grün-Montur natürlich ein gewagtes Unterfangen. Aber – es geht gut. Der Jaguar ohne Kühlerfigur steht noch auf dem Frauenparkplatz und von Polizei oder Parkwächtern ist nichts zu sehen. Ich atme auf, steige in mein Auto und fahre los.

Beim Apfelwein ist es sehr lustig. Ich springe über meine diversen Schatten und spreche einfach Menschen an. Was kann schon passieren? Man sitzt ja eh an langen Tischen eng beisammen und im schlimmsten Fall würgen sie einen ab und man bekommt eine Art Gesprächs-Korb.

Ich habe Spaß mit drei Holländern, die ganz verzückt von dem »Saure Zeuch« sind und mich am liebsten noch in einen Club entführen würden. Es sind Mittdreißiger, die auf einer Tagung in Frankfurt sind. Alle drei nicht unbedingt irrsinnig attraktiv, aber locker und gesellig. Genau das, was ich heute brauche. Ihr Deutsch ist niedlich. Als sie mich fragen, was ich beruflich mache, entscheide ich mich für Neurochirurgie. Heute bin ich nicht Andrea Schnidt, Mittvierzigerin aus der Vorstadt, verheiratet, zwei Kinder, sondern heute erfinde ich mich einfach mal komplett neu. Das macht immensen Spaß, und ich fühle mich großartig. Den Holländern kann es ja völlig egal sein, ob das, was ich da erzähle, der Wahrheit entspricht. Wir werden uns nie mehr wiedersehen und insofern spielt es also auch absolut keine Rolle. Meine Rolle hingegen gefällt mir ausnehmend gut. Spannender als die Realität ist sie allemal. Die drei sind angemessen beeindruckt von meiner beruflichen Tätigkeit, finden es total irre, dass ich auf Wellenreiten stehe und nebenher für Ärzte ohne Grenzen arbeite. Okay – das war wirklich dick aufgetragen, aber wenn man mit der Schwindelei erst mal angefangen hat, bekommt die schnell eine gewisse Eigendynamik. Einmal, als ich von einem Einsatz in Nigeria berichte, wird es ein wenig riskant. Willem, der Lustigste der drei, war eine Weile in Nigeria und will Details wissen. Zum Glück habe ich mal spaßeshalber die Hauptstädte der Welt auswendig gelernt und kann so wenigstens die Frage nach meinem Aufenthaltsort beantworten.

»Ach, das war in der Nähe von Abuja, aber die Geschichte ist ein wenig traurig, das passt heute Abend gar nicht. Erzählt ihr lieber mal, was ihr so treibt!«

Bereitwillig geben sie sehr lustige Geschichten rund um ihren Coffeeshop zum Besten. Die drei sind Eigentümer eines Ladens in Amsterdam. Bis ich kapiert habe, dass in den Coffeeshops ein Latte macchiato nicht zu den gefragtesten Artikeln gehört, vergeht eine ordentliche Weile.

»Ihr verkauft Haschisch?«, frage ich irgendwann ziemlich naiv. Dass eine wellenreitende, engagierte Neurochirurgin so gar keine Ahnung davon hat, was ein Coffeeshop in Amsterdam ist, erheitert meine drei neuen Freunde wirklich ausgesprochen. Als sie gegen Viertel vor Elf in einen Club aufbrechen wollen, versuchen sie noch mal, mich zum Mitkommen zu überreden. Die Versuchung ist groß, aber ich bin müde.

»War eine riesige OP heute – am offenen Gehirn. Die Patientin war bei Bewusstsein, harte Nummer, und morgen muss ich wieder ran, tut mir leid, Jungs, es geht nicht.«

Zum Abschied schenken sie mir ein paar Pilze.

»Die sind ganz besonders, magic geradezu. Du kannst sie mit Ei braten. Und iss sie zusammen mit jemandem, den du magst. Aber an einem freien Tag, ohne OP«, fügt einer der drei, mit dem lustigen Namen Mees, noch hinzu.

Ein ulkiges Geschenk. Aber Holländer sind nun mal ein schräges Volk. Ich bedanke mich und entscheide mich, auch zu gehen. Der Abend war wunderbar. Ich stecke die Pilze zum Jaguar und fühle mich wie berauscht, obwohl ich den ganzen Abend über nur zwei Sauergespritzte mit viel Wasser getrunken habe. So einen abgefahrenen Abend hatte ich lange nicht mehr!

Aber bald wieder, beschließe ich und fahre nach Hause.

Da ist der Spaß fast augenblicklich vorbei. Die neue Tür ist montiert, nur habe ich ja leider keinen passenden Schlüssel und muss deshalb klingeln. Rudi macht mir auf:

»Ei, Andreaschen, wo kommst de denn jetzt her?«, will er wissen. Dabei ist es gerade mal halb Zwölf.

Neben ihm wedelt Karl, vor lauter Freude mich wiederzusehen, mit dem Schwanz. Ich muss zugeben, das ist etwas wirklich Nettes bei Hunden. Diese Begeisterung, wenn man nach Hause kommt. Egal, wie kurz oder lange man weg war – der Hund ist geradezu von Sinnen vor Freude.

»Soll ich ihn noch mal rauslassen?«, biete ich Rudi an.

»Gern, lieb von dir!«, antwortet er, und wie er so vor mir steht, dieser kleine, freundliche, alte Mann mit dem traurigen Gesicht und seinem Frottee-Pyjama will ich ihn am liebsten einfach nur knuddeln.

»Übrigens«, ergänzt er dann noch, »isch glaub, mein Junge mag die Tür net. Der war komisch heut. Auch, weil du net da warst.«

Tja, da wird er sich wohl dran gewöhnen müssen – ab jetzt bin ich nicht mehr rund um die Uhr verfügbar.

Als ich mich ins Schlafzimmer schleichen will, ist Christoph noch wach und liest. Ein Golfbuch. Mentales Training!

»Wo kommst du denn her?«, fragt er ein bisschen spitz.

»Aus Sachsenhausen. Ich war was trinken. Es war soo nett!«, antworte ich heiter.

»Hier war es nicht so nett!«, knurrt er. »Hast du dir diese grauenvolle Tür mal richtig angeguckt? Mein Vater behauptet, dir würde sie sehr gut gefallen!«

Ich gebe zu, die Tür gesehen zu haben. »Ich wollte, dass du das mit der Tür entscheidest!«

»Morgen kommt die sofort wieder raus. Das ist ja wohl das Geschmackloseste was ich je gesehen habe!«, ereifert sich mein Mann. »Und nebenbei gefragt, Andrea, wusstest du, dass unsere Tochter mit der Schule aufhören will?«

»Lass uns morgen darüber reden, ich bin müde, es war ein langer Tag!«, antworte ich und beende das Gespräch.

Es war wirklich ein langer Tag. Und es war ein Tag, der mir gezeigt hat: Ja, da geht noch was …

2

»Du weißt«, sagt Christoph am nächsten Morgen, »heute Abend kommen die Dollingers zum Essen!«

Ich wusste es, hatte es aber meisterhaft verdrängt. Schon, weil ich mir nicht besonders viel aus den Dollingers mache. Er, Lukas Dollinger, hat mit Christoph gemeinsam studiert. Jetzt ist er Staatsanwalt und mächtig stolz darauf. Das ist aber auch schon das Spannendste, was man über ihn sagen kann. Lukas Dollinger ist der fadeste Mensch, den ich kenne. Eine Art menschlicher Mozzarella.

Sie, Gaby Dollinger, ist eine richtige Pissnelke. Allerdings, dass muss man ihr lassen, eine ausgesprochen gutaussehende. Ein Hauch Assi, aber genau soviel wie es braucht, um als Sexbombe durchzugehen. Gaby mag kurze Röcke, gerne auch aus Leder und hält sich auch obenrum an die Devise »weniger ist auf jeden Fall mehr«. Dazu trägt sie selbstverständlich hohe Schuhe. Sehr hohe Schuhe. Ich habe Gaby überhaupt noch nie mit flachen Tretern gesehen. Gaby ist blond und langhaarig (was für eine Überraschung!) und kichert gerne und oft. Vor allem, wenn Männer einen Scherz machen, oder etwas, was sie dafür halten. Gabys Outfit ist ein Männeroutfit. Es gibt Frauen, die machen sich für Männer zurecht und Frauen, die sich für andere Frauen aufstylen. Nicht etwa, weil sie lesbisch sind, sondern einfach nur, weil sie Eindruck machen wollen. Haremshosen, Tuniken, Overalls und Co. sind keine Klamotten, die für Männeraugen erfunden wurden. Das trägt die modische Frau, um der anderen modischen Frau zu zeigen, dass sie weiß, was Trend ist.

Dass sie selbstverständlich die aktuellen Ausgaben der Modemagazine gründlich studiert hat. Denn auch die siebzehnte Handtasche von irgendeinem Designer kaufen Frauen nicht für Männer. Nur Frauen erkennen Labels selbst ohne Lesebrille. Okay – vielleicht kann das auch David Beckham.

Dass Gaby eine »Männerfrau« ist, könnte man ja noch ertragen. Das allein macht sie noch nicht zur Pissnelke. (jedenfalls nicht, wenn ich einen großmütigen Tag habe!) Aber Gaby ist extrem zickig zu anderen Frauen. Sie ist eine der Frauen, die zu einem Fest immer mindestens eine halbe Stunde zu spät kommen. »Um einen ordentlichen Auftritt zu haben!«, gibt sie sogar selbst zu. Sie muss immer im Mittelpunkt stehen, scannt gleich beim Reinkommen den Raum ab, ob es womöglich noch attraktivere Frauen als sie gibt und kann nach eigener Aussage »mit Frauen wenig anfangen«. Mit Männern hingegen umso mehr. Egal, um welchen Mann es sich handelt, klein, groß, dünn, dick, alt, jung, attraktiv oder grottenhässlich, Gaby will alle. Sie findet Männer »irre spannend« und ist ständig auf einer Art riesigem Eroberungsfeldzug. Das kommt bei den meisten anderen Frauen nicht sehr gut an. Bei den Männern hingegen schon. Sie sind, was das angeht, doch eher schlicht gestrickt. Schmeichelei ist per se ja auch angenehm. Frauen reagieren auf Schmeicheleien aber oft skeptisch. Gaby hat wirklich die gesamte Schleim-Bagger-Produktpalette drauf: Lippen lecken, Haare werfen, Brust raus so weit es denn geht. Dazu macht sie irgendwelche Komplimente (nicht immer originell, aber wie gesagt, für die Herren langt es allemal). Frauen finden Gaby oft platt und ein bisschen ordinär. Ich finde sie mehr als ein bisschen ordinär und schon deshalb könnte ich auf einen gemeinsamen Abend sehr gut verzichten. Christoph hingegen kann meine Vorbehalte nicht nachvollziehen, er findet Gaby »irgendwie amüsant!« Das wäre wahrscheinlich eines der letzten Attribute, das mir zu ihr einfallen würde. In Wirklichkeit sabbert Christoph fast bei ihrem Anblick. Ob das allerdings am Amüsant-Sein liegt, wage ich doch zu bezweifeln. So oder so – ich kann mir einen schöneren Abend vorstellen.

»Was machst du zu essen?«, will Christoph wissen.

Ich habe nicht den leisesten Schimmer und mir, ehrlich gesagt, noch keinerlei Gedanken gemacht.

»Pfannkuchen!«, antworte ich deshalb leicht genervt.

»Witzig, Andrea, sehr witzig, du weißt, der Lukas ist ein richtiger Feinschmecker!«, ermahnt mich Christoph.

Ehrlich, es ist mir komplett egal, ob Lukas ein Feinschmecker ist oder nicht, und so wie Gaby aussieht, isst sie eh nicht besonders viel. »Reg dich ab«, erwidere ich, »ich werd schon irgendwas zaubern!«

»Und bitte sieh zu, dass diese Haustür verschwindet! Das ist ja richtiggehend peinlich!«, gibt mir Christoph eine weitere Tagesaufgabe. »Ach ja, und wir müssen unbedingt mit Claudia reden. So geht das ja wohl nicht weiter! Da müssen wir dringend andere Saiten aufziehen!«

Das klingt alles in allem nach einem wunderbaren Tag.

»Sonst noch was?«, frage ich ironisch nach. Christoph hat keine besonders feinen Antennen für Ironie, und so fällt ihm tatsächlich noch was ein.

»Würde nicht schaden, hier noch mal durchzuputzen!«, erklärt er mit Blick in unser Wohnzimmer. Bevor ich Schnappatmung bekommen kann, ist er auch schon weg.

»Also bis um Sieben, ich beeile mich. Die Dollingers

kommen um halb acht – nicht vergessen!«, ruft er noch zum Abschied.

Man könnte meinen, Prinz William und seine Kate kämen zum Dinner – so ein Theater macht mein Mann. Ich würde am liebsten zurück ins Bett kriechen. Aber das geht schon wegen Rudi nicht.

Früher gab es Momente, da bin ich, kaum dass Mann und Kinder aus dem Haus waren, zurück ins Bett geschlüpft. Decke über den Kopf und alles schön verdrängen. Ich bin Meisterin im Verdrängen. Das Alter ist mir dabei enorm behilflich. Ich muss mittlerweile gar nicht mehr soviel verdrängen, weil ich sowieso irre viel vergesse. Eine Zeit lang habe ich mir deshalb Gedanken gemacht und sogar mal einen Alzheimer-Test in einer Zeitschrift gemacht. Angeblich ist es aber völlig normal, dass man Dinge vergisst. Wenn man einen Schlüssel in der Hand hat und nicht mehr weiß, wozu man den braucht – dann sollte man sich allerdings ernsthaft Sorgen machen. Namen vergessen, Geburtstage vergessen – all das gehört zum normalen Verfall und ist, so behaupten Experten, absolut normal.

Ich muss heute noch um zehn Uhr ins Büro, immerhin nur für einen halben Tag, aber deshalb ist es mit dem Noch-Mal-Zurück-Ins-Bett-Gedanken leider nichts. Das wird garantiert ein wunderbarer Tag: Büro, Essen vorbereiten und abends die Dollingers. Ich kann mich vor Begeisterung kaum einkriegen …

Schnell rein in die Büroklamotten, dann das Essen für die Kinder vorbereiten (und natürlich auch für Rudi) und raus ins Arbeitsleben. Kurz bevor ich das Haus verlasse, kommt Rudi auf mich zu: »Andrea, hast de Zeit gehabt des ema dörschzugucke, also isch mein die Trauerred, klappt des?«

Verdammt, die Trauerrede. Ich habe nicht mal eine Idee, wo ich den Zettel mit seinen Notizen hingesteckt habe. Ich fühle mich direkt schuldig. Unsensibel, grob und egoistisch. Wo um alles in der Welt ist bloß die Trauerrede? Rudi schaut mich erwartungsvoll an.

»Rudi, jetzt ist es ganz schlecht, ich kümmere mich später darum. Ich muss ins Büro. Für die Kinder und dich ist Lasagne im Tiefkühlschrank. Einfach in die Mikrowelle. Ich bin heute Nachmittag wieder da. Ach, und wegen der Tür – Christoph hat die alte doch um einiges besser gefallen.« Mir auch, aber das muss ich dem armen Rudi ja nicht auch noch aufs Brot schmieren.

»Danke, Andrea, ich guck was isch mache kann mit eurer Tür. Un es wär escht schee, wenn de die Red halte könntest. Es kann ja jederzeit so weit sein!«

Diese ständige Todesphobie ist wirklich ein wenig anstrengend. »Morgen Rudi«, vertröste ich meinen Schwiegervater, »morgen werde ich mir das alles mal in Ruhe angucken!«

»Danke!«, sagt er mit einem Pathos in der Stimme, als hätte ich ihm gerade eine meiner Nieren überlassen.

»Ach«, frage ich noch, »heute Abend haben wir Besuch, willst du mit uns essen?«

Mein Schwiegervater senkt den Kopf und schüttelt ihn leicht.

»Ne, mach der kaane Umstände, ich ess mit de Kinnern. Un du weißt ja, isch hab eh kaan Appetit, isch will euch aach den Abend net verderbe.«

Da die Dollingers kommen, ist der Abend längst verdorben, aber das jetzt noch eben Rudi zu erklären, ist zu umständlich.

»Wie du willst«, sage ich und tätschle Karl und Rudi

zum Abschied freundlich den Kopf. »Bis später ihr zwei, macht's euch schön!«

Im Büro herrscht schlechte Stimmung. Passt heute perfekt zu meiner Laune. Unsere Auftragslage ist mies, und wir alle hier ahnen, dass es nur eine Frage der Zeit ist, bis die ersten rausfliegen. Da ich noch nicht wirklich lange hier arbeite und noch dazu zu den Älteren gehöre, werde ich sicherlich eine davon sein. Wäre ich traurig? Ja und nein. Ja, weil man einfach nicht gerne auf der Verliererseite steht – eine Kündigung ist schließlich kein Stimmungsaufheller. Nein, weil mir das Ganze hier schon lange nicht mehr besonders viel Spaß macht. Zu Beginn meiner »Texterkarriere« war alles aufregend. Ich war der neue Stern am Kreativenhimmel. Obwohl – die Arbeit selbst war gleich nicht ganz so aufregend. Textzeilen für Putzmittel und Handcremes zu erfinden, ist nicht direkt glamourös – um nicht zu sagen belanglos. Wenn es nur das Texten an sich wäre, könnte die Sache eventuell ja noch Spaß machen – aber egal wie profan der zu bewerbende Artikel ist, es gibt immer unglaublich viele Vorgaben der Hersteller, an die man sich halten muss. Bei Putzmitteln soll zum Beispiel auf jeden Fall das Wort »sauber« vorkommen. Eine wahnsinnige Überraschung. Was soll ein Putzmittel auch sonst machen? Sehr gefragt ist zudem das Wort »hygienisch«. Und neuerdings auch »keimfrei«.

Während ich also über der fünfzigsten Version von keimfrei, hygienisch und supersauber brüte, denke ich nebenbei auch über mein Abendmenü nach.

Salat, dann irgendwas mit Fleisch oder Fisch und ein netter kleiner Nachtisch. Für eine Amuse-gueule oder wie die Dinger heißen, Zwischengänge und Ähnliches wird meine Zeit nicht reichen. Ich gehöre nicht zu den Allroundfrauen, die neben Familie und Beruf noch auf Sterneniveau kochen können. Ich hätte Anita fragen sollen. Die ist ja eine von diesen Das-Mache-Ich-Doch-Mit-Links-Frauen. Eine von den Frauen, die mir zunehmend auf den Wecker gehen. Frauen wie Anita hängen die Messlatte verdammt hoch. Verschieben die Normalität. Riesiger Aufwand wird runtergespielt, kleingeredet und damit zur Normalität. Wer nicht bereit ist, ähnlich perfekt sein zu wollen oder alles scheinbar ähnlich mühelos zu erledigen, ist die letzte Lusche.

Ich werde Lachs machen, beschließe ich. Ich mache eigentlich immer Lachs, wenn Gäste kommen. Lachs kann ich. Lachs ist in den letzten Jahren mein Standardgericht für Einladungen geworden. Das Rezept habe ich mal von einer Freundin bekommen: Lachs auf Erbsenpüree. Sieht gut aus, das zarte Rosa vom Lachs auf dem satten grellen Grün. Es gibt nur einen winzigen Risikofaktor: Essen die Dollingers Fisch? Sollte ich besser noch mal nachfragen? Ich entscheide mich dagegen. Wenn sie keinen Fisch mögen, sollen sie eben das Erbsenpüree essen. Außerdem gibt's ja vorher Salat. So schnell verhungert heute ja keiner mehr.

Manchmal habe ich das Gefühl, mein Leben, das Leben an sich, dieses angeblich pralle, satte Leben, rauscht einfach so an mir vorbei. Es herrscht Hochbetrieb auf der Lebensautobahn, alles ist in Bewegung, und ich stehe abseits und komme einfach nicht drauf auf diese Autobahn. Kein Beschleunigungsstreifen weit und breit. Stattdessen eine enge, kleine, trostlose Sackgasse, in der ich feststecke. Ich kann nicht wenden und finde keinen Autobahnzubringer. Meine Güte, was habe ich für Gedanken! Lebensautobahn? Werde ich gerade verrückt, habe ich eine Depression oder stimmt das, was der Jaguar-Arsch gesagt hat? Bin ich vielleicht wirklich eine frustrierte Ziege in den Wechseljahren, die mal wieder einen richtigen Fick braucht?

So oder so, darum kann ich mich im Moment nicht kümmern. Wo sollte ich hier im Büro auch einen richtigen … herbekommen? Ich muss los, einkaufen und das Essen vorbereiten. Keimfrei und Supersauber müssen warten.

Auf dem Weg vom Büro zum Supermarkt greife ich in meine Jackentasche und finde Rudis Trauerredenentwurf. Ich parke und lese das, was mein Schwiegervater mit sciner kleinen, sehr ordentlichen Schreibschrift notiert hat:

Liebe Andrea,
du hast wirklich genug um die Ohren, das weiß ich. Deshalb nur in Stichworten das, was ich gern bei meiner Beerdigung hören würde. Und tu mir den Gefallen – macht kein Gedöns. Ich brauch nicht so einen Hokuspokus, auch keinen teuren Blumeschmuck oder Supersarg. Verbrennt mich und lebt euer Leben. Ich hatte meins. Es hat mir gefallen, weil ich Inge hatte. Inge war des Beste in meinem Leben. Ich hab sie so geliebt. Immer. Von Anfang an. Ich hab nichts Großes geleistet, keine Mordskarriere oder irgend so was. Unser Wohnmobil, der Hund und Inge – das war mein Leben. Natürlich auch unser Bub und ihr, die Enkelchen. Aber, sei mir nicht bös, Andrea, vor allem Inge. Und ohne

Inge ist halt nichts mehr so wie es war. Ihr könnt nichts dafür.

Sag bei der Trauerrede nur, wie lieb ich sie gehabt hab. Und dass sie mein Leben war.

Ach ja, seid so gut und kümmert euch um Karl. Der vermisst die Inge auch so.

Ich muss weinen. Was für eine unglaubliche Liebe. Inge war sein Leben! Würde Christoph das über mich sagen? Würde ich das über Christoph sagen? Ist Christoph mein Leben? Ich muss heftiger weinen. Vielleicht, weil ich die Frage, wenn ich ganz, ganz ehrlich bin, mit Nein beantworten muss. Er ist Teil meines Lebens. Aber mein Leben? Definitiv nicht. Er lebt mit mir in einem Haus, wir haben zwei Kinder, wir kommen klar. Mehr ist es nicht. Jedenfalls momentan nicht. Wie hat Rudi das nur geschafft? Diese lebenslange intensive Liebe? Wie hat er sie konserviert? Gibt es da ein Geheimnis oder ist es einfach nur Glück? Lieben manche leichter? Geht an manchen Menschen der Alltag einfach spurlos vorbei? Ist ihre Liebe wie ein riesiger Kokon, der sie umhüllt, abschirmt gegen Widrigkeiten jeder Art?

Ich würde mich am liebsten selbst einmal kräftig durchschütteln. Dieses permanente Gejammer und dieses unsägliche Selbstmitleid. Ich neige normalerweise nicht besonders zu Selbstmitleid, schon weil es dafür in meinem Leben gar nicht genug Zeit gibt. Es geht ja dauernd um andere und deren Befindlichkeiten.

Was erwarte ich eigentlich? Rosarote Wolken? Himmlische Liebe rund um die Uhr?

Meine Mutter würde zu all dem nur sagen: »Reiß dich mal zusammen!«

Sie neigt zu einem gewissen Pragmatismus und findet derart romantische Visionen albern. »Dir geht es doch gut«, würde sie mich ermahnen, »was willst du denn noch!?« Tja, das Leben ist kein Ponyhof, wie man heute so schön sagt.

Ich kaufe wie in Trance Lachs, Tiefkühlerbsen, Salat, ein paar Champignons und Himbeeren für den Nachtisch. Ich fühle mich immer noch mies. Wie eingehüllt in eine Wolke aus Melancholie. Der Supermarkt verstärkt dieses Gefühl noch. Wie viel Lebenszeit habe ich hier wohl schon verbracht? Wie viel Zeit vertue ich überhaupt mit solch profanen und langweiligen Tätigkeiten wie zum Beispiel Einkaufen?

Und die Krönung ist: Wenn ich all das erledigt habe, kommen abends – in meiner Freizeit – Gäste, die ich nicht mal mag. L&G nenne ich die Dollingers insgeheim: Lukas Langweilig und Gaby Gewöhnlich. Warum mache ich das nur mit? Wenn Christoph L&G so toll findet, kann er sie ja gerne einladen. Aber, wenn möglich, ohne mich. Nur, weil wir ein Paar sind, heißt das ja noch lange nicht, dass wir, was Freunde betrifft, immer konform gehen müssen. Ich könnte in der Zeit, in der die Dollingers da sind, ins Kino gehen oder mich im Schlafzimmer mit einem guten Buch verstecken. Die Idee gefällt mir – einerseits. Andererseits wäre ich selbstverständlich zutiefst beleidigt, wenn Christoph sich so verhalten würde. Ich kann mich direkt rummeckern hören: »Einen Abend wirst du ja wohl mir zuliebe …!«

Heute noch, denke ich. Heute spiele ich noch mal die gute, brave Ehefrau. Obwohl ich, ehrlich gesagt, lieber die Neurochirurgin wäre. Es hat richtig Spaß gemacht, sich neu zu erfinden. Das mache ich nächste Woche wieder, entscheide ich und muss tatsächlich ein wenig grinsen. Mal sehen, wer ich dann bin: Krankenschwester, Hundezüchterin, Pornodarstellerin oder Atomphysikerin?

Türmäßig hat sich nichts getan. Was soll's. Wen interessiert das letztlich? Wir leben ja im Haus und müssen nicht ständig von außen drauf gucken. Außerdem: Es ist ja nur eine blöde Tür. Sie geht zu, man kann sie abschließen – okay, sie sieht beschissen aus, aber alles kann man vielleicht noch nicht mal von einer Tür erwarten.

Rudi kommt, sobald ich die Haustür aufgeschlossen habe, auf mich zu: »Hast de Zeit gehabt emal druff zu gucke? Uff mein Vorschlag?«, fragt er schüchtern.

Statt zu antworten, nehme ich ihn erst einmal in den Arm. Sein Brief hat mich so angerührt, dass ich direkt wieder weinen könnte. Obwohl, oder gerade weil ich etwas komplett anderes erwartet hatte. Detaillierte Anweisungen, Redevorschläge. Stattdessen – eine Hommage an Inge.

Wir stehen einfach nur da. Jeder in seinem höchsteigenen Unglück, fest umschlungen.

»Ja«, sage ich dann, als wir uns aus der Umarmung lösen, »ja, ich habe ihn mir angeschaut. Du kannst dich auf mich verlassen.«

Es ist siebzehn Uhr, und in zweieinhalb Stunden werden L&G hier auf der Matte stehen.

»Ich muss das Essen vorbereiten, nach den Kindern gucken und noch irgendwie ein bisschen Ordnung hier reinkriegen. Wir reden in den nächsten Tagen in Ruhe über alles«, vertröste ich Rudi.

»Hoffe mer ma, des es dann net zu spät ist«, antwortet

er. »Ach und leider, Andrea, isch hab die Tür net mer raus gekriegt.«

Scheiß auf die Tür, denke ich, sage aber: »Macht nichts, da kümmern wir uns später drum! Das kann dann Christoph machen! Ach, und Rudi, sind die Kinder da?«

»Der Klaane is obe und die Große is unnerwegs, lerne. Sie kommt irgendwann später, hat se gesagt.«

Irgendwann später, wie freundlich von der Gnädigsten. Und so präzise. Die tickt ja echt nicht mehr richtig. Christoph und ich müssen dringend mit Claudia reden. Heute nicht – auch irgendwann später.

»Willst du wirklich mit den Kindern essen oder doch lieber nachher mit uns und den Dollingers?«, frage ich noch mal nach.

»Wenn, dann mit den Kinnern, aber isch hab eischentlich überhaupt kaan Hunger«, antwortet mein Schwiegervater.

Bei allem Mitleid und aller Liebe – das nervt mich jetzt doch. Deshalb spare ich mir das sonst übliche Aber-Rudi-Du-Musst-Doch-Was-Essen-Gerede und sage nur: »Wie du willst, Rudi. Du bist ja alt genug. Sei so nett, wenn du hochgehst, und sag Mark Bescheid, er möchte zum Essen runterkommen. Wenn du auch etwas essen magst, kommst du einfach dazu oder nimmst dir später was.«

Ich schneide ein paar Scheiben Brot ab, hole Butter, Wurst und Käse aus dem Kühlschrank und warte. Natürlich kommt Mark nicht. Ich brülle in Richtung erster Stock: »Mark, Essen ist fertig.«

Keine Reaktion. Auch beim dritten Mal nicht. Ich könnte nach oben gehen, ihn an den Ohren packen und runterzerren. Könnte. Dazu habe ich aber keine Lust. Ich könnte auch irrsinnig konsequent sein und das Essen wegräumen. Stattdessen rufe ich: »Mark, ich habe dir ein iPhone mitgebracht!«

Es dauert nicht mal 30 Sekunden, und mein Sohn steht strahlend in der Küche.

»Cool. Echt cool!«, ruft er begeistert. So euphorisch bin ich lange nicht mehr begrüßt worden. Gut, er hat keinen kompletten Satz gesprochen, aber diesen Anspruch habe ich auch schon längst aufgegeben.

»Wo ist es denn, das iPhone?«, fragt er jetzt nach.

»Keine Ahnung!«, antworte ich.

»Aber du hast doch gesagt, du hättest mir eins mitgebracht!«, nölt er mich an.

»Das war gelogen. Mama hat gelogen, nur damit du endlich deinen Hintern hier runterbewegst. Setz dich hin und iss. Ich habe kaum Zeit. Wir bekommen Besuch.«

Er stapft zum Tisch, und ich höre ihn murmeln: »Voll gemein, voll fies.« Kann sein – aber immerhin hat es funktioniert. Mein Sohn hat sich in die Niederungen der Küche begeben.

»Gibt's nichts Warmes?«, ist sein nächster Kommentar.

»Du kannst dir das Brot warm machen, dann hast du was Warmes!«, pampe ich ihn an.

Heute können mich alle mal. Ich weiß natürlich, dass man so nicht mit seinen Kindern umgehen sollte, und meistens strenge ich mich auch wirklich an. Aber es gibt nun mal Tage, da reicht es einfach, da hat die Servicekraft und Dienstleisterin es schlicht und einfach satt. Trotzdem habe ich ein schlechtes Gewissen. Zu seinem Pech hat er jetzt gerade meinen ganzen Unmut abgekriegt.

»Boah, bist du Scheiße drauf!«, stellt mein Sohn nicht zu Unrecht fest, »kann ich mir die Brote mit hochnehmen?«

Auf einen weiteren pädagogischen Fauxpas kommt es jetzt auch nicht mehr an: »Ja, mach nur!«, nicke ich. »Und ja, ich bin echt Scheiße drauf.«

Gepflegte Umgangsformen im Hause Schnidt. Mein Sohn verlässt kopfschüttelnd das Zimmer.

Ich wasche den Salat und die Champignons und merke, dass letztere nicht mehr in Bestform sind. Es bleiben, nach eingehender Betrachtung, nur fünf kleine, einigermaßen vorzeigbare, Exemplare übrig – für vier Erwachsene. Ich könnte stattdessen Thunfisch in den Salat mischen, aber Fisch im Salat und zum Hauptgang ist vielleicht ein bisschen zuviel. Ich glaube, ich habe auch gar keinen Thunfisch mehr im Haus. Wegen der Delfine! Thunfischesser sind Delfinmörder! Das hat mir Claudia beim Öffnen der letzten Dose um die Ohren geschleudert. Seitdem habe ich eine echte Thunfischkaufhemmung. Immer, wenn ich nach einer Dose greifen will, sehe ich sterbende Flipper vor mir. Ich werde einfach noch ein paar Nüsse auf den Salat streuen. Am liebsten würde ich die Gammelpilze direkt zurück zum Supermarkt fahren und irgendwem um die Ohren hauen. Dazu hätte ich momentan zwar ausreichend Aggressionspotential, aber leider fehlt mir die Zeit.

Mein Handy klingelt. Wo, um alles in der Welt, habe ich das gelassen? Als ich es in den Tiefen meiner Handtasche entdecke, ist es zu spät. Ein Anruf in Abwesenheit, teilt mir mein Handy mit. Ein Anruf von Anonym. Im Zweifelsfall war das Christoph. Er weigert sich, seine Rufnummer anzeigen zu lassen, egal wie oft ich ihn darum bitte.

»Ich will nicht, dass jeder, mit dem ich telefoniere, meine Nummer sehen kann!«, bekomme ich dann jedes Mal zur Antwort. Ein Argument, das sich mir nicht so recht erschließen will. Wieso darf man seine Nummer nicht sehen? Macht er nebenher obszöne Anrufe oder erpresst er jemanden? Was für ein Wichtiggetue!

Aber in der Handtasche finde ich noch etwas. Die Pilze von gestern Abend. Perfekt – das Champignonproblem wäre gelöst. Was haben meine neuen Holländerfreunde gesagt? »Mach sie mit Ei, brate sie, aber nur, wenn du am nächsten Tag keine wichtige OP hast.« Die habe ich morgen definitiv nicht. Leider.

Ich decke den Tisch, räume notdürftig auf und bereite das Essen vor. Der Salat ist angerichtet – die Pilze brate ich später.

Mittlerweile ist es kurz vor Sieben und von Christoph keine Spur. Ich versuche es auf seinem Handy. Es meldet sich die Mailbox, wie immer. Seit Jahren dasselbe Theater, nie hat dieser Mann sein Handy an. Um noch in aller Ruhe zu duschen, ist es zu spät. Ich male ein bisschen in meinem Gesicht rum, quetsche mich in meine Lieblingsjeans, die eine Portion mehr Stretch vertragen könnte und um Punkt halb acht klingelt es auch schon.

Die Dollingers, L&G, auf die Minute pünktlich, aber kein Christoph und auch keine Claudia in Sicht. Die können sich auf einen wirklich herzlichen Empfang gefasst machen.

»Hallo!«, begrüße ich die beiden Dollingers mit einem Strahlen, so als kämen sie von der Lottogesellschaft und würden mir gerade mitteilen, dass ich den Jackpot geknackt hätte. »Schön, dass ihr da seid!« Das ist nicht meine erste Lüge heute und wird wahrscheinlich auch nicht meine letzte bleiben. Was soll's. Im Prinzip können die beiden ja nichts dafür. Immerhin sind sie bei uns eingeladen und wissen ja nicht, wie dämlich ich sie finde. Dafür, dass sie dämlich sind, können sie natürlich schon was …

Gaby hat sich zurechtgemacht, als würde sie für ein schlüpfriges kleines Sexfilmchen auf RTL 2 vorsprechen wollen: Ein hautenges weißes Kleid, das eine Größe größer auch noch gut gepasst hätte, und dazu weiße Pumps. Alle Körperteile sind so behängt, als wäre es bald Weihnachten und sie der Baum. Glitzer und Gold wohin das Auge reicht. Fehlt nur noch Lametta. Wie würde meine Tochter sagen? – »Die Alte geht echt gar nicht!« Er hingegen trägt wie immer einen Blazer, Doppelreiher mit Goldknöpfen, und dazu ganz lässig ein Seidentuch im Hemdausschnitt, weiße Jeans und Slipper mit Socken. Schlimmer geht halt immer, schießt es mir durch den Kopf. Soll das eine Art von Partnerlook sein? Weiß und Gold mit maritimen Elementen?

»Wo ist denn dein Göttergatte, Andrea?«, will Lukas gleich wissen. Die gute Ehefrau würde jetzt kichernd sagen: »Du kennst das ja, Lukas, immer diese Arbeit. Er wird gleich hier sein!« Aber so eine gute Ehefrau bin ich dummerweise nicht.

»Keine Ahnung, er wollte vor einer halben Stunde hier sein und kann sich jetzt verdammt warm anziehen, wenn er auftaucht!«, höre ich mich sagen. Der Satz ist mir einfach so aus dem Mund geschlüpft.

Gaby schaut mich mit tadelndem Blick an: »Aber, Andrea, sei doch nicht so streng, die Jungs rackern sich doch für uns so ab!«

Der eine von den »Jungs« – ihrer – guckt so begeistert, als hätte er ein Leckerchen bekommen und tätschelt ihr anerkennend den Po. Gerade so, als wolle er sagen: Gut gemacht, immerhin eine, die weiß, was los ist und was sich gehört. Die Jungs! Peinlich.

Hinter Gaby und Lukas taucht verstohlen meine Tochter auf. »Hi!«, lautet ihre ausführliche Begrüßung. Sie nimmt nicht mal die Kopfhörer ab. Wahrscheinlich sind die inzwischen sowieso mit den Haaren verwachsen. Ich sehe sie nur sehr selten ohne.

»Wir sprechen uns morgen!«, kommentiere ich ihren Kurzauftritt und aus Gabys pinkem Mündchen kommt ein erstauntes »Oh!«

»Ist die Haustür neu?«, will sie jetzt wissen. »Sieht schön aus, irgendwie gemütlich.«

»Jetzt kommt halt erst mal rein!«, übergehe ich die Türbemerkung und drücke den beiden ein Glas Prosecco in die Hand. Wir haben im Keller auch noch eine Flasche guten Schampus, aber ich habe beschlossen, den für eine andere Gelegenheit aufzuheben oder ihn irgendwann mal abends einfach ganz allein zu trinken.

Kaum haben wir angestoßen, steht Christoph im Hausflur.

»Schön, dass du auch kommst!«, zische ich.

»Jetzt bleib mal locker, Andrea!«, springt Lukas direkt für Christoph in die Bresche und Gaby wirft sich in seine Arme, als wäre er nach monatelangem Gefängnisaufenthalt (natürlich unschuldig) endlich wieder auf freiem Fuß.

»Das ist doch mal eine Begrüßung nach meinem Geschmack!«, lacht mein Mann, und ich könnte ihm eine knallen. Demnächst sollen wir wohl noch den roten Teppich ausrollen, wenn er sich tatsächlich mal rechtzeitig zu Hause einfindet.

»Was gibt's denn Gutes? Ich hab riesigen Hunger!«, wendet sich Christoph jetzt an mich.

Ich würde ihn sehr gerne ohne Essen auf sein Zimmer schicken, was aus zwei Gründen aber nicht geht: Er hat kein eigenes Zimmer, und ich wäre dann mit den Dollingers allein – keine schöne Aussicht. Also beschließe ich, gute Miene zu machen. Jedenfalls so lange, bis L&G die Haustür von außen hinter sich zugezogen haben.

Die drei machen es sich im Wohnzimmer bequem und ich kümmere mich um die Vorspeise. Die Holländerpilze sehen ein wenig seltsam aus. Sie haben irre lange, dünne Stiele und ein kleines dreieckiges Köpfchen. Egal. Ich schneide das meiste vom Stiel ab, um die Pilze optisch ein wenig aufzuwerten und vermische sie mit den fünf kläglichen Champignons. Dann geht's ab in die Pfanne.

Gaby scheint schon in Hochstimmung zu sein. Sie lacht und lacht. Worüber, kann ich zum Glück nicht hören. Wie soll ich das bloß aushalten? Ich würde am liebsten nur servieren und mich dann mit aus irgendeinem vorgeschobenen Grund zurückziehen. Migräne, Nierenkolik oder was auch immer. Ich finde, Nierenkolik klingt sehr glaubhaft. Beim Schwindeln muss man richtig dick auftragen.

Der Lachs kommt in den Ofen und die Erbsen auf den Herd. Ich erledige meine Küchenarbeiten wie ein Automat.

»Ihr könnt euch an den Tisch setzen, die Vorspeise ist fertig!«, rufe ich wie eine nette kleine Hausfrau in den 50er Jahren in die fröhliche Runde.

»Was trinken wir denn dazu?«, ist die erste Frage von Christoph.

»Das, was du uns holst!«, ist meine knappe Antwort.

»Rot oder weiß?«, will er von unseren Gästen wissen.

»Hauptsache vom Besten!«, antwortet Lukas und selbst darüber lacht sich Gaby fast kaputt.

Christoph erbarmt sich und kümmert sich um die Getränke. »Weißwein hättest du kalt stellen müssen!«, werde ich dann noch öffentlich getadelt. Wenn L&G nachher gehen, können sie Christoph direkt mitnehmen. Die drei scheinen ja glänzend zu harmonieren.

»Was ist das denn auf dem Salat?«, will mein mäkeliger Mann dann auch noch wissen.

»Wie sieht es denn aus?«, frage ich pikiert zurück.

»Ich denke mal, das sind Pilze!«, kommt es von Gaby.

Die Kandidatin hat 100 Punkte. Unfassbar, welches Wissen sich da auftut. Ganz ohne Telefonjoker oder Publikum.

»Da hat Gaby recht, es sind Pilze. Champignons und Petits aus Südfrankreich. Eine total seltene Delikatesse«, informiere ich meine Gäste.

»Kenne ich nicht!«, nörgelt mein Mann.

Ich weiß sehr genau, was das heißt. Frei übersetzt: Was der Herr Anwalt nicht kennt, isst er nicht.

»Gib sie mir!«, erspare ich mir eine Debatte. Den Kindern hätte ich das nicht durchgehen lassen. Die müssen wenigstens probieren. Jedenfalls an meinen konsequenten Tagen.

»Habe ich noch nie von gehört, Petits aus Südfrankreich, aber lecker sind sie«, wundert sich Lukas.

Tja, da konnte ich den Herrn Feinschmecker mal überraschen. Kein Wunder, dass er noch nie von Petits aus Südfrankreich gehört hat. Ich kann mir auch kaum vorstellen, dass es sie gibt, wo ich sie ja auch gerade erst erfunden habe. Aber »Pilze aus Holland« wäre als Erklärung doch etwas mau gewesen. Gemüse aus Holland hat ja per se nicht den besten Ruf. Gegenden wie die Ukraine und Co. gelten seit Tschernobyl auch nicht als die besten Pilzadressen. Ich weiß auch nicht, wie ich ausgerechnet auf

Südfrankreich gekommen bin, und mal ehrlich, ich bin nicht sicher, ob in Frankreich überhaupt Pilze wachsen. Aber wahrscheinlich schon – schließlich haben die ja ein ähnliches Klima wie wir und Trüffel gibt es da auf jeden Fall. Wo feine Trüffel wachsen, wird doch wohl auch noch Platz für den Langstiel Petit sein!

»Die sind schwer zu kriegen, und mal unter uns – auch nicht ganz billig!«, lege ich noch mal nach.

Bei »nicht ganz billig«, zuckt Christoph zusammen. Er wird mit den Jahren immer mehr zum Sparbrötchen, eine Eigenschaft, die ich extrem unsexy finde. Gaby hält sich mit Kommentaren zurück.

»Und wie findest du die Petits?«, frage ich sie.

»Interessant! Aber du weißt ja, Andrea, ich mag lieber Grand als Petit.«

Lukas kann sich kaum halten. »So ist sie, meine Gaby!«, schüttelt er sich vor Lachen.

Habe ich diesen Scherz jetzt etwa richtig verstanden? Sie mag es lieber groß? Denken die etwa an das, woran ich jetzt auch denken muss? Wir reden über Pilze und Lukas bezieht die Bemerkung seiner Frau auf seinen Penis? Was geht nur in diesem Gehirn vor? Wie schrecklich klein ist doch dieses Groß-Gerede!

Aber zurück zu den Pilzen: Wären das wirklich unglaublich teure Petits aus Südfrankreich, würde ich sie mit Sicherheit nicht mehr kaufen (und hätte sie schon für diese Essensbesetzung niemals gekauft!). Geschmacklich sind sie höchstens Durchschnitt. Wenigstens nicht glitschig. Es gibt ja kaum was Ekligeres als glitschige, glibberige Pilze. Sie schmecken eigentlich nach kaum etwas. Höchstens ein bisschen pilzig.

»Magst du einen probieren?«, biete ich Christoph an.

»Ne, lass mal, ich bin ja nicht so der Petit-Typ!«, greift er den Pseudowitz von Gaby auf.

Ich könnte mit der Langstieligkeit der vermeintlichen Petits kontern und bei den neckischen Wortspielchen mitmachen, schlucke die Pointe aber runter. Ist das schon der Wein, oder wirkt sich das Zusammensein mit L&G so rasant aus?

Gaby quiekt nahezu: »Du bist so dermaßen unterhaltsam! Christoph, echt, das ist unschlagbar!«

Man könnte meinen, Hape Kerkeling säße neben ihr. Hape Kerkeling in Hochform. Der ist witzig. Definitiv. Mein Mann ist aber nicht Hape Kerkeling. Auch nicht im Ansatz. Im Moment erinnert er mich eher fatal an Horst Schlämmer, die Kunstfigur von Hape Kerkeling. Ich wäre kein bisschen erstaunt, wenn er gleich »Schätzelein« zu Gaby sagen und ihr dabei das Knie tätscheln würde. Christoph kann durchaus witzig sein, aber sein Hauptwesenszug ist sicherlich nicht »Witzischkeit« – wie Rudi sagen würde.

Das Motto dieses Abends könnte langsam der Titelsong aus dem alten Kerkeling-Film »Kein Pardon« werden: »Witzischkeit kennt keine Grenzen!«

Der Wein steigt mir unglaublich zu Kopf. Schon nach dem ersten Glas habe ich das Gefühl, unser Wohnzimmer ist bunter als sonst. Sehr viel bunter. Erstaunlich, wo wir doch weiße Raufaser an den Wänden haben. Und ich fühle mich gut. Richtig gut. Entspannt und wohlig.

Lukas scheint es ähnlich zu gehen. »Alles irre bunt hier!«, stellt er lachend fest. »Mir ist voll schwindelig!«, ergänzt Gaby.

Ein Glas später mag ich selbst Gaby und verrate ihr, wie ich sie und Lukas insgeheim nenne: L&G – Langweilig und gewöhnlich! Die Frau hat auf einmal Humor und lacht sogar darüber. Im Gegenzug erzählt sie mir, wie Lukas und sie, Christoph und mich nennen: A- und B-Hörnchen – Angeber und Biedermaus. Ihre Stimme klingt so ganz anders als sonst, und dass ich ein B-Hörnchen bin, ist doch lustig. Die Beiden sind wirklich dermaßen nett. Und so schillernd.

Aber das ist auch so ziemlich das Letzte, an das ich mich erinnern kann. An das B-Hörnchen und einen strengen Geruch aus dem Backofen. Das B-Hörnchen hat den Lachs vergessen.

3

Den Rest des Abends schildert mir Christoph am nächsten Morgen.

»Sag mal, bist du wahnsinnig geworden!«, weckt er mich.

Ich bin mir keiner Schuld bewusst und dazu noch ziemlich müde.

»War doch richtig lustig, oder?«, frage ich gähnend zurück. »Wir hatten Spaß, daran kann ich mich noch sehr gut erinnern, aber der Wein hat dermaßen reingeknallt – ich habe einen totalen Filmriss. War es noch nett?«

»Nett, Andrea? Nett? Du hast dem Herrn Staatsanwalt und seiner Frau Magic Mushrooms – Zauberpilze serviert. Eine Art LSD in Pilzform. Drogen, Andrea! Halluzinogene Pilze. Ihr wart komplett auf einem Trip. Ihr habt bis zwei Uhr morgens auf dem Teppich gesessen, euch rumgekugelt und irgendwas über Farben gefaselt. Die beiden liegen unten auf dem Sofa. Ich konnte sie ja schlecht nach Hause fahren lassen. Und ich hatte Angst, sie zu fahren und dich hier allein zu lassen. Von wegen Petits aus Südfrankreich, wer hat dir denn diesen Bären aufgebunden? Ich hab im Internet recherchiert – das waren sogenannte spitzkegelige Kahlköpfe. Magic mushrooms, Andrea! Du fällst echt auf alles rein! Petits – lachhaft! Die gibt es gar nicht. Zauberpilze waren das! Wo um alles in der Welt sind die her? Rewe oder Gemüselädchen? Wir werden den Händler verklagen! Das kommt den teuer zu stehen. Da hat er ja eine Dumme gefunden. Stell dir mal vor, die Kinder hätten davon gegessen!« Er macht eine kurze Monologpause, um ordentlich Luft zu holen.

Ach du Scheiße! Wie komme ich bloß aus der Nummer wieder raus? Händler verklagen! Das hat man davon, wenn man mit einem Anwalt verheiratet ist.

So langsam dämmert es mir. Was bin ich doch für eine einfältige Vorstadttusse! Jetzt verstehe ich auch, was die Holländer mit »Die Pilze sind magisch« meinten.

»Wie sollen wir das den Dollingers erklären? Was macht das für einen Eindruck?«

»Reg dich erst mal ab. War ja keine Absicht. Und was aus Versehen passiert, ist schon mal lange nicht so schlimm«, erwidere ich.

Bei allem Unmut – er hätte vielleicht auch erst mal fragen können, wie es mir geht. Prüfen können, ob meine Vitalfunktionen in Ordnung sind. Irgendwie um mich besorgt sein können. Aber ihm geht es mal wieder um etwas anderes. Wie stehen wir da? Wie erklären wir das den Dollingers?

»Wir müssen gar nichts erklären«, versuche ich ihn ein wenig zu beruhigen. »Die haben doch genauso wenig Ahnung von Magic-Pilzkram wie wir auch. Die denken, das war der Wein. Du behauptest einfach, wir hätten noch Unmengen Wodka gekippt. Ist doch kein Beweis mehr da, dic Pilze haben wir ja brav aufgegessen! Und wenn die sich genauso wenig erinnern können wie ich, dann ist die Sache doch geritzt.«

»Andrea, Andrea, du stellst dir das alles so einfach vor! Was hätte da passieren können. Ihr hättet einen Horrortrip erleiden können. Panik, Angstzustände. Meine Güte, wenn ich mir das nur vorstelle. Und wie sich Gaby und Lukas aufgeführt haben, unglaublich.« Christoph hört sich an wie meine Mutter. Ich muss lachen. Vielleicht Pilzrest, vielleicht einfach nur so. Weil alles so dermaßen verrückt ist. Aber es war lustig. Und Gaby war ausnehmend freundlich.

»Ich hätte nie gedacht, dass Gaby so lieb und amüsant sein kann!«, teile ich Christoph meine Gedanken mit.

»Die hat dich ja fast angebaggert!«, stöhnt er.

Ach, da liegt das Problem! Christoph war mal ausnahmsweise nicht das Objekt der Begierde Nummer eins.

»Eifersüchtig?«, frage ich ein ganz klein wenig hämisch.

»Du bist ja immer noch nicht klar im Kopf!«, meckert Christoph. »Lass uns runtergehen und nach unseren Übernachtungsgästen schauen. Gut, dass Wochenende ist und wenigstens die Kinder nicht in die Schule müssen.«

Als wir ins Wohnzimmer kommen, sitzt Rudi im Sessel und Karl, sein Hund, schnüffelt an den noch schlafenden Dollingers herum.

»Hier ging es aber lustig zu!«, bemerkt Rudi nur trocken. »Isch hab eusch noch gegen zwei Uhr in de Früh gehört un korz nach euch geschaut. Von der Treppe aus. Sah ulkisch aus, wie ihr da uff em Teppisch rumgehockt seid. Wie Hippies oder so!«

Dollingers liegen aneinandergekuschelt auf dem Sofa und schlafen noch immer tief und fest. Jetzt habe ich doch ein schlechtes Gewissen. Nicht, dass sie aufwachen und völlig belämmert sind. Wer weiß, was diese sogenannten Magic Mushrooms für Folgen haben? Gibt es Langzeitschäden? Wird man etwa süchtig? Das wäre besonders für die Dollingers schlimm – schließlich ahnen sie nicht mal, was sie da zu sich genommen haben. Süchtig zu sein und nicht zu wissen wonach, muss sehr hart sein.

»Wir machen es, wie du gesagt hast, Andrea!«, teilt mir Christoph nur knapp mit.

»Also die Wodkataktik!«, sage ich und grinse ihn an.

Als ich meinen Blick auf die Küche richte, vergeht mir sofort das Grinsen.

»Du hättest ja wenigstens mal das dreckige Geschirr in die Spülmaschine räumen können!«, blaffe ich ihn an.

»Hätte ich ja gemacht, aber die Maschine ist voll!«, ist seine bescheuerte Antwort.

Man glaubt es nicht. Die Maschine ist voll! Na so was! Mit sauberem Geschirr. Schade, dass es nicht von allein in die Schränke fliegen kann. So eine Ausrede bringt wirklich nur ein Kerl fertig.

»Lass uns Frühstück machen und die Sache mit so viel Anstand wie möglich zu Ende bringen!«, lenkt Christoph von der Spülmaschine ab. »Ich hole Brötchen!« Mit anderen Worten: Ich verkrümele mich, und du räumst den Schweinestall auf und bewachst die Dollingers.

Meine Küche ist das absolute Grauen. Im Ofen ist der durchgebratene Lachs, reichlich zerfallen (geschmacklich gar nicht übel, nur ein wenig trocken), auf dem Herd das eingebrannte Erbsenpüree und auf der Ablage steht alles voll mit Tellern. Auf einem Salatteller liegt noch ein kleiner Pilz. Ich bin kurz in Versuchung. Dabei habe ich es ansonsten, weiß Gott, nicht mit Drogen. Ich habe viel zu viel Angst vor Kontrollverlust. Aber das gestern Abend war gar nicht übel. Natürlich würde ich das nie öffentlich zugeben, aber ich habe mich einfach richtig wohl gefühlt. Trotzdem verkneife ich mir den Pilz und schmeiße ihn seufzend in den Müll. Noch habe ich meine »Sucht« anscheinend unter Kontrolle.

Auf der Couch regt sich was. Immerhin die Dollingers leben.

»Ach du je!«, entfährt es Gaby, »was machen wir denn hier?«

»Guten Morgen«, sage ich freundlich (schließlich sind Gaby und ich seit gestern ganz dicke Freundinnen), »ihr habt hier übernachtet, weil es mit dem Fahren nach all dem Wodka ein bisschen schwierig wurde.« Wie raffiniert von mir. Da habe ich unauffällig schon mal den Wodka untergebracht.

»Gleich gibt's Frühstück. Wenn du duschen willst, gebe ich dir gerne ein Handtuch und was du so brauchst!«

»Wodka«, stöhnt Gaby, »daran kann ich mich null erinnern, aber es war irgendwie lustig.«

Sie steht auf, streicht sich ihr völlig derangiertes weißes Kleid in Form und guckt auf ihren Mann.

»Den scheint es ja auch ordentlich erwischt zu haben!«, stellt sie nur fest und streichelt ihm zart über den Kopf. Wie liebevoll denke ich. Diese Geste hat was. So mit halboffenem Mund und leicht sabbernd macht Lukas nicht wirklich viel her. Noch weniger als sonst, um genau zu sein.

»Ich glaube, ich sollte echt mal duschen. Hast du was zum Anziehen für danach?«, fragt sie freundlich.

»Klar, aber ich glaube kaum, dass dir das passt. Da fällst du doch raus, so schmal wie du bist!«

»Mach dich nicht dicker als du bist, du hast doch eine prima Figur!«, antwortet sie.

Wie konnte ich diese Frau jemals blöd finden? Ein gemeinsamer Pilzabend, eine wunderbare kleine Schmeichelei, und ich bin eingewickelt. Obwohl an meiner »prima Figur« durchaus einiges zu verbessern wäre.

Eine halbe Stunde später sitzen wir am Frühstückstisch. Gaby frisch geduscht und in einem meiner alten Jogginganzüge, Lukas jenseits von gut und böse, völlig verstört und reichlich wortkarg.

»Alter Junge, was für eine Nacht!«, ist sein einziger Frühstückskommentar. Aber immerhin, sein Appetit ist gut.

Gestern haben wir ja auch nicht viel zu uns genommen. Nach der Vorspeise scheint das Essen beendet gewesen zu sein. So lassen zumindest der Trocken-Lachs im Ofen und der Nachtisch im Kühlschrank schließen.

Wir reden wenig und essen viel. Als sich Christoph für den verkorksten Abend entschuldigen will, kommt Bewegung in Gaby.

»Das war einer der besten Abende überhaupt. Ich hatte lange nicht mehr soviel Spaß! Und, dass wir uns so dermaßen abgeschossen haben, da sind wir wohl selbst dran schuld! Wir sind ja schließlich erwachsen. Mir hat es jedenfalls riesig gefallen.«

Ob man uns erwachsen nennen kann, wage ich nach gestern allerdings zu bezweifeln – aber wen kümmert das.

Lukas nickt zu den Ausführungen seiner Frau.

»Lass uns mal heimfahren! Ich brauch ne Dusche und frische Klamotten.«

Der Abschied ist um einiges herzlicher als die Begrüßung. Was so ein paar Pilze ausmachen können – unglaublich!

Kaum sind die zwei aus der Tür, geht das Pilzverhör von heute Morgen weiter.

»Wo, um alles in der Welt, hast du die Dinger her?«

Auf die Schnelle fällt mir so gar keine gute Ausrede ein. Also bleibe ich einfach mal zur Abwechslung bei der Wahrheit.

»Die habe ich geschenkt bekommen«, gestehe ich.

»Was hast du geschenkt bekommen?«, fragt da eine mir

bekannte Stimme – meine Tochter Claudia. Oh, Madame hat sich erhoben und sich in die Niederungen der Küche begeben.

»Nichts!«, antwortet Christoph hektisch und fügt hinzu: »Wir müssen uns mal unterhalten, mein Frollein!«

Das hätte genauso auch mein Vater sagen können. Wörtlich. Meine Güte, ob das der richtige Ton ist, um mit seiner Tochter ins Gespräch zu kommen?

»Ich hab Hunger!«, antwortet die nur.

»Dann lass uns doch beim Frühstück reden!«, schlage ich verbindlich vor. Mit ein paar Kalorien im Bauch wird Claudia vielleicht zugänglicher. Kaum sitzen wir, kommen Rudi und Mark dazu.

»Wir wollten eigentlich mal nur zu zweit mit Claudia reden!«

Rudi will sofort wieder aufstehen, aber Claudia drückt ihn zurück in den Stuhl.

»Das können die ruhig mithören!«, entscheidet sie.

Kluges Mädchen. Sie ahnt, dass wir uns wahrscheinlich etwas zusammenreißen, wenn die Debatte vor Publikum ausgetragen wird.

»Nett, dass ich dann doch auch Frühstück bekomme«, äußert sich mein Sohn. »Hier gibt's ja oft Sachen, die versprochen werden und nachher stellt sich alles als Lüge raus.«

Meine Güte, ist der nachtragend. Eine kleine iPhone-Schwindelei, und der tut so, als würde er ständig hintergangen. Das Humor-Gen scheint Mark von seinem Vater geerbt zu haben.

»Also, was ist los?«, fragt Claudia, während sie sich fett Nutella auf ihr Brötchen schmiert. Ich bin erstaunt, dass sie die Diskussion eröffnet.

»Mama sagt, du willst nicht mehr in die Schule!«, steigt Christoph gleich voll ein.

»Richtig! Das hat sie ganz richtig verstanden«, antwortet Claudia. Sofort beginnt Christoph mit einer längeren Ansprache rund um Abitur, Berufschancen, sozialen Abstieg bei mangelnder Ausbildung, Hartz Vier und so weiter. Er redet sich richtig in Rage und endet mit den Worten: »Das kommt überhaupt nicht in Frage. Ende der Diskussion.«

Diskussion? Mit wem hat er denn da diskutiert? Mit sich selbst?

»Ich will aber nicht mehr. Es bringt mir nichts«, bemerkt Claudia seelenruhig und fügt hinzu: »Ich wusste, ihr versteht mich eh nicht.«

Das finde ich ein wenig unfair, schließlich habe ich noch kein Wort zu der Sache gesagt – aber bitte sehr.

»Wie stellst du dir denn dein Leben vor?«, versuche ich es mit einer konstruktiven Frage.

»Ich mach ne Ausbildung, zieh aus und verdiene mein eigenes Geld!«, kommt es blitzschnell. Claudia scheint vorbereitet.

»Was willst du denn für eine Ausbildung machen?«, versuche ich so entspannt wie möglich zu klingen. Christoph schnaubt nur noch. Claudia ignoriert das.

»Keine Ahnung, vielleicht Hebamme oder was mit Mode oder Schminke oder so!«

Christoph sieht aus, als würde er gleich hyperventilieren.

»So einen Quatsch habe ich lange nicht mehr gehört. Das ist ja völlig unausgegorener Schwachsinn. Du machst Abitur. Ohne geht gar nichts. Das solltest selbst du wissen.«

Jetzt meldet sich Rudi zaghaft zu Wort.

»Sei mal net ganz so arrogant, Christoph. Hab isch

Abitur? Kann mer aach ohne glücklich wern? Natürlisch. Also, spiel dich net so uff!«

Für Rudis Verhältnisse war das drastisch. Aber verständlich. Rudi hat kein Abitur. Christoph ist entsetzt, jetzt fällt ihm sein eigener Vater, der zurückhaltende Rudi, in den Rücken.

»Da verstehst du nichts von, Papa. Das waren andere Zeiten. Heute ist alles schwieriger. Ohne Abitur geht gar nichts mehr. Außerdem Claudia: Ich will doch nur dein Bestes.«

Der Klassiker: Ich will doch nur dein Bestes. Der Satz, der immer dann zum Einsatz kommt, wenn die Argumente ausgehen. Ich kenne niemanden, der diesen Spruch von seinen Eltern noch nicht gehört hat. Aber ich kann mich gut daran erinnern, wie der Satz bei mir angekommen ist. Gar nicht. Weder inhaltlich noch sonstwie. Ich habe immer nur gedacht: Ihr habt doch keine Ahnung! So was von keine Ahnung.

Ich überlege fieberhaft. Und das mit meinem Nach-Pilz-Kopf, der mich anscheinend irgendwie milde stimmt.

»Wie wäre es mit einem Kompromiss. Nächste Woche beginnen die Ferien, du gehst arbeiten und guckst, wie dir das Leben als Berufstätige gefällt?«

Wenn ich so weitermache, kann ich die Supernanny ablösen, so verständig und einfühlsam wie ich heute bin. Quasi taktische Kriegführung. Claudia verzieht das Gesicht.

»Wo soll ich denn arbeiten? Es sind doch Ferien, da will ich ausschlafen, und wir fahren doch auch weg?«

»Kein Arbeitnehmer hat sechs Wochen Ferien. Außer du wirst Lehrerin, aber dafür brauchst du Abitur. Also kannst du dich schon mal dran gewöhnen, wie das dann so ist. Dein Bruder fährt drei Wochen ins Fußballcamp, und in den drei Wochen kannst du arbeiten gehen«, kontere ich blitzschnell.

Christoph nickt. Mark lacht.

»Viel Spaß!«, sagt er nur und kichert in sich rein.

Claudia hebt den Arm und will ihm ein paar knallen.

»Nein«, sage ich nur, »lass es.«

Rudi streicht Claudia über den Arm: »Is doch gar kaane so schlechte Idee. Emal testarbeite. Da siehst de dann, ob der das liegt oder ob de liebä noch en bisschen in die Schule gehst, Herzschen.«

Claudia sieht aus, als würde sie gleich losheulen.

»Ihr kapiert gar nichts. Und ihr versaut mir die Ferien! Mit Absicht!«, schluchzt sie. »Wo soll ich denn überhaupt arbeiten?«

Christoph ist kein bisschen beeindruckt von der Schluchzerei.

»Tja, mein Frollein, so machen wir es. Da hat deine Mutter mal einen guten Vorschlag gemacht. Vielleicht verstehst du dann, dass Schule auch ein Privileg ist. Kinder in Afrika wären froh, wenn sie in die Schule gehen dürften. Oder in Indien. Die knüpfen Teppiche, rund um die Uhr.«

Was für ein Argument. Ähnlich wie das mit dem Teller leer essen und den Kindern, die froh wären, überhaupt was zu essen zu haben … Inhaltlich natürlich nicht ganz falsch, aber Afrika und Indien sind weit weg, vor allem für Teenager.

Dazu die Bemerkung: Da hat deine Mutter mal einen guten Vorschlag gemacht. Mal! Als wäre das ein erwähnenswertes Ereignis.

»Ich bin aber kein Kind aus Afrika! Und das habe ich

mir ja nicht ausgesucht. Man kann ja nichts dafür, wo man reingeboren wird. Die da in Afrika können mein Abitur gerne haben! Oder selbst machen!«, motzt Claudia. »Von mir aus gehe ich halt arbeiten, ihr werdet schon sehen, was ihr davon habt!«

»Dann such dir einen Job, und dann sehen wir weiter!«, beendet Christoph das Thema.

»Isch helf dir!«, tuschelt Rudi und über Claudias Gesicht huscht ein Lächeln.

»Wenigstens einer!«, sagt sie und drückt ihrem Opa einen Kuss auf die Wange. »Kann ich aufstehen?«, fragt sie dann, und wir nicken.

Mark nutzt die Gunst der Stunde und entschwindet ebenfalls.

»Das treiben wir der schon aus!«, sagt Christoph. »Die kriegt sich schon wieder ein. Das sind Phasen.«

Sein Vater schaut ihn nicht gerade freundlich an: »Manchmal, Christoph, versteh isch dich net.«

Das geht mir genauso, aber ich unterdrücke die Bemerkung.

»Ich dich auch nicht, Papa. Zum Beispiel dann nicht, wenn ich auf unsere Haustür gucke. Was zum Teufel hat dich denn da geritten? Das ist ja wohl die scheußlichste Tür überhaupt. Die muss schleunigst wieder weg«, wehrt Christoph den vermeintlichen Angriff seines Vaters ab.

Schneller Themenwechsel, raffiniert. Jetzt ist auch noch Rudi beleidigt und behauptet mit pikierter Stimme, der Hund müsse mal raus.

»Ich geh emal mit em Karlchen, bis sich einer hier am Tisch beruhischt hat!«

Zu gern würde ich auch einfach aufstehen und verschwinden. In mein Zimmer. Wenn ich denn eines hätte.

Seit Rudi bei uns wohnt, ist unser Reihenhaus platzmäßig ausgereizt. Er schläft im Keller, da wo wir früher unsere Rückzugsmöglichkeit zum Arbeiten hatten.

»Wir müssen noch über unseren Urlaub reden!«, schneide ich ein weiteres heikles Thema an. Christoph war dafür, in diesem Jahr einfach mal zu Hause zu bleiben. Für ihn sicherlich eine Abwechslung, so selten wie er zu Hause ist. Außerdem findet er unser Reihenhaus nicht mehr standesgemäß und will sparen. Auf ein adäquates Haus. Deshalb haben wir nichts gebucht, und die Ferien stehen vor der Tür. Ich hingegen liebe Urlaub. Es müssen ja nicht die Malediven sein, aber ein paar Tage andere Umgebung finde ich einfach immer wunderbar. Mal nicht kochen, waschen, spülen und wischen. Sich einfach an einen gedeckten Tisch setzen und nach dem Essen aufstehen. Schon deshalb habe ich keine Lust auf ein Ferienhaus. Wenn ich dieselben Dienstleistungen wie zu Hause verrichten muss, ist es für mich nicht besonders reizvoll, auch wenn dabei draußen die Sonne scheint.

»Tja, Andrea«, beginnt Christoph, »ich wollte ja eigentlich hier bleiben, aber jetzt habe ich eine wunderbare Überraschung.«

Er macht eine kunstvolle Pause.

»Du hast was gebucht? Wir fahren weg? Wohin?«, sprudelt es aus mir heraus.

»Mallorca, eine Woche«, antwortet Christoph.

Mallorca. Na ja, warum nicht. Wäre vielleicht nicht meine erste Wahl gewesen, aber weg ist weg und Mallorca soll ja besser sein als sein Ruf.

»Nur wir zwei. Die Kinder bleiben bei Rudi, der ist eingeweiht, also Mark ist ja eh im Fußball-Camp und Claudia kann ja dann arbeiten.«

Er will mit mir allein verreisen. Endlich mal eine schöne Nachricht.

»Nur wir zwei, wie wunderbar. Geht es in so ein schickes Finca-Hotel?«, freue ich mich.

»Fast«, nickt Christoph, »fast. Wir fahren in den Robinson Club, da gibt es eine Golfwoche. Schröders aus meinem Club kommen mit und Dollingers überlegen noch und dann noch Heides.«

Ich bin fassungslos. Der bucht eine Woche Golf-Urlaub mit Leuten, die ich, bis auf die Dollingers, nicht mal kenne und teilt mir das so mit, als würden wir auf einen wunderbaren Romantiktrip gehen.

»Golfwoche?«, sage ich nur und werde richtig zornig. »Was soll ich denn da? Vielleicht erinnerst du dich: Ich spiele kein Golf. Ich will kein Golf spielen. Ich will auch nicht mit wildfremden Menschen meinen Urlaub verbringen. Außerdem weiß ich gar nicht, ob ich frei bekomme«, beende ich meine Ausführungen.

»Kein Thema, ich habe mit deinem Chef, dem Lümmert, telefoniert. Du hast eine Woche unbezahlten Urlaub. Passt ihm sogar gut in den Kram. Die Auftragslage ist ja wohl zurzeit etwas angespannt. Und wegen der Leute – wir wohnen ja nur im gleichen Club. Jeder macht seins. Und die Gaby spielt ja auch kein Golf. Da könnt ihr doch schön zusammen am Pool liegen. Ihr versteht euch ja neuerdings blendend. Du könntest dich wenigstens freuen. Da präsentiere ich dir eine Überraschung, mache mir Gedanken und dann so was. Aber dir kann man es ja kaum recht machen.«

Er schmollt beleidigt. Christoph ist Anwalt, das merkt man seiner Argumentation an. Gar nicht erst auf die Argumente der Gegenseite eingehen, sondern lieber gleich eine neue Baustelle aufmachen.

»Mal im Ernst, Christoph, was soll ich denn da?«, frage ich noch mal nach. Das muss er doch verstehen. »Ich dachte wir zwei machen uns mal ein paar schöne Tage, nur für uns, so wie früher, ausschlafen, essen und, na ja, was sonst noch so dazugehört.«

Natürlich habe ich an Sex gedacht. Endlich mal Zeit für Sex. Aber wer, wie ich, so lange keinen mehr hatte, ist schon vor dem eigenen Mann gehemmt und spricht das kleine Wörtchen mit den drei Buchstaben nicht mal mehr aus.

Er schaut verständnislos: »Ja, aber das können wir doch alles machen. Und, Andrea, mal ehrlich, aus dem Wir-Gucken-In-Den Sonnenuntergang-Alter sind wir ja nun wirklich raus!«

Da war er – der Todesstoß für alles, was Christoph für irgendwie romantisch hält. Wie die meisten Männer denkt er, wenn das Wort Romantik fällt, nur an Sonnenuntergang. Was anderes kommt ihm bei dem Thema gar nicht in den Sinn. Wenn er angestrengt nachdenken würde, käme er eventuell noch auf ein Abendessen bei Kerzenschein oder eine Bootsfahrt unter Sternenhimmel. Fertig.

Für mich, an sich, kein Drama. Ich gehöre auch nicht zu den Menschen, für die Romantik lebenswichtig ist. Eigentlich halte ich Romantik sogar für überschätzt. Aber ich hatte auch überhaupt nicht an Romantik gedacht – es ging mir um Sex. Wilden, aufregenden, hemmungslosen Sex. Allein der Gedanke! Ich kann mich wirklich kaum erinnern. Aber angeblich ist es mit dem Sex ja wie mit dem Fahrradfahren – wenn man einmal weiß wie's geht, dann verlernt man das nicht mehr.

»Christoph, es geht mir weniger um Sonnenuntergänge, ich will einfach mal wieder Sex.« So, jetzt ist es raus.

»Ja, dann sag es doch gleich!«, antwortet Christoph und schmunzelt. »Das sollte neben dem Golfkurs kein Problem sein. Die Zeit nehme ich mir.«

Wie freundlich von ihm. Ein bisschen mehr Begeisterung hätte mir auch gut getan. »Die Zeit nehme ich mir« – das ist ja wohl eine grausige Bemerkung. Es geht schließlich um Sex. Um Sex mit mir! Und nicht darum, den Müll raus zu bringen. Oder sollte das jetzt ironisch sein? So oder so, ich würde am liebsten verschwinden. Oder die Reset-Taste drücken. Zurück auf Anfang. Nur, wie weit müsste ich mein Leben zurückspulen? Was würde ich verändern? Welche Entscheidung anders treffen?

»Jetzt freu dich halt, der Club ist schön, du kannst dich doch auch mal massieren lassen!«, schlägt er mir vor.

Wie großzügig. Während er stundenlang Golf spielt und übt, darf ich mich mal massieren lassen.

»Oder mach doch einen Schnupperkurs im Golfen. Und stell dir vor, man kann auch Seidenmalerei lernen!«

Das fehlt mir ja zu meinem Glück noch. Seidenmalerei. Ich habe gewisse Vorurteile gegen Seidenmalerei. Vielleicht, weil sich mein Maltalent in sehr überschaubaren Grenzen hält und ich bisher auch noch kein bemaltes Seidentuch gesehen habe, das ich mir, nicht mal im Vollrausch, umgehängt hätte.

Was denkt Christoph von mir? Wie wenig kennt er mich nach all den Jahren? Oder sollte das womöglich ein Witz sein, und ich habe es nur nicht kapiert?

»Weder Golf noch Seidenmalerei!«, sage ich deshalb nur streng.

»Dann legst du dich einfach schön in die Sonne oder lernst tauchen!«, macht er munter weiter.

Tauchen? Ich? Ich, die niemals den Kopf freiwillig

unter Wasser tauchen würde. Die sich beim Schnorcheln anstellt. Eine wahnwitzige Idee. Da würde ich sogar eher noch Seidentücher bemalen. Ich möchte keinesfalls im Detail sehen, was da unter mir im Meer so alles lebt. Danach könnte ich womöglich nie mehr unbeschwert einfach so in den Wellen planschen. Das sollte Christoph nach all den Jahren doch wissen!

Interessiert er sich überhaupt für mich? Hat er mir je zugehört? Mir Aufmerksamkeit geschenkt?

Wer tut das überhaupt?

»Wir werden sehen«, sage ich deshalb so verbindlich wie irgendwie möglich. »Ist die Reise denn schon fest gebucht, oder kann man da noch was machen?«, will ich doch wissen.

Er mustert mich entgeistert: »Das war ein Top-Angebot vom Golfclub. Selbstverständlich ist alles gebucht, wir fahren in der zweiten Woche und haben sogar eine Option auf Verlängerung!«

»Na, dann packe ich mir am besten ausreichend was zu lesen ein!«, ist mein abschließender Kommentar.

Wo mein Mann Golf spielt, ist ja eigentlich egal. Und wo er nicht da ist, somit auch. Auf Mallorca habe ich wenigstens gutes Wetter und in den Clubs gibt es normalerweise richtig gutes Essen. Man muss lernen, Vorteile zu sehen, selbst wenn sie fast unsichtbar sind. Mallorca – ich komme!

Ein wenig leid tut es mir um Rudi. Vielleicht hätte ihm ein Urlaub auch mal gut getan. Auch Claudia wird alles andere als begeistert sein. Urlaub mit Mama und Papa ist zwar nicht ihr höchstes Glück, aber besser als gar kein Urlaub dann doch. Mark hat ja immerhin sein Fußballcamp.

Noch sind zwei Wochen Zeit bis zum Abflug, da wird sich schon alles regeln. Und nur noch eine Woche Schule, dann bin ich schon mal ein Kind los. Wie despektierlich von mir. Aber eine kleine Auszeit kann das Verhältnis, auf beiden Seiten, doch sehr verbessern. Sind die Kinder da, rauben sie einem jeden Nerv, aber kaum sind sie weg, fängt man direkt an, sie zu vermissen. Sehr seltsam. Das hat die Natur gut eingerichtet.

Ich räume den Frühstückstisch ab und versuche die Küche wieder auf Vor-Pilz-Zeit zu trimmen. Christoph hat sich verkrümelt. Kaum stehen Tischabräumarbeiten an, muss er dringend mal wohin. Wie praktisch, dass sein Verdauungsorgan sich immer dann meldet, wenn es anderweitig öde Arbeiten zu erledigen gibt. Was für eine perfekte Synchronisation.

Als ich fast fertig bin, erscheint Christoph wieder auf der Bildfläche.

»Sorry, das hat irgendwie länger gedauert!«, informiert er mich.

Bitte keine Details, denke ich nur. Das hier, in der Küche, hat auch irgendwie länger gedauert. Aber jetzt liegt das Wochenende vor uns.

»Was machen wir heute?«, frage ich hoffnungsfroh. »Vielleicht mal wieder alle was zusammen?«

Christoph schaut nicht unbedingt begeistert, eher so, als stünde eine Wurzelbehandlung ohne Betäubung an.

»Na ja«, antwortet er verhalten, »eigentlich wollte ich zum Üben raus auf den Platz fahren, ich spiele doch morgen Turnier.«

Ich muss sagen, Golf fängt an, mir richtig auf den Wecker zu gehen. Wie soll ich mit einer Sportart konkurrieren? Und von dem morgigen Turnier habe ich auch noch nie gehört.

»Was für ein Turnier?«, frage ich deshalb noch mal nach.

»Andrea, das habe ich dir doch gesagt, das Sommerturnier vom Club, das Turnier der Saison ist morgen. Ich habe dich sogar gefragt, ob du abends zum Abschlussessen und der Siegerehrung kommen willst.«

Das muss ich überhört haben. Vielleicht ist meine Aufmerksamkeit in Bezug auf Christoph auch nicht mehr das, was sie mal war. Wenn bestimmte Schlagwörter fallen, schaltet mein Hirn sofort ab. Golf ist eines dieser Wörter. Ich atme, bevor ich antworte, dreimal gut durch.

»Morgen ist also Turnier. Tja, falls du mir das tatsächlich gesagt hast, habe ich es wohl vergessen. Aber ein bisschen Zeit für die Familie solltest du dir schon abzwacken. Dann machen wir heute was zusammen. Als Familie. Rudi tut es auch gut, wenn er mal rauskommt. Man soll ja eh nicht zuviel üben, das verkrampft.«

Meine Antwort verkrampft ihn allerdings auch. Er rollt mit den Augen und nickt.

»Einverstanden. Was machen wir? Senckenberg-Museum oder Zoo?«

Was für schöne Vorschläge! Allerdings für Drei- bis Zehnjährige. Ist ihm nicht aufgefallen, dass seine Kinder aus dem Zooalter raus sind? Das waren unsere Standardausflüge vor Jahren. Fast schon Jahrzehnten.

»Zoo? Mit Claudia und Mark in den Zoo? Glaubst du ernsthaft, die wollen in den Zoo?«

»Das Leben ist nicht nur ein Wollen!«, kontert er direkt.

Ja, das kann ich sofort unterschreiben. Mein Leben auf jeden Fall nicht.

»Dann geht ihr doch mal schön in den Zoo und macht euch einen herrlichen Vater-Kinder-Tag!«, schlage ich ihm vor. »Ich mache dann nämlich mal einen schönen Alleine-

Tag! Nur für mich, denn morgen habe ich die Kinder und Rudi ja auch für mich!«

»Wenn du meinst!«, antwortet er pikiert.

»Abgemacht!«, sage ich nur, um weitere Debatten zu vermeiden und beende das Gespräch mit einem: »Dann viel Spaß euch allen!«

Ich habe einen freien Tag. Nur für mich. Ich werde in die Sauna gehen, mir eine Massage gönnen und einfach so rumliegen und nichts tun. Der Gedanke gefällt mir. Ich packe meine Saunatasche, rufe Sabine an und überrede sie, mitzugehen.

Sie murrt ein bisschen, »Im Sommer in die Sauna, das ist doch bekloppt«, aber ich bequatsche sie.

Mit Sabine bin ich wirklich gerne zusammen. Wir haben miteinander schon viel erlebt, und ich muss nicht viel erklären. Sie kennt mich.

Ich raffe mein Zeug zusammen und sehe zu, dass ich das Haus schnell verlasse. Ich möchte ungern Zeugin von unerquicklichen Zoodiskussionen werden.

Wir treffen uns vor der Therme. Ein riesiges, ziemlich hässliches Etwas. Ein Klotz mitten in der Landschaft. Egal, es gibt hier diverse Saunen, ein schön warmes Thermalbad und keinerlei Rutschen. Ein Garant für wenig Kinder. Wenn ich meine zu Hause lasse, bin ich nicht wild auf fremde.

Sabine und ich machen uns eine schöne Zeit. Wir sitzen in der Sauna und betrachten beim Schwitzen andere Körper. Wer mit seinem Körper hadert (und welche Frau tut das nicht!) sollte in die Sauna gehen. Das entspannt phänomenal. Da ist die Bandbreite riesig. Und die Mehrheit hat keinen Modelkörper. Es gibt jede Menge Speck, Cellulite, Krampfadern, Besenreiser und massenhaft Tattoos zu sehen. Gleich fühlt man sich in seinem eigenen Körper um einiges wohler.

Sabine hört sich geduldig mein Gejammer über Christoph und mein Leben an.

»Nimm dir einen Geliebten, trenn dich oder tritt ihm in den Hintern! Sonst wird sich nichts ändern. Also mach was, sonst will ich das alles nicht mehr hören«, ist ihr abschließender Kommentar.

Wahrscheinlich hat sie recht. Ich werde unseren Urlaub abwarten. Mal sehen, was sich da tut. Vielleicht ist Christoph einfach nur abgearbeitet. Vielleicht werden im Urlaub die alten Gefühle ja wieder aufleben. Wenn nicht, muss ich vielleicht tatsächlich etwas verändern. Oder mich eben arrangieren. Das, was ich ja schon die ganze Zeit tue.

Über meine Sorgen mit Claudia lacht Sabine nur.

»Kannst du dich nicht mehr erinnern, wie wir waren? Ich wollte auch nur weg von der Schule, raus ins Leben. Kann man doch verstehen.«

Dass sich der Blickwinkel ein wenig ändert, wenn man auf einmal nicht mehr das Kind, sondern die Mutter ist, leuchtet ihr allerdings ein.

Wir unterbrechen unsere Teenagerdebatte, als ein Mann, gleich vor uns, eine Bank tiefer, aufsteht. Quer über seinen Hintern hat er »Hier geht's rein!« tätowiert. Wir sind fassungslos. Das nenne ich mal eine klare Anweisung!

Nach zwei Saunagängen buche ich mir eine Massage. Olga, eine langbeinige und kräftige Russin, nimmt sich meines Körpers an.

»Alles sähr verspannt!«, konstatiert sie. »Musst du mähr entspannen und Rücken trainieren!«

Ich nicke und versuche zu entspannen, während Olgas kräftige Hände mich ordentlich durchkneten.

Anschließend liege ich ermattet und still neben Sabine auf der großen Dachterrasse und genieße ein paar Sonnenstrahlen. Das ist das Wunderbare an guten Freundinnen. Man muss nicht immer reden. Man hat nicht das Gefühl, jemanden unterhalten zu müssen. Sabine ist sowieso nicht die Frau, die in Sachen Männer Ratschläge geben sollte. Sie hat selbst nicht das beste Händchen für Männer. Das sieht sie allerdings anders. »Auch wenn man selbst noch nie Bungee Jumping gemacht hat, darf man ja wohl eine Meinung dazu haben!«, ist ihr Credo.

So oder so – der Tag ist schön. Ruhig, entspannt und herrlich unaufgeregt.

Als ich nach Hause komme, bin ich erstaunt. Rudi öffnet mir die Tür.

»Bist du gar nicht mit in den Zoo gegangen, oder seid ihr schon wieder zurück?«, will ich wissen.

»Welcher Zoo?«, antwortet mein Schwiegervater überrascht.

»Christoph wollte doch mit euch allen in den Zoo gehen!«, sage ich und spüre, wie sofort jegliche Erholung schwindet. Ich ahne bereits, was hier los ist.

»Niemand wollte in den Zoo, und da sind Christoph und Mark zum Golf, Claudia ist oben und Karl und ich warn spaziern.«

Was, um alles in der Welt, hat Mark auf den Golfplatz gelockt? Mein Sohn spielt kein Golf. Mit welchem Köder hat Christoph ihn bloß dorthin gekriegt?

»Wieso ist denn Mark mit zum Golf?«, löchere ich Rudi.

»Er hat em versproche, des er den Golfwache fahrn derf. Un er durfte des iPad vom Christoph mitnehme«, antwortet er.

Jetzt ist mir alles klar! Und ich bin stinksauer. Da hat Christoph ja wieder mal bekommen, was er wollte. Bekommen ist hier vielleicht der falsche Ausdruck. Richtig muss es wohl heißen: Er hat sich genommen, was er wollte. Von seinem Egoismus könnte ich mir mal eine Scheibe abschneiden. Wahrscheinlich liegt hier sowieso einer meiner Hauptfehler. Ich bin nicht egoistisch genug. Das wird sich ändern, nehme ich mir vor.

»Wollen wir zwei jetzt ema reden?«, unterbricht Rudi meine Gedanken. Mir fällt keine schnelle Ausrede ein, und obwohl ich dazu gerade gar keine Lust habe, willige ich ein. Soviel zu meinem neuen Egoismus!

Nach einer Stunde, in der ich mir nur Lobeslieder auf Inge anhören durfte, sind Rudi und ich handelseinig. Er will, bei seiner eigenen Beerdigung, so wenig Thema wie möglich sein. Es soll um Inge gehen, Inge die sein Leben bereichert und lebenswert gemacht hat. Ich verspreche, mich an seine Vorgaben zu halten.

»Manchmal«, sagt Rudi, am Ende unseres Gesprächs, »bist du mir näher als mein eischener Sohn. Isch hab dich werklisch gern, Andrea.«

Mir steigen die Tränen auf. Es ist lange her, dass jemand so etwas Liebevolles zu mir gesagt hat. Das »Isch hab disch werklisch gern« kam aus vollem Herzen. Das hat gut getan.

»Danke, Rudi«, schniefe ich, »ich habe dich auch wirklich gern und schon deshalb wäre ich sehr, sehr froh, wenn du noch eine Weile leben würdest.«

Rudi nickt und seufzt. Dann steht er auf, tätschelt meine

Schulter und will erst mal mit seinem Karl draußen eine Runde drehen.

Ach, Rudi! Ich atme tief durch und beschließe, nach meiner Tochter zu schauen.

Claudia liegt auf ihrem Bett und hört Musik.

»Und, wolltet ihr nicht in den Zoo?«, frage ich grinsend.

»Ach, Mama!«, antwortet sie nur gelangweilt.

»Lust auf einen Spaziergang?«, frage ich.

»Ne, das ist ja fast wie Zoo! Nur ohne Tiere!«, gähnt sie demonstrativ.

Dann halt nicht. Ich habe kurz gedacht, so ein Mutter-Tochter-Spaziergang könnte die Fronten ein wenig aufweichen. Aber wer nicht will, der hat schon. Auch ein alter Spruch meiner Eltern.

Christoph hat, wie erwartet, natürlich null Unrechtsbewusstsein.

»Die wollten nicht. Was soll man da machen! Und Mark hatte total Lust, zum Golfplatz zu fahren. Das hat ja dann gepasst. Claudia und Rudi eben nicht, gut, man kann es ja auch nicht allen recht machen«, seufzt er noch.

Ich muss mir wirklich mehr von Christoph abgucken. Einfach alles so drehen, bis es den eigenen Wünschen entspricht. Bei aller Wut kann ich eine gewisse Bewunderung nicht unterdrücken.

»Das hast du dir ja fein zurechtgebogen!«, schnauze ich ihn an.

»Meine Güte, Andrea. Du brauchst wirklich Urlaub. Du bist so negativ, das ist ja schrecklich«, schnauzt er zurück.

Unsere Gespräche haben etwas furchtbar Fruchtloses. Ich blaffe ihn an, er blafft zurück. Im Normalfall ziehe ich den Kürzeren. Gebe auf. So auch heute. Ich will einfach nicht noch den letzten Rest meiner Saunaerholung drangeben.

Abends gehen wir alle zusammen in die Pizzeria um die Ecke. Den Küchendienst habe ich verweigert. Es ist kein toller Abend, aber immerhin einer ohne Streit. Ich esse, um mein Gemüt zu beruhigen. Eine fette Salamipizza und hinterher noch ein Tiramisu. Für die Seele wunderbar, für die Figur eher weniger. Ist mir heute aber schnuppe. Kippe noch einen weiteren Wein und dann einen Latte macchiato. Wenn schon, denn schon.

4

Der Sonntag plätschert einfach so vor sich hin. Keine nennenswerten Ereignisse. Jeder macht seins. Christoph ist seit dem frühen Morgen – Überraschung! – beim Golfturnier, Mark beim Kicken mit Freunden, Rudi bei Inge auf dem Friedhof und Claudia in ihrem Zimmer.

Ich wurschtele so vor mich hin. Im Hinblick auf den nahenden Mallorca-Aufenthalt probiere ich meine Badebekleidung. Die Bikinis sind ein Fiasko, was allerdings weniger an den Bikinis als an meiner Figur liegt. Ich bekomme eine richtige Wampe, denke ich beim Blick in den Spiegel. Früher waren die Oberschenkel meine Problemzone, jetzt will auch der Bauch schleunigst eine werden. Und das Fleisch wird irgendwie auch welker. Ich muss was tun, überlege ich wehmütig. Der Bauch muss weg. Ich sehe aus wie im vierten Monat. Wie soll ich den bis Mallorca wegkriegen? Selbst wenn ich keinen Bissen mehr zu mir nehme, wird das knapp. Bikini kann ich definitiv vergessen. Der Bauch ist so feist, dass man ihn nicht mal einziehen kann. Außerdem – selbst wenn! Ich kann ja nicht stundenlang den Bauch einziehen. Na toll, dass ich mir gestern noch die feiste Pizza reingehauen habe!

Ich brauche einen Badeanzug. Einen dieser Modelle, die in der Körpermitte so festen Stretchstoff haben und alles wegdrücken. Passend dazu am besten noch einen dieser Pareos, die man sich umwickeln kann. Schließlich müssen ja auch die Oberschenkel geschickt kaschiert werden. Ich werde morgen nach der Arbeit in die Stadt gehen müssen – oder immens an meinem Selbstbewusstsein arbeiten. Eigentlich kann es mir ja egal sein, wer meinen Bauch sieht. Es sollte mir egal sein. Aber in Zeiten, in denen Frauen schon zwei Wochen nach der Entbindung aussehen, als hätten sie höchstens eine Zwergmaus geboren, ist die Lage angespannter geworden. Man muss sich mit diesen Wunderfrauen vergleichen, ob man mag oder nicht.

Je länger ich meinen Kleiderschrank durchwühle, umso mehr fällt mir auf, dass ich nichts habe. Also, nichts ist falsch, aber da ist nichts wirklich Aktuelles. Ich habe den Kleiderschrank einer typischen Vorstadtmutti. Jeans, Jeans und noch mal Jeans. Dazu das eine oder andere T-Shirt und etliche Pullis. Sehr aufregend. Selbst alte Cordhosen finde ich noch. Ich brauche dringend neue Klamotten, beschließe ich. Eine finanzielle Investition, die Christoph sicherlich begeistern wird. Als ich zuversichtlich ein altes Sommerkleid anprobiere, muss ich an meine Mutter denken. In dem Kleid, das mal abgesehen von allem anderen, um die Körpermitte ziemlich spannt, sehe ich älter aus als meine eigene Mutter.

Die hatte ich ja vollkommen vergessen. Meine Mutter. Wir sind für heute Nachmittag verabredet. Zum Kaffee und das auch noch bei uns. Ich habe keinerlei Lust und keinen Kuchen. Absagen? Der Gedanke ist schön, aber um meiner Mutter abzusagen, muss man schon eine Eins-A-Ausrede parat haben.

»Mutti, es ist schlecht, Christoph ist heute nicht da!«, wäre eine Möglichkeit. Aber ich kann ihre Antwort direkt hören. »Und, das ist er doch fast nie!« Womit sie selbstverständlich recht hätte. »Mir geht's heute nicht so gut!« gilt bei meiner Mutter sowieso nicht, und schon deshalb beende ich die Klamottenmusterung, um zum Bäcker zu fahren. Kuchen backen – dazu fehlt mir die Lust.

»Magst du Kuchen?«, frage ich bei meiner Tochter nach. »Oma kommt, ich fahre welchen kaufen.«

»Von mir aus!«, antwortet sie und ich weiß nicht, ob sich das auf den Kuchen oder ihre Großmutter bezieht. In letzter Zeit haben ihre Antworten immer so einen Hauch von Gnädig-Sein. So, als müsse man schon dankbar sein, dass sie überhaupt antwortet. Selbst Mark, mein Sohn, wird von Woche zu Woche wortkarger. Wenn das hier so weitergeht, kann ich bald Selbstgespräche führen.

Wenigstens meine Mutter ist in Plauderlaune. Um nicht zu sagen, sie redet auf mich ein, und ich komme so gut wie gar nicht zu Wort. Wie mein Vater. Aber der kennt das ja schon ewig und scheint es auch nicht weiter schlimm zu finden.

Ich höre mir mal wieder Geschichten von meiner wunderbaren Schwester an. Wie gut die ihre Kinder, ihren Mann, ihr Leben und sogar den Hund im Griff hat. Diese Lobhudelei trägt nicht wirklich zu einem besseren Verhältnis zwischen uns Schwestern bei. Es schürt eine gewisse Konkurrenz. Ich weiß, dass meine Schwester für die Tiraden meiner Mutter nichts kann, aber gute Laune machen sie mir nicht und insgeheim mache ich – wahrscheinlich zu Unrecht – sogar meine Schwester dafür verantwortlich. Obwohl ich nicht weiß, ob sie sich nicht Ähnliches über mich anhören muss.

Eigentlich sollte ich meine Mutter ja mittlerweile kennen, aber trotzdem hoffe ich jedes Mal, sie würde mich besuchen, um eventuell etwas von mir zu erfahren und sich erkundigen wollen, wie es mir geht oder einfach nur mal zuhören.

Meine Eltern finden Christophs Golf-Leidenschaft phantastisch. Wen wundert's – sie spielen selbst auch Golf. Die Überraschungsreise nach Mallorca – eine grandiose Idee. Meinen zaghaften Einwand, »Aber ihr wisst doch, ich spiele gar kein Golf«, halten sie für kleinlich.

»Man steht nicht immer an erster Stelle, Andrea!«, befindet meine Mutter streng.

Toller Witz! Immer! An erster Stelle! Wäre es nicht eigentlich traurig, müsste ich lachen. So schlucke ich die Bemerkung einfach nur runter. Debatten mit meiner Mutter bringen wenig. Ihr Weltbild ist fest zementiert.

Claudia sagt – wie meistens – nichts. Sie stopft sich drei Stücke Kuchen rein und fragt dann immerhin, ob sie hochgehen könne.

»Ich muss noch was lernen!«, ist ihr Argument.

Natürlich, was sonst. Lernen ist ja definitiv ihre Passion. An der Treppe dreht sie sich noch mal um:

»Und außerdem muss ich mir überlegen, was ich in den Ferien mache. In eurer Planung finde ich ja nicht mal mehr statt!«

»Ach, die Pubertät«, bemerkt meine Mutter nur trocken, »ich erinnere mich, ihr wart furchtbar.«

Mark, inzwischen vom Kicken zurück, schwärmt seinen Großeltern vom baldigen Fußballcamp vor. Rudi sagt fast nichts. Meine Mutter schüchtert ihn ein. Immerhin – einmal wendet sie sich in ihrem Redefluss an ihn.

»Und Rudi geht's besser?«, fragt sie, um dann direkt selbst die Antwort zu geben: »Na ja, wie sagt man so schön, die Zeit heilt alle Wunden, und andere Mütter haben ja auch schöne Töchter.«

Rudi verzieht das Gesicht. Ich habe Angst, er könnte gleich zu weinen anfangen.

»Diese Wunde wird nie heilen!«, sagt er nur knapp. »Es gibt keine zweite Inge.«

Meine Mutter schaut verwundert. Sie ist keinen Widerspruch gewöhnt. »Warten wir es einfach ab!«, beendet sie das Thema. Sie behält gern das letzte Wort. Rudi guckt sie an, als wolle er ihr die Augen auskratzen. Aber wahrscheinlich meint sie es nicht mal böse. Wahrscheinlich ist ihr diese unglaubliche, tiefe und unendliche Liebe nur fremd. So wie augenscheinlich auch mir. Jedenfalls bisher. Ist das was Genetisches? Bekommt man diese Fähigkeit vererbt? Kann man einfach nur lieben – ohne Wenn und Aber? So absolut.

»Andrea, ich habe dich was gefragt!«, unterbricht meine Mutter meine melancholischen Gedanken.

»Was war das noch gleich?«, frage ich zurück. Ich habe die Stimme meiner Mutter einfach ausgeblendet. Abgeschaltet.

»Ob du heute Abend in den Golfclub fährst, zur Siegerehrung und dem Essen?«

»Nein, Mama«, antworte ich, »ich denke nicht.« Eine Erklärung erspare ich mir. Wozu auch, sie würde sie sowieso nicht verstehen. Schade.

Der Nachmittag geht rum. Meine Mutter legt mir noch mal ans Herz, doch in den Golfclub zu fahren.

»Du ziehst dir was Nettes an und überraschst deinen Mann!«

Und dann sind sie weg.

Rudi schaut mich nur mitleidig an. »Harter Brocken!«, ist sein Kommentar, und ich nicke nur.

Christoph kommt weit nach Mitternacht nach Hause. Er ist bester Laune, was sicherlich auch auf das eine oder andere alkoholische Getränk zurückzuführen ist. Im Halbschlaf hält er mir irgendetwas vor die Nase.

»Ich war dritter in meiner Klasse. Zweiundvierzig Nettopunkte. Ich habe mich unterspielt. Es war Wahnsinn. So ein schöner Tag! Guck dir mal den Pokal an!«

Immerhin einer hatte einen schönen Tag. Unterspielt, was auch immer das heißt. Aber es scheint ja was Gutes zu sein. Ich wage einen Blick auf ein ziemlich hässliches, kleines silberfarbenes Teil und hoffe, dass das nicht bedeutet, dass wir eine Vitrine für seine Devotionalien kaufen müssen.

»Kannst du zur Not auch als Zahnputzbecher benutzen!«, versuche ich witzig zu sein.

»Ach, Andrea«, seufzt er, »ich dachte, es ist nicht zuviel verlangt, dass du dich mit mir freust.«

Hat er tatsächlich gedacht, er kommt mitten in der Nacht heim, nachdem er den ganzen Tag weg war, und ich sitze gespannt, seiner harrend, im Sessel und warte auf detaillierte Berichterstattung? Sollte ich jetzt am besten noch eisgekühlten Schampus parat haben und mit ihm auf seine zukünftige Golfkarriere anstoßen?

Ich versuche, meine unterschwellige Wut über den verpatzten Sonntag runterzuschlucken. Schließlich ist er nicht für meine Mutter verantwortlich und letztlich, vielleicht auch nicht, für mich. So steht es doch auch immer in den Frauenzeitschriften: »Für Ihr Glück sind Sie selbst verantwortlich!« Ich weiß das, aber trotz allem habe ich zurzeit das Gefühl, dass das Glück mit mir hadert. Oder mit meinen Ansprüchen? Erwarte ich zuviel? Die immergleiche Frage: Ist das, was ich habe, nicht Glück genug? Alle sind gesund, wir haben keine finanziellen Sorgen, und das Leben gleitet so vor sich hin? Ist eben das das Glück, das man haben kann? Ist dieses Immer-Noch-Mehr-Wollen kindisch und schlicht vermessen?

Christoph verzieht sich ins Bad, und ich drehe mich auf die Seite. Mir ist irgendwie warm. Auch das noch. Kann nicht jemand diesen Hormonen mal Einhalt gebieten? Sollte ich irgendwas nehmen? Würde das auch mein Seelenleben wieder ins Lot bringen? Oder stimmt es, was Sabine sagt: »Ändere was oder arrangier dich.«

Mallorca soll entscheiden!

Ich schwitze mich durch die Nacht.

5

Vor Mallorca liegt noch eine weitere Woche Schule. Dazu der heutige Vorbereitungselternabend für das Fußballcamp. Der wäre natürlich eine herrliche Gelegenheit für Christoph, mal die anderen Eltern kennenzulernen. Er wiegelt ab. »Da geht es doch drum, was die mitnehmen müssen und so. Wo du eh für Mark packst, wäre es doch sinnvoller du gehst!« ist seine geschickte Argumentation.

Natürlich gehe ich. Die Elternabendbesuchsquote liegt bei uns im besten Fall bei 90 zu 10. Freundlich betrachtet. In 90 von 100 Fällen gehe ich. Christoph nur, wenn ihm so gar keine Ausrede einfallen will. Ich glaube, insgeheim denkt er, das sei Frauensache. So klug, das nicht zu sagen, ist er immerhin.

Ich erinnere mich noch an die Elternabendanfänge. Ich war richtiggehend aufgeregt bei meinem ersten. Wie sind die anderen Eltern, wie die Lehrer? Mittlerweile sitze ich die Zeit ab und hoffe, dass es schnell rum geht. Wirkliche Erkenntnis über mein Kind oder die Schule bringen diese Abende nicht.

So auch diesmal. Eine gute Stunde wird darüber diskutiert, ob die Kinder ein Handy auf die Freizeit mitnehmen dürfen. Die Campleiter sind strikt dagegen. Auch gegen iPods, Pads und wie die ganzen Geräte heißen.

»Eine Woche ohne kann man überleben!«, stellt der Hauptverantwortliche, ein Herr Reimer (übrigens sehr gut aussehend) grinsend fest.

Da hat er die Rechnung ohne einige, wirklich empörte,

Eltern gemacht. Ihr Kind ohne Handy, allein in der großen weiten Welt, die in diesem speziellen Fall Hintertaunus heißt. Eine durchaus zivilisierte Gegend mit ausreichend ärztlicher Versorgung, Nahrung und Trinkwasser. Was aber, wenn Matthias Friedrich Heimweh bekommt? Die Stimme seiner Mutter hören muss? Wenn Sam nicht schlafen kann, ohne ein Gute-Nacht-Bussi von Mama, und sei es per Telefon? Was, wenn Lukas Bauchweh bekommt? Wenn man den besorgten Müttern zuhört, hat man das Gefühl, es ginge um einen mehrmonatigen Trip quer durch unwegsames Gelände im Irak. Gefährlich und besorgniserregend.

»Die Jugendherberge hat Telefon. Im Notfall ermöglichen wir Ihren Kindern natürlich einen Anruf«, versucht Herr Reimer die aufgewühlten Anwesenden zu beruhigen. Aber das Recht auf ein eigenes Handy bei Dreizehnjährigen scheint fast schon ein Lebensrecht zu sein.

»Und wenn sie es ausgeschaltet haben und nur im Notfall anmachen?«, wird zäh verhandelt. Meine Güte, als wäre das so schwer zu verstehen. Kein Handy. Manchmal wünscht man sich Zeiten zurück, in denen nicht um jeden Scheiß so diskutiert wurde. Ich bin mit Sicherheit dafür, sich für die eigenen Kinder stark zu machen, aber ist das das richtige Thema? Ist es nicht eigentlich eine gute Idee, mal eine Woche Pause von all den iPhones, Pods und ihren kleinen Freunden zu machen? Stöhnen nicht alle Eltern ständig, dass ihre Kinder zuviel Zeit mit Elektronikschnickschnack verbringen?

Die Essensfrage wird ähnlich engagiert besprochen. Die Mutter von Matthias Friedrich will genau wissen, was auf dem Speiseplan steht.

»Der Matthias Friedrich hat wahrscheinlich eine leichte Laktoseintoleranz. Also – das ist noch nicht definitiv diagnostiziert, der Doktor Bauer ist da noch am Schauen und Prüfen, aber so oder so wäre es gut, wenn ich vorab die Speisepläne bekommen könnte! Der bekommt ganz schnell Darmsausen, wenn er was Falsches isst.«

Wenn man ihr zuhört, könnte man meinen, Matthias Friedrich wäre viereinhalb Jahre alt. Das wird er dann schon merken, wenn er »Darmsausen« bekommt, denke ich nur.

»Gibt es auch Vollkornbrot? Mein Kleiner soll nicht soviel Weißmehl essen!« ist die nächste bedeutende Frage.

Herr Reimer hört sich das alles wirklich geduldig an. Ich weiß nicht, wie der Mann das macht, ich wäre längst ausgerastet. Haut der sich vor solchen Abenden einfach eine Ladung Valium rein? Ist er schon dran gewöhnt? Oder ist er einfach dermaßen gelassen? Rätselhaft. Ebenso rätselhaft ist mir, wo er diese wunderschönen Oberarme her hat. Herr Reimer spielt Fußball, hat aber Arme als würde er Tag und Nacht Liegestützen machen. Beeindruckende Arme. Starke, wohlgeformte Arme. Ich konzentriere mich auf die Arme und genieße den Anblick. Taschengeld ist der nächste Streitpunkt. Herr Reimer ist dafür, dass alle gleichviel Geld mitnehmen. Fünfzehn Euro. Kluger Vorschlag. Ich nicke.

»Aber Paul trinkt kein Mineralwasser, der muss sich Getränke kaufen. Das langt ja dann nicht mit den fünfzehn Euro«, sorgt sich eine Mutter.

»Das Leitungswasser ist wunderbar im Taunus!«, antwortet Herr Reimer nur trocken.

Lustig ist er auch noch. Solche Arme und Witz. Der Kopf ist auch nicht übel. Volles Haar und schöne dunkle Augen.

»Leitungswasser!« Sie guckt gerade so entsetzt, als hätte er ihr vorgeschlagen, ihr Sohn solle dann eben Bier trinken.

»Mache wir doch einfach, was Lehrer sagt!«, kommt da die Stimme von Frau Üzgür aus der letzten Reihe. Außer »Guten Tag«, habe ich sie bisher noch nie etwas sagen hören. Und das, obwohl wir schon einige Sonntage gemeinsam auf dem Fußballplatz verbracht haben. Wie vernünftig von Frau Üzgür.

Ich unterstütze sie und sage: »Fünfzehn Euro klingt doch gut.« Dabei schaue ich auf Herrn Reimer. Jetzt habe ich doch glatt ein ganz klein bisschen geschleimt.

Er strahlt mich an. Wirklich ein sympathischer Mann. Was macht der eigentlich sonst so? Ist der hauptberuflich Pädagoge? Freizeitaufseher? Ist er verheiratet? Einen Ring hat er jedenfalls nicht. Wie kann so ein Mann noch ungebunden sein?

Aufregende Kurzdebatten über Bettzeug, Handtücher und die Frage nach der Zubettgehzeit lenken mich von Herrn Reimer ab.

Nach zwei-dreiviertel Stunden ist es geschafft. Wir bekommen eine Art Pack-To-Do-Liste (auf der auch die Handynummer von Herrn Reimer steht – Für Notfälle!) und dürfen gehen. Ich stehe noch ein bisschen mit anderen Müttern vor der Tür, aber weniger um mich zu unterhalten, als um einen letzten Blick auf Herrn Reimer zu werfen. Ein echt erfreulicher Anblick. So ein wenig Schwärmerei erwärmt das Herz. Da sieht man mal – auch Elternabende können was für sich haben.

Bei meinem nächsten »Notfall« werde ich ihn jedenfalls bestimmt anrufen.

6

Noch zwei Tage und dann beginnen die Ferien. Endlich! Ich liebe Ferien. Nicht, weil ich dann meine Kinder rund um die Uhr um mich habe (das ist sogar, ehrlich gesagt, ein kleiner Nachteil an Ferien), sondern – viel profaner – weil ich ausschlafen kann.

Donnerstagabend sitzt Rudi strahlend beim Essen. Ein ungewohnter Anblick.

»Rudi, du siehst so glücklich aus, was ist los?«, frage ich begeistert.

»Moin wird die Tür abgeholt, ich war heut im Baumarkt. Un hab noch e Überraschung aus em Baumarkt!«, antwortet er und schaut erwartungsvoll in die Runde.

Christoph verzieht das Gesicht.

»Eine Überraschung, aus dem Baumarkt. Die letzte war nicht ganz nach meinem Geschmack! Was ist es denn diesmal? Neue Fenster, vielleicht mit Butzenscheiben?«

Rudi ist klug genug die ironische Bemerkung zu ignorieren.

»Isch hab mich emal schlau gemacht, da war en Schild ›Aushilfe gesucht‹, un da hab isch nachgefracht, und die Claudia kann sich moin vorstelle. Herzscher«, er dreht sich zu Claudia, »isch hab en Job för disch. Es gibt acht Euro die Stund. Des is doch gar net ema schlecht!«

Claudia schluckt. Sie selbst hat sich bis heute nur sehr halbherzig um eine Arbeitsmöglichkeit gekümmert. Und sehr halbherzig heißt übersetzt – gar nicht.

»Danke, Opa«, sagt sie trotzdem, vielleicht weil selbst sie sieht, wie verzückt ihr Großvater ist.

»He«, lacht Mark, »Claudia im Baumarkt, das ist ja megawitzig. Haben die auch Make-up?« Er kann sich kaum halten vor Lachen.

»Wenn du noch einmal so dämlich lachst, Zwerg«, kontert die Angegriffene, »dann bring ich ne Kettensäge aus dem Baumarkt mit und mach dich noch einen Kopf kürzer als du eh schon bist!«

Ein wunder Punkt meines Sohnes. Er gehört eher zu den Kleinen in seiner Klasse. Für Männer, selbst für angehende, eine schwierige Sache.

»Lass das, Claudia. Das geht unter die Gürtellinie!«, mischt sich Christoph ein.

»Ja, aber, das ist ja prima Rudi, toll. Wie aufmerksam von dir. Wann soll sie morgen da sein?«, wechsle ich das Thema.

»Ich fahr mit ihr am Nachmittag, wenn se von der Schule kommt einfach ema hin. Die habe gesagt, ab drei könne mer komme.« Er zwinkert seiner Enkelin zu. »Des wird. Isch hab mich so nett mit dem Abteilungsleiter von dene Türe un Schlösser unnerhalte, der tut mir den Gefalle. Isch glaub der mag misch.«

»Na, dann haben wir ja voraussichtlich ein Problem weniger!«, zeigt auch Christoph so etwas wie Freude.

»Ein Problem – danke, Papa. Das bin ich wohl für dich – ein Problem. Das Problem geht dann mal hoch! Dann hast du ja erst mal keins mehr!«, zischt unsere Tochter.

Christoph ist wirklich nicht wahnsinnig geschickt. Er sollte doch inzwischen wissen, dass seine Tochter ein wenig empfindlich ist. Demonstrativ räumt sie ihren Teller ab und stapft in den ersten Stock.

»Meine Güte!«, ist der einzige Kommentar von Christoph. »Dauert das noch lange?«, will er von mir wissen.

Als könnte ich, wie ein Pubertätssuchhund, den Hormonpegel erschnuppern und genau sagen, wann die Pubertät abgeschlossen ist.

»Woher soll ich das wissen?«, frage ich erstaunt zurück.

»Du warst doch auch mal so alt!«, ist seine prompte Antwort.

»Ist aber schon etwas her!«, antworte ich.

»Das ist offensichtlich!«, beendet er die Debatte mit all seinem Charme.

Am Nachmittag mache ich noch ein paar Besorgungen für unseren kleinen »Romantiktrip«.

An erster Stelle steht angemessene Badebekleidung. Ein schwieriges Unterfangen. Leider liegen Badeburkas ja nicht im Trend. Wie soll man mit irgendetwas Wassertauglichem gleichzeitig Oberarme und Oberschenkel geschickt abdecken? Nicht mal Ulla Popken kann das. Inzwischen gibt es ja Bikinis, bei denen die Hose eine Art Shorts ist, oder sogar ein Röckchen. Das deckt natürlich ein wenig der Oberschenkel ab, sieht aber immens albern aus, und jeder, der einen in diesen kindischen Röckchen sieht, wird sich fragen: Warum nur trägt sie einen kleinen Rock anstatt einer Bikinihose, und die Antwort wird lauten: Klar, weil sie fett ist.

Wer baden will, muss demnach in die Offensive gehen.

Nach langem Wühlen und Suchen entscheide ich mich – eine unglaubliche Überraschung! – für einen schwarzen Badeanzug. In der Taille gerafft, kein zu hoher Beinausschnitt. Tragbar bis mindestens 80 Jahre. Gäbe es Beerdigungen in Bademode, dieser Anzug wäre absolut tauglich. Eigentlich ein grässlicher Badeanzug. Omamäßig, spießig – aber er passt, und am Bauch wird alles schön fest zusammengeschoben.

Nur so zum Spaß nehme ich einen wirklich heißen Bikini in die Hand. Heiß – jedenfalls wenn ich nicht drinstecke. Eine Art James-Bond-Girl-Bikini, wie ihn Ursula Andres und dann Halle Berry getragen haben. Die Hose hat einen Gürtel und der Bikini ist knallorange. Wenn ich bis zum Urlaub noch 15 Pfund abspecke und täglich, besser rund um die Uhr, auf die Sonnenbank hüpfe, könnte ich damit am Pool wirklich Furore machen. Wehmütig betrachte ich den Bikini. Er ist auch noch im Angebot. Nur 19.90. Eigentlich darf man so ein Teil gar nicht hängenlassen. Wenn ich ihn nicht nehme, heißt das zwar, dass ich eine Realistin bin, aber auch frei von Hoffnung. Während ich genau diese zwei Punkte abwäge, mischt sich eine Stimme in meine Überlegungen ein.

»Nehmen Sie ihn, Sie werden unglaublich darin aussehen!«

Ich schaue auf, und vor mir steht Herr Reimer vom Elternabend. Der mit den hübschen Armen. Ich merke, wie mir das Blut in den Kopf schießt. Ich habe garantiert eine knallrote Birne. Peinlich. Ich kichere vor lauter Verlegenheit. Wo ist die verdammte Schlagfertigkeit, wenn man sie mal braucht? Aber wem sollte das hier eigentlich peinlich sein? Was macht ein erwachsener Mann in der Bademodenabteilung, die auch noch ganz zufällig sehr nah an der Unterwäschenabteilung liegt? Das wirft kein wirklich gutes Bild auf den schönen Herrn Reimer. Ist er vielleicht einer dieser Spanner, die durch Wäscheabteilungen schleichen und Frauen beobachten? Ab und an einen winzig kleinen, Polyacryl-String-Tanga, vorzugsweise in Knallrot, durch die Hände gleiten lassen?

»Was machen Sie denn hier?«, lautet deshalb meine Frage.

»Ich brauche für die Freizeit noch eine Badehose!«, antwortet er völlig gelassen und mal ehrlich, er sieht wirklich kein bisschen wie einer dieser verklemmten Spanner-Typen aus.

»Sie suchen eine Badehose in der Damenabteilung?«, frage ich doch noch mal nach. Ganz logisch erscheint mir das nicht.

Er lacht und sieht dabei wahnsinnig gut aus.

»Ich habe gefragt, wo es Bademoden gibt, da haben die mich hierher geschickt!«, antwortet er, und es klingt völlig plausibel. »Aber mal zurück zu dem Teil da in Ihrer Hand, probieren Sie es doch mal an, ich sage Ihnen dann, ob es das Geld wert ist!«

Ich muss schon wieder kichern und komme mir vor wie vierzehn. Wo ist meine Souveränität? Ich kann mich doch nicht jetzt – in meinem momentanen körperlichen Zustand – in diesem Bikini zeigen. Absolut undenkbar.

»Ich habe mich schon entschieden. Wenn er Ihnen gefällt, nehme ich ihn!«, umgehe ich die Anprobe. Ich glaube, das war fast ein bisschen geflirtet. Dabei bin ich an sich völlig aus der Übung. Ich kann mich an meinen letzten Flirt nicht mal mehr erinnern.

»Gut so!«, antwortet Herr Reimer und redet direkt weiter: »Dann könnten Sie mir doch jetzt auch behilflich sein. Ich bin immer so unsicher, wenn es um Badehosen geht.« Er grinst.

Ich kann mir nicht vorstellen, dass dieser Mann überhaupt Unsicherheiten kennt. Aber die Vorstellung, ihn sehr bald in sehr wenig Stoff zu sehen, gefällt mir. Sogar sehr gut. Ich bin sexuell wirklich ausgehungert, anders kann ich mir das kaum erklären. Am liebsten würde ich »Machen Sie sich schon mal frei!« sagen, aber stattdessen sage ich:

»Warum eigentlich nicht. Ich habe noch eine halbe Stunde Zeit, kein Problem. Ich stehe zu Ihrer Verfügung.«

Das kann man auch so oder so deuten. Aber das kleine Spielchen macht mir Spaß. Es ist ja nur harmloses Geplänkel, versuche ich mich selbst zu beruhigen. Und für mein, doch reichlich angeschlagenes, Ego auch nicht übel. Würde man sich so verhalten, wenn daheim alles zum Besten stünde? Ist das ein sicheres Zeichen für den Anfang vom Ende? Oder ist das ganz normal? Einfach mal ein kleiner, bedeutungsloser Flirt? Fürs Ego und die allgemeine Stimmung?

»Gut, dann mal los!«, freut er sich.

Wir fragen nach der richtigen Abteilung, fahren eine Rolltreppe hoch und starten die Suche. Herr Reimer tendiert zu einem Modell in Boxershortslänge. Auch ich finde diese Badehosen ›Modell Surfer‹ am schönsten, möchte ihn aber doch auch mal in etwas knapperen Modellen sehen. Er tut mir den Gefallen. Ich weiß nicht, was mich hier treibt! Ein bisschen peinlich ist es schon, wie tief ich gesunken bin – und wie leicht zu erfreuen. Ein nahezu fremder Mann zeigt sich in Badehosen, und Andrea ist aus dem Häuschen.

Ich scheine hormonell tatsächlich auf einem Tiefstand zu sein. Anders lässt sich das hier ja wohl nicht erklären. Aber muss man denn auch alles immerzu erklären? Ist es in einer langen – und oft auch langweiligen – Beziehung nicht völlig normal, dass man Spaß daran hat, nur mal kurz, nach links und rechts zu gucken? Oder ist das ein eindeutiges Zeichen? Dafür, dass etwas nicht mehr im Lot ist.

Herr Reimer in einer kleinen nachtblauen Badehose reißt mich aus meinen Gedanken.

»Und?«, fragt er und posiert freundlich.

Er sieht – ich muss es zugeben – umwerfend aus. Genauso wie ein Mann in Badehose aussehen sollte. Jedenfalls nach meinem Beuteschema. Er ist groß, leicht gebräunt – ohne so durchgebraten wie ein Dieter Bohlen zu sein. Er hat Muskeln an den richtigen Stellen, sieht dabei aber nicht aus wie ein aufgepumptes Michelinmännchen. Er ist angenehm haarig, keiner dieser neuen glattrasierten Modelle, aber auch kein Schimpanse. Ich merke, wie ich schon wieder einen knallroten Kopf bekomme.

»Äh, ja«, stammle ich, »also, die Hose sitzt sehr gut.«

»Freut mich, wenn es gefällt!«, sagt er und auch in diesen Satz könnte man jede Menge hineininterpretieren. Er nimmt die Hose und noch ein längeres Modell mit Streifen dazu.

»Gehen wir noch einen Kaffee trinken?«, fragt er mich an der Kasse.

Die Kassiererin schaut interessiert auf – Mit einem Gesichtsausdruck, der sagt: Mit dem würde ich auf jeden Fall einen Kaffee trinken gehen! Los mach, wer weiß, ob du noch mal so eine Gelegenheit bekommst!

In meinem Kopf rattert es. Darf man das? Oder ist das der kleine Schritt zu weit? Ist das schon Betrug oder eben nur ein harmloser Kaffee? Wie würde ich es finden, wenn Christoph erst mit einer Frau Bademoden begutachtet, vor allem am lebenden Objekt, und anschließend Kaffee trinken geht? Nein – das würde mir gar nicht gefallen. Um nicht zu sagen, ich wäre stinksauer.

»Kaffee?«, fragt Herr Reimer nach.

»Heute ist es schlecht«, ziehe ich mich aus der Affäre, »vielleicht ein andermal.«

So halte ich mir alle Optionen offen und kann erst mal in Ruhe über Herrn Reimer und den Rest nachdenken.

»Schade«, sagt er, und ich fühle mich ausgesprochen geschmeichelt. Herr Reimer zückt einen Stift, nimmt meine Hand, und schreibt mir seine Telefonnummer auf die Haut.

»Dann können Sie nicht sagen, Sie hätten sie verloren! Das ist meine private, die auf der Fußballcamp-Liste ist nur für Eltern!«, grinst er. Mein lieber Scholli, der geht ja ganz schön ran.

»Meine Nummer haben Sie ja eh!«, antworte ich, »Sie steht ja auf der Liste der Fußballeltern.«

»Phantastisch! Wir sehen uns!«, freut er sich und am Ausgang des Kaufhauses verabschieden wir uns. Was für ein denkwürdiges Zusammentreffen. Ich fühle mich wunderbar. Es gibt anscheinend durchaus noch Männer, die an mir interessiert wären. Das macht Hoffnung. Selbst wenn wir niemals zusammen einen Kaffee trinken werden, zu wissen, es gibt einen Mann, der das gerne tun würde, tut gut. Sehr gut sogar!

Ich komme zeitgleich mit Rudi und Claudia zu Hause an. Rudi strahlt.

»Isch hab se untergebracht. Sie nehme sie!«, begrüßt er mich.

Claudia sieht nicht ganz so begeistert aus. Der Aspekt des Geldverdienens gefällt ihr mit Sicherheit, aber so, wie ich meine Tochter kenne, könnte sie auf den Teil mit der Arbeit sehr gut verzichten.

»Und, wie war es?«, frage ich meine Tochter.

»Ist halt ein Baumarkt!«, antwortet sie.

Euphorie hört sich mit Sicherheit anders an. Aber das kann ja noch kommen.

»Wann fängst du an?«, will ich weitere Informationen.

»Direkt am ersten Ferientag, acht Uhr dreißig. Das war's dann mit dem Endlich-Mal-Ausschlafen!«, stöhnt sie. »Drei Wochen lang!«

»Ach du je«, sage ich, denke aber, dass es ruhig noch ein Stündchen früher hätte sein können.

Dieser Job soll ja abschrecken und die Lust auf die Schule wieder wecken. Hoffen wir mal, dass unser strategischer Schachzug aufgeht.

»Was hast du denn da für eine Nummer auf deiner Hand stehen?«, fragt Claudia und nimmt neugierig meine Hand.

Ich merke, wie mir zum zigsten Mal heute die Röte ins Gesicht steigt. Dabei ist es ja bloß eine Telefonnummer.

»Ach, die«, sage ich so beiläufig wie möglich. »Die ist von einer alten Bekannten. Die hab ich beim Einkaufen getroffen. Kennst du nicht«, baue ich direkt weiteren Nachfragen vor.

Sie guckt erstaunt und runzelt ihre kleine glatte Stirn.

»Und die schreibt dir ne Nummer auf die Hand? Das ist ja total strange.«

»Ja, verrückt, gell? Aber wir hatten keinen Zettel und waren in Eile«, lüge ich beherzt weiter. Geht Claudia ja auch wirklich nichts an.

»In welcher Abteilung wirst du denn arbeiten?«, schwenke ich zurück zum Thema Baumarkt.

»Sanitärobjekte! Mit anderen Worten Kloschusseln. Aber immer noch besser als Schrauben.«

Meine Tochter arbeitet in der Kloschüsselabteilung. Lustig. Ich unterdrücke ein Grinsen.

»Kann doch ganz interessant sein«, sage ich stattdessen.

»Ihr müsst mich nicht auch noch verarschen«, ist ihr Kommentar, und sie rauscht ab in ihr Zimmer. Ihre Hoheit hat das muntere Geplauder beendet.

Christoph kommt mal wieder spät.

Meine Hand habe ich vorsorglich mit der Wurzelbürste bearbeitet – die Telefonnummer aber, für alle Fälle, abgespeichert. Allerdings nicht unter Reimer, sondern unter Bademoden. Christoph neigt zwar nicht zur Eifersucht, ich kann mir auch nicht vorstellen, dass er mein Handy durchforsten würde (zu solch niederen Taten wäre betrüblicherweise eher ich fähig ...), aber man weiß ja nie. Außerdem hat es so etwas Aufregendes. Auch wenn es (noch?) gar nichts zum Aufregen gibt. Ich sollte mich, wie meine Mutter zu sagen pflegt, aber jetzt wirklich mal zusammenreißen. Es war nicht mehr als ein nettes Aufeinandertreffen und ein harmloser Austausch von Telefonnummern. Dass ich gedanklich schon ganz andere Sachen mit Herrn Reimer treibe, das ist das eigentlich Bedenkliche. Wäre tatsächlich alles so harmlos, hätte ich ja auch mit ihm einen Kaffee trinken gehen können. Meine Güte, ich bekomme diesen Herrn Reimer einfach nicht aus meinem Kopf! Ob ich ihm mal eine kurze SMS schicke? Oder besser abwarte, bis er sich meldet? Selbstverständlich sollte ich abwarten. Das würde ich jedenfalls jeder Freundin raten. Warte bis er sich meldet! Auch wenn es Männer angeblich mögen, wenn Frauen den ersten Schritt machen. Das mag in der Theorie stimmen, aber in der Praxis sind wir noch lange nicht so weit. Insgeheim sind Männer eben gern die Lenker und Bestimmer.

»Du bist ja komplett abwesend!«, nörgelt Christoph.

Ich verkneife mir zu sagen, dass ich nur mal kurz gedanklich nicht anwesend war, er hingegen meist auch körperlich sonst wo ist. Und wenn er mal zu Hause ist, sollte sich, wenn möglich, dann aber auch alles um ihn drehen.

»Was essen wir?«, ist seine wenig originelle Frage.

Dieses ständige Was-Essen-Wir-Gefrage geht mir unglaublich auf den Wecker. Kochen mag ein herrliches Hobby sein – tägliches Kochen ist einfach nur öde. Jedenfalls für mich. Trotzdem trolle ich mich in meinen natürlichen Lebensraum, genannt Küche, und mache Abendessen. Nudeln.

»Abends Kohlenhydrate, also, Andrea, das ist wirklich nicht besonders klug. Das sollte sich doch rumgesprochen haben, dass das ansetzt. Das kann ja auch nicht in deinem Sinne sein«, tadelt mich Christoph.

Ich weiß nicht genau warum, aber ich spüre, wie richtiggehender Zorn in mir aufsteigt. Mir wird heiß, ob durch den Küchendunst, meinen Zorn oder die mistigen Hormone, und ich bekomme richtig Lust, ihm den Topf Nudeln vor die Füße zu knallen. Ich mache es. Gieße aber – weil ich nicht als grausam gelten will – vorher noch das Wasser ab. Es macht ein Wahnsinnsgeräusch, scheppert auf dem Parkett, das bestimmt eine schöne Macke abbekommen hat und die Nudeln fliegen quer durchs Wohnzimmer.

»Dann eben keine Kohlenhydrate!«, brülle ich.

Er schaut mich an, als würde er am liebsten direkt in der Psychiatrie anrufen.

»Ich versteh dich einfach nicht, was ist nur mit dir los? Das ist ja richtiggehend hysterisch, wie du dich auffuhrst. Darf man hier denn nichts mehr sagen? Reiß dich halt mal zusammen!«

Auch noch das! Der Mutti-Standardsatz aus dem Mund

meines Mannes. Hätte ich doch bloß mit Herrn Reimer Kaffee getrunken. Vielleicht wäre mir das hier dann egal gewesen. Ohne dieses Ego-Doping ist es mir aber keineswegs egal. Ich würde nur zu gerne um mich hauen. Dummerweise sind mittlerweile die übrigen Familienmitglieder auch alle aufgetaucht.

»Was hat denn hier so en Schlach getan?«, fragt Rudi ganz naiv.

»Der Topf mit eurem Abendessen!«, antworte ich und merke, wie mir schon wieder die Tränen aufsteigen.

Ich entwickle mich mehr und mehr zu einer Rund-Um-Die-Uhr-Heulsuse. Ein blöder Satz von Christoph, und ich will schlagen und weinen. Kein gutes Zeichen. Wo ist nur meine Selbstbeherrschung geblieben? Wieso bin ich so unentspannt, und warum nur nehme ich so ein paar blöde Bemerkungen so wichtig?

»Ja, und was essen wir jetzt?«, denkt mein Sohn, praktisch wie er ist, zunächst mal an seinen Magen. Der kommt ja ganz auf seinen Vater.

»Das ist mir so was von scheißegal!«, brülle ich, lasse alle stehen und stürme aus dem Haus.

Als ich die Haustür zuknalle, fällt mir auf, dass es wieder die Originaltür ist und ich ohne Schlüssel auf der Straße stehe. Sehr schlau, Andrea. Was nun? Klingeln und reumütig den Schlüssel holen? Während ich überlege, wie ich das taktisch am Geschicktesten deichseln könnte, öffnet sich die Tür. Es ist Rudi.

»Isch wollt nur korz nach dir sehn. Es geht dir net gut, gell?«, fragt er, guckt mich mitleidig an und breitet seine Arme aus.

Das wird ja bald zum Ritual. Ich lasse mich in seine Arme fallen und beginne, wie auf den sprichwörtlichen

Knopfdruck hin, zu weinen. Was zaghaft beginnt wird zum Sturzbach. Ich weine und weine und Rudi streicht mir sanft über den Rücken. Ohne Fragen. Einfach nur Trost pur. Als ich mich halbwegs beruhigt habe, reicht er mir ein Taschentuch. Das ist das Erstaunliche bei Männern dieser Generation: Sie haben immer ein Taschentuch parat.

»Wenn de reden willst, ich bin immer för dich da, musst aber net reden. Wie de magst!«, flüstert er mir zu.

Rudi ist wunderbar. Jede Frau sollte einen Rudi haben. Einen der nicht ständig fragt und nervt, sondern einfach nur mal da ist. Uneigennützig seine Arme ausbreitet.

»Was esst ihr denn jetzt?«, schniefe ich.

»Ach, Andrea, mir verhungern schon net. Isch glaub, de Christoph wollt Pizza bestelle.«

Da sieht man mal, wie weit es schon mit mir ist. Obwohl ich die Schnauze so was von voll habe, fragt sich gleich die besorgte Mutti in mir, ob die Familie nicht verhungern wird, nur weil ich mich einmal im Abendessenstreik befinde.

»Ich muss noch mal rein. Ich habe den Schlüssel vergessen. Aber das ist mir peinlich. Was mach ich denn jetzt?«, bitte ich meinen Schwiegervater um Rat.

»Sorg disch net, isch hol en dir. Brauchst de sonst noch was, Herzscher? Und, Andrea, wo willst de denn hin? Willst de net wieder mit reinkomme?«

Ich zögere. Wo soll ich so spontan in diesem Aufzug hin? Aber jetzt einfach wieder reingehen – so souverän fühle ich mich nicht. Ich habe keine Lust, vor Christoph rumzuheulen. Und die Nudeln soll er schön auch selbst aufsammeln.

»Rudi, ich mag nicht rein, jedenfalls jetzt nicht. Ich bin zu aufgewühlt. Tust du mir einen Gefallen und holst meinen Schlüssel, meine Handtasche und mein Handy? Ich warte am Auto.«

»Wenn de meinst, mache mer des so. Soll ich Christoph was sagen?«, fragt er noch vorsichtig.

»Nein, Rudi, nein. Auf keinen Fall. Du sagst gar nichts. Kein Wort.«

»Schon gut, resch dich net uff! Ich sach nix«, verspricht er mir.

Bei Rudi bin ich mir sicher, dass er Wort hält. Rudi ist grundehrlich. Er ist ein Mann, der hält was er verspricht. Ich erkläre ihm, wo er was findet. Ich habe zwar noch keinen Schimmer, wohin ich fahren werde, aber selbst wenn ich nur um den Block kurve, zurück gehe ich jetzt auf keinen Fall.

Bis auf Rudi scheint es in meiner Familie ja auch niemanden zu interessieren, wohin ich gehe. Hätte mir ja auch mal einer von den anderen hinterher rennen können. Aber wieso auch. Christoph hat die Essensfrage – mit einer Pizzabestellung – ja gelöst und für mehr werde ich abends nicht benötigt. Wie bitter das klingt. Ist es denn tatsächlich so oder bin ich einfach nur furchtbar mies drauf? Beides denke ich. Es ist beides. Gebraucht werde ich für Dienstleistungen. Als Gesprächspartnerin eigentlich nur von Rudi. Der Rest meiner Familie scheint froh zu sein, wenn er ungestört vor sich hinleben kann.

Was erwarte ich? Einerseits möchte ich selbständige Kinder haben und andererseits? Nein, keinen Dank – soweit würde ich nicht gehen. Manchmal erhofft man ihn sich zwar insgeheim schon, aber dass das an ein Wunder grenzen würde, ist selbst mir klar. Vielleicht erwarte ich mehr Emotionalität. Gefühle. Liebesbekundungen. Vierjährige sagen nahezu stündlich wie sehr sie einen lieben.

Muss das dann für den Rest des Lebens reichen? Sollte man sich die verbalen Liebkosungen auf Band aufnehmen, um sie an schlechten Tagen abzuspielen?

Sollte ich Herrn Reimer anrufen und mit ihm anstatt Kaffee ein paar Mojitos trinken gehen? Mein trotziges, gekränktes, schwächelndes Ich schreit: Ja, her mit den Mojitos! Her mit Herrn Reimer!

Rudi kommt zum Auto.

»So, hier is fast all des, was du haben wolltest«, sagt er und drückt mir die Handtasche und den Schlüssel in die Hand. »Des Handy hab isch leider net gefunden.«

Soviel zur Idee, Herrn Reimer anzurufen. Wäre ja eh Quatsch gewesen. Vor allem so verheult und so ziemlich ungeschminkt. Man möchte beim ersten Date ja nicht wie die letzte Vogelscheuche aufkreuzen. Und ich glaube auch nicht, dass es irre sexy wirkt, wenn man einem Mann bei einer Verabredung erst mal stundenlang was vorjammert.

Ich bedanke mich brav bei Rudi, immerhin hat er sich bemüht und ahnt wohl auch nicht, dass ich ohne Handy reichlich angeschmiert bin. Dummerweise habe ich keine Ahnung, wo mein Handy sein könnte, deshalb lehne ich auch dankend ab, als Rudi anbietet, noch mal reinzugehen, um zu suchen.

Allerdings gibt es hier weit und breit keine Telefonzelle, und ich bin ehrlich gesagt nicht mal sicher, ob überhaupt noch welche existieren. Aber hinzu kommt, dass ich außer der Nummer meiner Mutter keine Telefonnummer auswendig kann. Nicht mal die von Christoph.

Ich werde essen gehen, entscheide ich mich spontan. Mir den Bauch vollschlagen und dann wieder nach Hause fahren. Ich habe irgendwie auch keine Lust auf ein Problemgespräch. Außerdem bin ich unschlüssig, mit wem.

Mit Heike wäre schön. Aber Heike, meine kleine Heike, lebt in München. Ein Telefonat mit Heike könnte alles wieder etwas ins Lot rücken. Heike hat einen scharfen Verstand, und vor allem sind wir schon so lange befreundet, dass ich mir auch was von ihr sagen lasse. Normalerweise neige ich, wie die meisten anderen, dazu, ordentlich zu jammern und will an sich nicht mehr, als ausgiebig bedauert zu werden. Auf Ratschläge oder Kritik an meiner Person oder meinem Verhalten bin ich nicht scharf. Bei Heike halte ich das aus. Wenn sie findet, dass ich etwas falsch gemacht habe, dann sagt sie es. Ohne Beschönigung. Aber Heike ist unglaublich beschäftigt. Mal davon abgesehen, dass ich ja nicht einfach nach München fahren kann. Eben mal so, als wäre es um die Ecke. Obwohl, ich könnte mir beim Fahren den Bauch vollschlagen und wenn ich durchfahren würde, wäre ich in höchstens vier Stunden da. Gegen Mitternacht. Nicht gerade höflich, aber Heike kann einiges ab. Und wenn ich heute Nacht gegen vier Uhr zurückfahre, bin ich so um acht wieder zu Hause. Soll sich Christoph doch mal richtig Sorgen machen. Hinterhertelefonieren kann er mir ja nicht. Kein Handy zu haben, hat auch Vorteile. Das ist eine Schwachsinnsidee, rüge ich mich selbst. Eine Endlosfahrerei, nur um mal vier Stunden mit der besten Freundin zu verbringen. Außerdem – wer weiß, was sie morgen vorhat. Ein normaler Mensch schläft ja nachts, um tagsüber frisch und ausgeruht seine Geschäfte zu erledigen. Wenn sie überhaupt zu Hause ist. Ich bin mir auch nicht sicher, ob ihre Lebensgefährtin begeistert sein würde. Andererseits – Manchmal muss man auch was Verrücktes machen, und ich habe ansonsten ja keine Pläne für heute Abend.

Ich starte den Wagen und fahre Richtung Autobahn. Ich

kann es mir ja immer noch anders überlegen. Ich drehe das Radio laut und singe ein bisschen mit.

Kurzentschlossen fahre ich noch schnell bei Mac Drive vorbei und gönne mir ein Big-Mac-Menü, mit großer Pommes und großer Cola. Allerdings Cola Light. Ich weiß, bei den Kalorien, die in einem Big Mac stecken, kommt es auf die Cola an sich auch nicht mehr an. Aber fürs Gewissen ist das Light gut. Ich stopfe mir beim Fahren den Big Mac rein. Eine logistische Herausforderung. Ein Viertel des guten Stückes landet auf meinem T-Shirt und dem Fahrersitz. Ein Big Mac wirkt riesig, ist aber immens schnell verschlungen. Die Pommes folgen. Jetzt habe ich erst richtig Appetit. Unglaublich, da muss irgendein Zusatzstoff drin sein, der erst so richtig hungrig macht. Was soll's! Dann fahre ich an der nächsten Ausfahrt eben noch mal raus und hole mir eine klitzekleine Nachspeise. Irgendwas Süßes. Am besten Kekse mit Schokolade gefüllt. Fett und Zucker – eine Kombination, die direkt in die Kalorienhölle führt. Noch geächteter als Weißbrot – und das will heutzutage schon was heißen. Je mehr Böses sich im Essen versteckt, umso gieriger bin ich danach.

Ich nehme direkt die nächste Ausfahrt. Wirklich weit bin ich bisher noch nicht gekommen. Aber das Timing ist perfekt. Ich sollte auch noch tanken, denn mit einem auf Reserve stehenden Tank werde ich, selbst bei verhaltener Fahrweise, wohl kaum bis München kommen. Meine Stimmung ist schon erheblich gestiegen. Ob es an meinem kleinen Nachtausflug liegt oder an meinem Gourmetmenü, weiß ich nicht, aber ich genieße es. Ich tanke voll und fühle mich wild, frei, spontan und lässig. Selbstverständlich weiß ich, dass eine Autofahrt nach München noch nicht als Survival-trip durchgeht, aber verglichen mit meinen sonstigen Aktivitäten (Einkaufen und Putzen, Elternabende, Arbeiten in der Agentur) ist das schon ein irrer Ausflug. Ein bisschen Irrsinn tut mir gut, denke ich. Ich lasse mir Zeit mit der Keksauswahl und entscheide mich für eine Riesenpackung. Schließlich habe ich einige Stunden Autofahrt vor mir. An der Kasse endet meine Fahrt. Ich habe noch genau 18 Euro und 53 Cent in meinem Portemonnaie. Die Kreditkarte und die EC-Karte liegen zu Hause. Ich hatte sie vor meinem nachmittäglichen Stadtausflug vorsorglich rausgenommen. Nicht, um mich vor Shopping-Exzessen zu bewahren, sondern wegen der Diebstahlgefahr. Christoph liegt mir damit ständig in den Ohren. Er neigt zur Vorsicht. Was man nicht dabei hat, kann einem auch nicht geklaut werden! So lautet seine durchaus schlüssige Argumentation. Leider kann man mit dem, was man nicht dabei hat, auch nicht bezahlen. Selbst wenn ich die Kekse liegen lasse, beläuft sich meine Rechnung auf 78 Euro und 80 Cent. Schon ist meine gute Stimmung dahin. Der junge Kerl an der Kasse schaut mich erwartungsvoll an.

»Wie wollen Sie zahlen?«, fragt er.

Was mache ich bloß?

»Ich habe nur noch etwa achtzehn Euro«, sage ich mit ganz, ganz leiser Stimme und würde sehr gerne direkt im Boden versinken.

Wie peinlich. Hinter mir warten vier Leute, und der Kassierer sieht alles andere als begeistert aus.

»Wie – Sie haben nur achtzehn Euro?«

Hinter mir höre ich die Ersten stöhnen.

»Was denken Sie sich denn, Sie haben allein für 78 Euro 80 getankt!«

»Meine Karten sind weg. Es tut mir leid. Vielleicht kann

ich anschreiben lassen?«, werfe ich mich vor dem pickeligen Kassierer in den Staub.

»Wir sind hier doch nicht im Tante-Emma-Laden!«, weist er mich zurecht.

Jetzt muckt einer in der Schlange hinter mir auf.

»Meine Güte, wir wollen den Abend nicht hier verbringen. Geht's mal weiter?«

Der Kassierer mustert mich wie eine Schwerverbrecherin und sagt mit strenger Stimme:

»Sie bleiben hier stehen, bis wir das geklärt haben. Versuchen Sie nicht wegzurennen, wir haben Ihr Kennzeichen.«

Das geht jetzt doch einen Tick zu weit. Ich bin ja nun keine vorsätzliche Betrügerin, sondern einfach nur ein Schussel, der seine Karten zu Hause vergessen hat.

»Also, mal ehrlich, ich will ja bezahlen! Ich habe nur meine Karten nicht dabei!«, rechtfertige ich mich.

»Habe ich alles schon tausend Mal gehört!«, knurrt mich der Kassierer an. »Das hat mir heute gerade noch gefehlt!«, legt er dann noch mal nach.

»Mir auch, das können Sie mir glauben«, knurre ich zurück.

Nachdem er die Schlange hinter mir abkassiert hat, wendet er sich wieder mir zu.

»Ich muss den Chef anrufen. Der muss entscheiden, was wir jetzt machen«, teilt er mir mit.

Ich glaube, am liebsten würde er mich an eine Tanksäule fesseln.

»Rufen Sie halt jemanden an, der Sie hier auslöst«, gibt er mir dann freundlicherweise einen Tipp.

»Tja, anrufen wäre eine feine Sache, wenn ich denn ein Handy hätte!«, antworte ich leicht genervt.

So hatte ich mir den Abend nicht vorgestellt. Wäre ich nur zu Hause geblieben. Ich hätte auch im Bett schön schmollen können. Aber nein, ich musste ja auf große Tour gehen. Wer nicht brav ist, wird vom Universum anscheinend direkt abgestraft. Vielen Dank, du blödes Universum! Jetzt stehe ich hier wie eine Sünderin, bewacht von einem kleinen Wichtigtuer. Phantastisch.

»Wie – Sie haben kein Handy?«, fragt der Kassenmann nach. Dass jemand kein Handy dabei hat, scheint noch verdächtiger zu sein, als kein Geld dabei zu haben.

»Könnte ich vielleicht hier mal telefonieren?«, frage ich schüchtern. »Dann kann ich zu Hause anrufen. Und ich denke, es wird mich schon jemand hier abholen!«

»Es geht weniger ums Abholen als ums Auslösen!«, weist mich der Mann zurecht. Klugscheißer mag ich ganz besonders gerne, unterdrücke aber den Impuls, ihm das sofort mitzuteilen. Der scheint die Situation richtig zu genießen. Immer, wenn neue Kunden in den Kassenbereich kommen, fängt er von neuem an, mir zu erklären, dass man ohne Geld nicht tanken darf. »Die Botschaft ist angekommen, ich tanke schließlich nicht zum ersten Mal in meinem Leben«, will ich ihn anschreien, lasse es aber. Schließlich bin ich auf seinen guten Willen angewiesen. Nachdem er ausführlich und natürlich in Seniorenwohnheimlautstärke mit seinem Chef telefoniert hat, reicht er mir mit großer Geste das Telefon.

»Der Chef sagt, Sie dürfen einen Anruf machen«, teilt er mir mit.

Einen Anruf! Das ist ja wie im Krimi, wenn der Verdächtige seinen Anwalt anrufen darf. Trotzdem bedanke ich mich artig und überlege.

Da ich außer der Nummer meiner Mutter und unserer

Festnetznummer keine weitere im Kopf habe, gilt es abzuwägen. Meine Mutter oder Christoph? Ich weiß gar nicht, was schlimmer ist. Wenn ich meine Mutter anrufe, wird sie mich sofort fragen, warum ich nicht Christoph anrufe. Wenn ich Christoph anrufe, muss ich mit ihm reden. Beides keine sehr verlockenden Optionen!

Ich entscheide mich für meine Mutter. Ich will mir bei Christoph einfach keine Blöße geben. Dass ich meine Mutter wähle, spricht Bände.

»Wollen Sie jetzt telefonieren oder nicht?«, hakt der Kassenmann nach.

Wenn ich bloß die Nummer von Sabine im Kopf hätte. Oder wenigstens von Anita. Am aller einfachsten wäre es, wenn mir jemand hier Geld leihen könnte. Ich nehme alles, was an Charmepotential in mir schlummert, zusammen und frage scheu meinen zuständigen Kassierer:

»Würden Sie mir vielleicht das Geld leihen oder stunden? Ich lasse Ihnen auch ein Pfand da, meinen Ausweis zum Beispiel!«

Die Reaktion ist ernüchternd. Er guckt, als hätte ich ihn gebeten, mir ein Organ zu spenden.

»Wo kommen wir denn da hin?«, poltert er los, »ich kenne Sie nicht. Den Trick haben schon andere versucht.«

Der Mann und ich werden keine engen Freunde werden.

Ich ergreife, ohne zu antworten, das Telefon und wähle die Nummer meiner Mutter. Inzwischen ist es Viertel nach acht und wahrscheinlich hat gerade irgendeine Rosamunde-Pilcher-Schmonzette begonnen, und meine Mutter überlegt, welcher Idiot sie bei ihrem Abendvergnügen stört. Sie klingt auch ziemlich ungehalten.

»Mama, ich habe ein Problem«, beginne ich.

»Muss das ausgerechnet jetzt sein«, kommt prompt die Rückfrage.

»Ja«, sage ich. »Ich stehe an der Tank- und Rastanlage Weißkirchen Süd und habe kein Geld. Es muss mich jemand auslösen. Ich habe getankt und kann nicht zahlen. Könntest du mir helfen?«

Meine Mutter atmet schwer.

»Dann zahl doch mit deiner Kreditkarte. Du hast doch eine!«, schlägt sie vor.

Eine Wahnsinnsidee. Meine Güte, meine eigene Mutter hält mich für geistig minderbemittelt.

»Mama, ich habe keine Karte dabei, sonst hätte ich dich ja nicht angerufen«, und um weiteren Rückfragen vorzubeugen, füge ich hinzu, »Christoph ist beruflich unterwegs!«

Es dauert einen Moment. Ich höre, wie meine Mutter meinen Vater ruft.

»Ich kann selbst nicht kommen, du weißt doch, ich fahre nicht gerne nachts. Das muss der Papa machen.«

Ich verkneife mir den Kommentar, dass es Sommer ist und draußen noch völlig hell.

»Was ist denn jetzt?«, fragt der Kassenmann dazwischen.

»Einen Moment noch!«, bettle ich, obwohl ich ihm sehr viel lieber ein paar reinhauen würde. Der tut gerade so, als würde ich auf seine Kosten seit Stunden mit einer 0190er Nummer telefonieren.

»Der Papa holt dich da raus!«, übermittelt meine Mutter die erlösende Botschaft.

Welch ein Glück! Mein Vater ist vor allem lange nicht so neugierig wie meine Mutter. Natürlich werde ich mir auch von ihm einen kleinen Vortrag zu den Themen Reiseplanung und Schlampigkeit anhören müssen, aber im Vergleich zu dem, was meine Mutter mir um die Ohren hauen würde, wird das vollkommen erträglich sein.

»Danke. Sag ihm danke!«, beende ich das Gespräch. Dann teile ich meinem Tankstellenvollzugsbeamten mit, dass er sein Geld bekommen wird.

»Mein Vater holt mich hier raus!«, sage ich und fange an, mich zu entspannen. Nach München gewollt, bis Weißkirchen-Süd gekommen. Irgendwie auch symptomatisch für mein Leben.

Während ich warte, leiste ich mir einen Kaffee und die Schoko-Kekse. Nach der ganzen Aufregung habe ich die allemal verdient.

Es dauert eine geschlagene Stunde, bis sich die Schiebetür der Tankstelle öffnet – und dann steht nicht mein Papa, sondern Christoph da. Er sieht richtig sauer aus. Danke Mama, denke ich. Petzliese!

»Was ist hier eigentlich los, Andrea?«, lautet Christophs Begrüßung.

Ich hätte nicht übel Lust, ihn zu ignorieren und einfach auf der Rastanlage zu bleiben. Es gibt doch auch Leute, die auf Flughäfen leben. Stammkunden würden mir Lebensmittel spendieren und mal einen kleinen Cappuccino. Ich hätte genug Lektüre und der Kassenmann würde mit der Zeit auch merken, dass ich eine richtig nette Frau bin. Ab und an könnte ich draußen einen Scheibenwischservice anbieten und so für eine schöne warme Mahlzeit sparen. Rudi würde sicherlich mal vorbeischauen und mir irgendwas Leckeres mitbringen. Ein bisschen frisches Obst oder so. Bei den Kindern bin ich unsicher. Eine Mutter, die auf einer Rastanlage lebt? Das wäre ja an Peinlichkeit kaum zu übertreffen. Vor allem für Kinder, die es schon peinlich finden, wenn ihre Mutter im Auto leise vor sich hinsummt.

»Andrea, ich rede mit dir!«, schnauzt mich Christoph an.

»Bitte bezahl meine Tankfüllung, den Rest können wir später besprechen!«, antworte ich. »Ach ja«, füge ich noch hinzu, »danke, dass du gekommen bist. Obwohl ich meinen Vater erwartet hatte!«

An sich finde ich es selbstverständlich, dass man mich hier rauskauft. Ich hätte keine Minute gezögert, wenn meine Mutter mich angerufen hätte. Vor allem hätte ich mich selbst ins Auto gesetzt und die Aufgabe nicht delegiert.

»Dein Vater hat sich bei mir gemeldet, weil deiner Mutter das Ganze komisch vorkam«, erklärt Christoph nur kurz und schiebt dem Kassenmann seine Kreditkarte über den Tresen.

»Sehen Sie«, sage ich patzig, »ich bezahle. Sie haben sich umsonst Sorgen um Ihr Geld gemacht!«

»Ich habe schon Pferde kotzen sehen!«, kommentiert der Kassenmann meine Bemerkung. Was für ein ausgefallener Spruch. Ha. Gut, er ist ja kein Comedian, sondern ein kleinlicher, unfreundlicher Kassierer an der Tanke. Da darf man, was das Witzlevel angeht, wahrscheinlich nicht zu viel erwarten.

»Können wir gehen? Du hattest ja genug Zeit, um hier zu schwätzen!«, mischt sich Christoph ein.

Er hat diesen Komm-Du-Mir-Nach-Hause-Blick wie ein richtig erzürnter Vater! Zum Glück bin ich mit meinem Auto da. Ich muss zusehen, dass ich vor ihm daheim bin und mich dann so schnell wie möglich ins Bett verkrümeln. Ich eile zu meinem Auto, doch Christoph kommt mir hinterher.

»Meinst du nicht, ich hätte zumindest eine Erklärung

für all das verdient?«, fragt er und seine Stimme zischt ein bisschen. Wie bei einer Schlange in Angriffsstimmung.

»Natürlich!«, sage ich, denn er hat ja durchaus recht. »Ich wollte jemanden besuchen und hatte meine Kreditkarte und meine EC-Karte nicht mit. Wahrscheinlich, weil mir ein gewisser Mann immerzu in den Ohren liegt, dass man so irrsinnig schnell beklaut wird!«

So, jetzt habe ich mich kurz gerechtfertigt und den Schwarzen Peter gleich mal zurückgeschoben.

»Glaubst du ernsthaft, das beantwortet meine Frage?«, zischt er wieder.

Selbstverständlich glaube ich das nicht, bin aber nicht so doof, das zuzugeben.

»Lass uns heimfahren und später reden, ich bin einfach kaputt durch die Warterei«, versuche ich, das wenig erfreuliche Gespräch zu vertagen.

Er willigt ungehalten ein und verabschiedet sich mit einem knappen: »Dann bis gleich!«

Jetzt heißt es fix sein. Ich gebe mir alle Mühe und rase mit Höchstgeschwindigkeit heim, aber muss mich geschlagen geben. Christoph wartet schon auf mich. Hat der sich nach Hause gebeamt?

»Da bist du aber ganz schön flott gefahren, aber nicht flott genug!«, lautet seine Begrüßung. »Ich war mir nicht sicher, wo du diesmal hinfährst. Schön, dass du uns mal die Ehre gibst!«

Das sagt ja gerade der Richtige. Das wäre an sich doch mein Satz gewesen. Aber er ist noch nicht fertig.

»Weißt du, Andrea, wenn du meinst, du müsstest auf große Fahrt gehen, nur weil ich keine Kohlenhydrate zum Abendessen will, dann nimm doch demnächst dein Portemonnaie mit!«

Wie kalt das klingt. Wie wenig liebevoll. Nicht meine Abwesenheit hat ihn gestört, sondern eher die Tatsache, dass er jetzt noch mal raus musste, um mich auszulösen.

»Kannst du das gar nicht verstehen?«, frage ich in der Hoffnung, doch noch eine etwas verbindlichere Aussage zu hören.

»Bei aller Willenskraft, das fällt mir schwer. Ich meine, du bist doch erwachsen, führst dich aber fast so auf wie Claudia. Langt nicht eine in der Familie, die pubertiert?«

War das jetzt verbindlich? Wohl eher nicht.

»Ich bin es manchmal einfach leid, hier nur für niedere Dienstleistungen gefragt zu sein. Kochen, putzen, waschen und mal eben ein Abendessen für vermeintliche Freunde zaubern. Das alles ohne die geringste Anerkennung. Mir hat es heute einfach gereicht!«, versuche ich, mein Handeln zu erklären und einen kleinen Einblick in meine gebeutelte Seele zu geben.

Als ich aufgucke sehe ich, dass die Nudeln immer noch kreuz und quer im Wohnzimmer liegen. Ich könnte direkt aufstehen und wieder losfahren.

»Ihr habt nicht mal die Nudeln aufgehoben!«, seufze ich vorwurfsvoll.

»Mein Vater wollte sie sogar wegräumen, aber ich habe gesagt, dass in diesem Haus das Verursacherprinzip gilt. Wer etwas hinschmeißt, räumt es auch wieder weg. So einfach ist das!«

Ich fühle mich behandelt wie eine Neunjährige. Das Verursacherprinzip. Es wäre witzig, wenn es nicht so traurig wäre. Wer wirft denn seine Wäsche in den Wäschekorb und erwartet sie ordentlich und schön gebügelt zurück im Schrank? Mache nur ich in dieser Familie Dreck – und muss mich deshalb auch darum kümmern? Lächerliche

Argumentation, Herr Anwalt. Deshalb steige ich auf die »Verursacherdebatte« gar nicht erst ein. Obwohl ich argumentativ natürlich die besseren Karten hätte. Ich werde ihn bei der nächsten Wäsche ans Verursacherprinzip erinnern … und beim Bügeln … und Putzen …

»Ich bin zurzeit einfach nicht glücklich. Ich habe das Gefühl, irgendwas ist uns verlorengegangen!«, fange ich mal mit dem großen Ganzen an. Mit dem, was mich wirklich bedrückt. Das sind letztlich ja nicht irgendwelche verschmähten Nudeln. In einer anderen Phase unseres Lebens hätte ich über die Nudelbemerkung gelacht.

»Was soll uns denn verlorengegangen sein?«, zeigt sich Christoph begriffsstutzig. »Ich meine, Andrea, was erwartest du? Das ist doch romantische Verklärung.«

Ich unterbreche ihn: »Denk einfach mal darüber nach, und wir reden im Urlaub, wenn wir Zeit haben zwischen deinen Golfverabredungen und Trainerstunden.«

Die kleine Spitze konnte ich mir nicht verkneifen. Auch er scheint sie bemerkt zu haben. Man kann viel gegen Christoph sagen, aber blöd ist er nicht. Auch wenn er manchmal ein wenig schwer von Begriff scheint, aber ich glaube, das liegt einfach daran, dass er geschickt ausblendet, was er nicht hören will. Meine Golfspitze hat er definitiv gehört.

»Was soll denn diese Golfbemerkung? Das zum Beispiel nervt mich. Aber nicht nur das. Wir reden im Urlaub.«

Er ist beleidigt. Wenn er so kurz und knapp antwortet, ist er immer beleidigt.

»Ich geh schlafen. Falls du noch mal raus musst, nimm wenigstens deine Kreditkarte mit. Ich würde nämlich jetzt gerne ungestört schlafen!«

Der tut gerade so, als hätte er mich nicht in Weißkirchen-Süd, sondern auf Hawaii abgeholt.

»Wieso bist eigentlich du gekommen und nicht wie verabredet mein Vater?«, will ich noch wissen, bevor er sich verkrümelt.

»Weil deine Eltern, die ja um einiges vernünftiger sind als ihre Tochter, hier angerufen haben. Sie fanden es etwas sonderbar, dass du abends in Weißkirchen-Süd an einer Rastanlage stehst. Sie waren, gelinde gesagt, verwirrt.«

Wie nett von meiner Mutter. Ich sage, dass Christoph nicht da ist, bitte sie um Hilfe, und sie ruft trotzdem bei Christoph an und verpetzt mich. Ich schwöre mir in diesem Moment, so etwas mit meinen Kindern nie zu machen. Wenn sie um meine Hilfe bitten und es mir irgendwie möglich ist, werde ich ihnen helfen und nicht bei ihren Lebenspartnern anrufen. Soviel Loyalität sollte man den eigenen Kindern gegenüber doch wenigstens aufbringen.

Da ist wohl auch mal ein Gespräch fällig. Vielleicht muss man Dinge einfach auch ansprechen, um so etwas wie ein Unrechtsbewusstsein zu schaffen. Eventuell merkt meine Mutter gar nicht, was sie da macht. Der Gedanke, dass es wenigstens quasi aus Versehen, also unabsichtlich passiert, hat etwas Tröstliches. Obwohl ich mir bei meiner Mutter nicht wirklich sicher bin …

Ich schlafe schlecht. Träume wild und liege länger wach. Wieder schwitze ich vor mich hin. Mein Bettzeug fühlt sich klamm an, nicht richtig nass, aber unangenehm, leicht feucht. Auch das noch. Ein vehementer Wechseljahrangriff. Das fehlt mir noch.

Man fühlt sich direkt alt, unattraktiv – und raus aus dem Rennen. Fragt sich nur welches Rennen? Ich bin ja seit Ewigkeiten nicht mehr am Start. Ich habe nicht mal eine Startnummer, sondern stecke quasi noch in der Umkleide. Will ich denn überhaupt mitrennen oder doch lieber zusehen, wie sich andere abrackern? Bin ich nicht aus dem Alter raus, mich wieder in der Startlinie einzureihen? Bleibe ich deshalb in einer Beziehung, die man nur mit viel Wohlwollen als solche bezeichnen kann? Bin ich einfach zu faul, um noch mal auf Start zurückzugehen? Oder zu vernünftig und pragmatisch? Man landet doch immer wieder an diesem Punkt, oder? Gibt es Beziehungen, große Lieben (außer der von Rudi und Inge) die nie an diesen Punkt kommen? Partner, die sich ein Leben lang lieben, begehren und deren Herz, allein beim Anblick des anderen, höher schlägt? Ich werde rührselig, und das um vier Uhr morgens. Christoph jedenfalls hat keinerlei Schlafstörungen. Wie er so daliegt, überkommt mich Zuneigung. Sein Anblick ist nicht aufregend, aber so vertraut. Das gibt ein warmes Gefühl.

Vielleicht können wir unsere Liebe wiederbeleben. Der Urlaub wird unser Liebesdefibrillator ... hoffentlich.

Wie gerne würde ich ihn wecken, um ihm das mitzuteilen. Stattdessen schiebe ich mich ein bisschen näher zu ihm auf seine Seite – schon um meine klamme Betthälfte zu verlassen. Er ist warm und gibt zarte Grunzer von sich. Auch er ist älter geworden. Sein Mund steht leicht offen. Ich möchte mir gar nicht vorstellen, wie ich im Schlaf aussehe ...

Liebesdefibrillator – damit könnte man wirklich Geld verdienen, denke ich noch, und dann schlafe auch ich.

7

Endlich! Der letzte Schultag vor den Ferien ist da.

Sechs lange Wochen und ein ernüchternder Blick auf die Zeugnisse liegen vor uns. Christoph muss noch einen letzten Tag arbeiten, ist aber beim Aufstehen ein bisschen freundlicher als gestern.

»Wir müssen wirklich mal reden!«, sagt er, als er sich ins Büro verabschiedet. »Ich werde mir die Zeit nehmen, Andrea!«

Sehr freundlich von ihm. Dass er Redebedarf hat ist hingegen fast verdächtig. Hat er ein Verhältnis und will beichten? Will er sich trennen? Fühlt auch er sich nicht wohl?

Obwohl auch ich glaube, dass wir einiges zu besprechen haben, finde ich den Gedanken, dass er das genauso sieht, bedenklich. Wieso will Christoph auf einmal freiwillig reden? Seit wann suchen Männer freiwillig das Gespräch? Was wäre, wenn er sich tatsächlich scheiden lassen will? Würde mich das ins Unglück stürzen oder nur meinen Stolz extrem verletzen?

Während ich dieses Was-Wäre-Wenn-Kopfspiel intensiv betreibe, piepst mein Handy. Eine SMS. Von Herrn Reimer!

Packe gerade die Badehose in den Koffer und muss an sie denken!

Sie kleingeschrieben, aber trotzdem – schmeichelhaft.

Wäre Herr Reimer eine Alternative? Ich bin wirklich von der Rolle, sonst könnte ich so etwas ja wohl kaum ernsthaft in Erwägung ziehen. Ich habe Herrn Reimer genau zweimal in meinem Leben gesehen und vielleicht eine halbe Stunde mit ihm gesprochen. Denke ich im Ernst, dass er einen Mann ersetzen könnte, mit dem ich Jahrzehnte verbracht habe? Wie verrückt ist das denn?

Wird es überhaupt mal einen geben, bei dem ich mir das vorstellen kann? Kann man eine solche Vertrautheit jemals wieder erreichen, oder ist genau diese Vertrautheit auch Teil des Problems? Tötet die Vertrautheit das Prickeln? Das Aufregende? Gehen Vertrautheit und Prickeln einfach nicht zusammen? Muss man sich entscheiden? Braucht man langfristig beides? Vermisst man immer, was man nicht hat? Irgendwie komme ich bei diesem Thema keinen Deut weiter. Gibt es eventuell gar keine Lösung? Kann man gar nicht weiterkommen, weil man sich eben für eins entscheiden muss?

Soll ich sofort zurücksimsen oder lieber warten? Oder vielleicht gar nicht antworten? Ich gehe erst mal duschen und werde dabei über eine witzige, unverfängliche aber doch interessante Antwort nachdenken.

Passend zu meinem kleinen Nachtschweißanfall entdecke ich unter der Dusche ein graues Schamhaar. Es hat sogar noch ein paar Freundinnen mitgebracht … Normalerweise, das heißt wenn ich aufrecht stehe, sind sie alle gnädig von ein »wenig« Bauchspeck verdeckt.

Der Lack ist echt ab. Kann man die auch färben? Färbt man sich Schamhaare überhaupt? (Darüber habe ich in Frauenzeitschriften noch nie etwas gelesen. Aber wahrscheinlich ist selbst das Thema Diät noch erfreulicher …) Es gibt Dinge, die sind einfach nur trostlos. Seltsamerweise liest man auch nie etwas über diese kleinen fiesen drahtigen Haare, die einem gerne am Kinn wachsen …

Schamhaare färben – ein gewagtes Unterfangen. Oder

ist die Wachsvariante dann doch die effektivere Methode? Wo keine Haare sind, können auch keine grauen sein.

Seit Tagen hat mein Körper offensichtlich nichts Besseres zu tun, als mich auf den heranrasenden Verfall hinzuweisen. Wie nett von meinem Körper! Passend zur Stimmung.

Ich gehe in die Küche und mache mir einen Toast. Just in dem Moment, in dem ich anfangen will zu essen, fällt mir mein neuer Bikini ein. Schade um den Toast. Bevor ich doch noch reinbeiße, bringe ich ihn lieber zu Rudi.

»Heute gibt's Frühstück im Bett!«, wecke ich meinen Schwiegervater.

»Geht's dir besser?«, fragt er, kaum dass er wach ist.

»Ja!«, antworte ich, was nicht hundertprozentig der Wahrheit entspricht, aber ich bringe es nicht fertig, Rudi, den Einzigen in diesem Haus, der sich dafür interessiert wie es mir geht, direkt beim Aufwachen Sorgen zu machen. »Bleib ruhig noch liegen. Ich fange mal an, die Sachen für Mark zu packen!«, füge ich noch hinzu.

»Wenn ich dir was helfen kann, musste es nur sagen!«

Rudi ist wirklich ein Segen. Auch wenn er manchmal eben auch sehr anstrengend sein kann.

Während ich Marks Reisetasche packe, denke ich weiter nach. Über meine Erwartungen und die Realität. Scheint mein neuer Lieblingsthemenbereich zu sein. Vielleicht liegt es daran, dass die Kinder so langsam aus dem Gröbsten raus sind und der Zeitpunkt naht, an dem wir – Christoph und ich – als Paar übrigbleiben. Was werden wir dann für ein Paar sein, wenn unsere Erziehungsarbeit abgeschlossen ist? Reicht das, was wir an Gemeinsamem haben, für die nächsten dreißig Jahre? Aber ist diese Frage nicht komplett müßig? Sollte man einfach abwarten? Einfach leben und sehen wie es läuft, sich entwickelt? Oder ist unsere Beziehung vielleicht doch ein Auslaufmodell?

Ich muss meine Grübeleien vertagen, denn die Kinder kommen aus der Schule. Ausnahmsweise mal zusammen. Wahrscheinlich eine taktische Maßnahme – nach dem Motto: Zwei Zeugnisse gleichzeitig lenken auf jedes nur die 50 %ige Aufmerksamkeit. Gut ist, dass meine Erwartungen gering sind. Ich bin realistisch genug, um zu wissen, dass das keine Zeugnisse sein werden, mit denen ich bei den Nachbarinnen oder Konkurrenz-Muttis Eindruck schinden kann. Eher solche, bei denen sich andere sehr schön entspannen können, schon weil ihre Kinder garantiert bessere haben.

Ich versuche, den Ich-Habe-Die-Tollsten-Kinder-Von-Allen-Drang zu unterdrücken. Man sollte sich nicht durch seine Kinder profilieren. Klar bin ich gerne stolz auf die beiden, aber mir ist durchaus bewusst, dass an meinen Kindern keinerlei Hochbegabung auszumachen ist. Woher sollte die auch kommen? Ich war nicht gerade eine Musterschülerin und Christoph war ein solider, aber auch kein herausragender Schüler. Verlässliche Mittelklasse.

Die Zeugnisse sind, selbst für meine Erwartungen, eher bescheiden. Das von Mark ist so eben noch mittelmäßig – bei freundlicher Betrachtung. Fast nur Dreier, keine Ausbrüche nach oben, gerade mal eine Zwei – und die in Sport.

»In Sport hätte ich echt ne Eins verdient, aber der Arsch kann mich nicht leiden!«, legt Mark sofort los, kaum dass ich sein Zeugnis in der Hand habe.

Sport ist mir relativ egal. Mathe und Latein, beides Vier,

stechen mir ins Auge. Zwei Vierer, eine Zwei und der Rest Drei.

»Gleich in zwei Hauptfächern ne Vier!«, sage ich und versuche, ein bisschen streng zu gucken.

»Das ist total fies! Ich stand zwischen Drei Minus und Vier Plus und die haben sich beide für die Vier entschieden«, verteidigt sich mein Sohn. »Aber«, legt er noch nach, »was soll's, ne Vier ist ja ausreichend, oder?«

Da ist argumentativ nicht viel dagegen zu sagen. Nachdem ich Claudias Zeugnis gesehen habe, finde ich rückblickend das meines Sohnes geradezu grandios. Eine Fünf in Chemie, ansonsten fast nur Vierer. Kunst, Religion und Sport – Drei. Der Lichtblick: Eine Zwei in Deutsch. Wundersam, so wortkarg wie sich meine Tochter zu Hause gibt.

»Ich hab euch ja gesagt, dass mir Schule nichts gibt!«, geht sie in die Offensive.

»Du der Schule anscheinend auch nichts!«, antworte ich.

Man muss ja nicht alles ohne Widerrede schlucken. Das ist nicht mal mehr ein Mittelklasse-Zeugnis. So was kann man sich nicht mal schön trinken. Selbst Pilze – meine neuen, geheimen Lieblinge – wären da vermutlich hilflos.

»Das ist richtig schlecht!«, platzt es aus mir raus.

»Und? Ist doch egal«, blafft sie zurück, »ich will ja eh nicht mehr hin.«

»Aber ein Abschluss wäre ja auch für deine zukünftige Arbeitskarriere eine feine Sache. Oder möchtest du Hilfsarbeiterin werden? Regale einräumen, Laden wischen, Toiletten putzen? Oder heiraten und hoffen, dass dein Mann dir ab und an mal ein paar Scheine rüberschiebt?«, versuche ich, meine Tochter zu überzeugen.

Als Reaktion zuckt sie nur kurz mit den Schultern. Das

scheint sie nicht sonderlich zu beeindrucken. Ich erspare mir eine weitere Diskussion und hoffe auf die heilsame Wirkung des Ferienjobs. Der Baumarkt muss es richten. Unsere pädagogische Maßnahme.

»Wann seid ihr weg?«, will sie noch wissen, bevor sie in ihr Zimmer verschwindet.

»Morgen fährt dein Bruder und übermorgen fliegen wir«, sage ich und frage mich insgeheim, ob es eine gute Idee ist, sie hier, mit ihrem Opa, alleine zu lassen. Ich werde noch mal in Ruhe mit Rudi reden, um ein paar Verhaltensmaßregeln abzustimmen. Nicht, dass Madame denkt, sie könne munter Abend für Abend in irgendwelche Clubs entschwinden und sich einen flotten Lenz machen.

Christoph ist komplett entsetzt, als er abends die Zeugnisse seiner Kinder sieht. »Seine Kinder« mit »seinen Genen« verkaufen sich, laut Christoph, meilenweit unter ihren Möglichkeiten. Ich bin mir da nicht ganz so sicher. Natürlich sind sie ziemlich faul. So wie fast alle in diesem Alter. Alles andere wäre schon fast seltsam. Aber vielleicht sind sie eben auch nicht die hellsten Lichter unter der Sonne. Allein der Gedanke verbietet sich eigentlich für eine gute Mutter. Es ist auch nicht so, dass ich meine Kinder für doof halte, aber wie schon erwähnt – ich bin Realistin.

Christoph hält beim Abendessen, zur Begeisterung aller Beteiligten, eine Ansprache zum Thema Schulleistungen.

»Ab jetzt, meine Lieben, wird sich hier einiges ändern. Tägliche Hausaufgabenkontrolle zum Beispiel. Frühzeitiges, gründliches Lernen für Klassenarbeiten. Wir werden alles kontrollieren. Das wollen wir doch mal sehen!«, beendet er seinen Monolog.

»Und wer kontrolliert das alles?«, frage ich vorsichtig nach und ahne, dass es hierfür nicht besonders viele Möglichkeiten gibt.

Eigentlich kommt für diesen außerordentlich attraktiven Job nur eine in Frage: Ich! Welch hübsche Perspektive für das neue Schuljahr. Das fehlt mir gerade noch. Die Kinder sagen gar nichts. Immerhin wissen sie, wann es besser ist, die Klappe zu halten und das spricht für eine gewisse emotionale Intelligenz. Noch ist also nicht alles verloren. Auch ich äußere mich erst mal nicht. Ich denke nicht im Traum daran, mir das nächste Jahr mit täglicher Hausaufgabenkontrolle zu versauen. Zudem habe ich auch gewisse Zweifel, ob das eine wirklich Erfolg versprechende Methode ist. Die Kinder sind ja nicht mehr sechs und neun. Sollte man ab einem gewissen Alter nicht in der Lage sein, die Minimalanforderungen der Schule – sprich die Hausaufgaben – ohne Muttis Hilfe zu bewältigen? Ich will einfach nicht zu den Müttern gehören, die sich an den Referaten ihrer Kinder abarbeiten. Ich kenne sogar eine, die extra einen Powerpoint-Kurs belegt hat, nur um die Referate ihres Sohnes hübscher zu gestalten. Wie bescheuert sind wir mittlerweile eigentlich? Und mal ehrlich: Wem bringt diese Mehrarbeit was?

Beendet wird die unerfreuliche Schul-Thematik zum Glück von einem Anruf. Es ist Pilz-Gaby, meine neue Freundin, die wissen will, was das für ein Wahnsinnswodka neulich bei uns war.

»So geil habe ich mich lange nicht gefühlt!«

Ich kenne mich mit Wodkamarken nicht aus, deshalb fällt mir so schnell auch keine ein, und ich versuche Zeit zu gewinnen.

»Da muss ich mal Christoph fragen. Er hat den von einer Dienstreise mitgebracht.«

»Dann frag ihn doch mal. Ich könnte heute einen Schluck von deinem Wunderwodka brauchen. Lukas ist ätzend drauf, den muss ich mir in Form trinken!«

Upps, so kenne ich die kleine sexy Pilz-Gaby ja gar nicht. Normalerweise ist sie voll des Lobes für ihren Lukas. Da sieht man mal: Es kracht überall. Streit bei anderen kann ja sehr beruhigend wirken. So entlastend. Dann weiß man wieder, dass man nicht allein ist.

Später schwitze ich mich durch die Nacht und träume von Herrn Reimer, der in seiner kleinen Badehose vor mir tanzt.

8

»Ich kann Mark zum Bus bringen!«, bietet Christoph am nächsten Morgen in ungeahnter Großherzigkeit an.

An sich eine gute Idee. Fast schon spektakulär, vor allem wenn man bedenkt, dass er dieses Angebot freiwillig gemacht hat. Ich will ja ständig, dass er sich mehr ins Familienleben einbringt. Also sollte ich doch wohl begeistert sein.

Aber der Bus, den er meint, ist der Bus ins Fußballcamp. Wozu habe ich denn dann heute Morgen meinen Kleiderschrank durchforstet und mir überlegt, was ich anziehen könnte, um Mark zum Fußballcamptreffpunkt zu bringen. Weshalb wohl der ganze Aufwand? Weil Herr Reimer dort sein wird und ich so die Gelegenheit hätte, noch mal ganz zufällig mit ihm zusammenzutreffen. Ich habe beschlossen mich aufzutakeln, ohne aufgetakelt auszusehen. Das ist die wahre Kunst. Lässig, aber gepflegt und sexy und vor allem unangestrengt. So, als sähe man immer so aus.

Sich vor den zwei Wochen, die Herr Reimer mit meinem Kind und jeder Menge anderer Pubertierender verbringt, in Erinnerung zu rufen, erscheint mir klug. Nur ein kurzer, charmanter Auftritt, denn Männer neigen nun mal zur Vergesslichkeit. Außerdem habe ich seine SMS nicht beantwortet. Mir ist einfach keine schlagfertige, witzige Antwort eingefallen. Jetzt fällt mir auch nichts ein.

»Vielleicht wäre es besser, ich würde ihn hinfahren!«, schlage ich deshalb nur vor.

»Wieso? Glaubst du, ich finde den Weg zum Hauptbahnhof nicht?«, fragt Christoph konsterniert zurück.

»Ne, ich dachte nur mit all den Müttern und so, das wäre nichts für dich. Und da ich ja auch auf dem Elternabend war, na ja«, stottere ich mir einen ab.

»Ich will ja nicht mit denen in den Urlaub fahren, sondern gebe nur meinen Sohn ab!«, wundert sich Christoph.

»Ja dann, mach halt. Ich wollte nur noch mal mit denen sprechen und so!«, stammle ich weiter.

»Ne, lass den Papa mich fahren!«, mischt sich nun Mark ein.

Das auch noch. Bin ich peinlicher als Christoph? Hat Mark Angst, ich küsse ihn vor versammelter Freundesschar ausgiebig ab?

»Ja, dann viel Vergnügen euch beiden«, sage ich nur noch und denke: Das war's mit Herrn Reimer. Vielleicht sollte ich stattdessen doch noch eine SMS schreiben. Oder mir das Ganze einfach aus dem Kopf schlagen. Ist ja eh völliger Quatsch. Und außerdem antwortet man gleich oder gar nicht …

Claudia ist auffallend gut gelaunt und hat rund um die Uhr das Handy in Betrieb. Wahrscheinlich plant sie schon wilde Partynächte bei uns im Haus. Dass ich mit Rudi reden muss, fällt mir da sofort wieder ein. Also begleite ich ihn auf seinem nachmittäglichen Hundespaziergang.

»Rudi, du passt mir gut auf die Claudia auf, gell!«, fange ich das Gespräch an.

»Ihr müsst euch keinerlei Sorsche mache, ich pass uff«, entgegnet er.

Ich entwerfe die wüstesten Szenarien – Hauspartys, Clubbesuche, Alkohol, Zigaretten und Ähnliches.

»Das ist doch en liebes Mädsche, macht euch net so viel Gedanke, mir komme klar. Mir mache es uns gemütlisch solang ihr weg seid, außer es geht gesundheitlich bergab mit mir, mer weiß ja nie.«

Es folgt eine lange Abhandlung über sein drohendes, nahes Ende. Ich versuche ihn zu beruhigen.

»Rudi, bitte leb noch lange, ich brauche dich wirklich. Und damit meine ich nicht dein Teenagerhüten oder so. Ich, Andrea, habe dich sehr gerne um mich. Also tue mir einen Gefallen und verschiebe dein Sterben noch ein ganz klein wenig!«

Er schmunzelt. Na, das ist bei dem Thema ja schon was.

»Des freut mich sehr, Andrea. Ich bin auch gern mit dir zusamme. Des tut mir gut. Trotzdem, mer weiß net, wie lang mer noch hat.«

Er kann es einfach nicht lassen.

»Niemand, Rudi«, entgegne ich, »weiß wie lange er noch hat.«

9

Am nächsten Morgen herrscht allgemeine Hektik. Wir fliegen am frühen Nachmittag und Christoph verbringt Stunde um Stunde mit der Verpackung seines Golfequipments: Schläger, Schuhe, Golfhandtücher, Tees, Pitching-irgendwas. Und vor allem quält er sich mit der wirklich wichtigen Frage, die uns selbstverständlich alle rasend interessiert: Welcher Putter darf mit auf die Reise?

Ich widme mich unserer Tochter. Ein paar Absprachen und Regeln können ja nicht schaden.

»Dass wir wegfahren ist ein großer Vertrauensbeweis!«, starte ich in unser Gespräch.

»Na ja, man könnte es auch großen Egoismus nennen!«, unterbricht sie mich direkt. »Das eine Kind ins Ferienlager, das andere muss Geld verdienen, und die Eltern legen sich schick in die Sonne und lassen es sich verdammt gutgehen.«

Ferienlager! Wie das klingt. Das Fußballcamp kostet immerhin fünfhundertfünfzig Euro. Claudia weiß außerdem genau, dass sie nicht zum Geldverdienen in den Baumarkt soll, sondern um einen ersten Einblick in die Welt der Arbeit zu erhaschen.

»Rede nicht so einen Unsinn!«, sage ich und weiß sofort, dass das wahrscheinlich taktisch nicht clever ist. Aber egal. Das hier ist ja auch kein gemütliches Schwätzchen unter Gleichaltrigen.

»Jetzt hörst du mir einfach mal zu!«, kehre ich deshalb die Erziehungsberechtigte heraus. »Du wirst dich an die Anweisungen deines Opas halten. Du wirst abends nicht nach Frankfurt fahren, du wirst pünktlich zur Arbeit gehen und hier keine Partys veranstalten, sonst kannst du echt was erleben. Benimm dich einfach.«

Meine geballte Autorität in drei kleinen Sätzen. Ha!

»Dagegen hört sich ja Jugendknast fast schon verlockend an!«, zischt sie mir entgegen, und ich sehe, wie ihre Mundwinkel leicht zittern. Sie ist mir doch ähnlich. Wenn ich richtig sauer bin, könnte ich auch immer gleich losheulen. Wutweinen. Aus Hilflosigkeit.

»Was denkt ihr eigentlich von mir! Nur Schlechtes?«

Sie schnieft. Es geht los. Sie fängt an zu weinen. Das war nun wirklich nicht das, was ich gewollt habe. Ich nehme sie in den Arm, sie sträubt sich und schluchzt.

»Nein, mein Schatz«, rede ich so beruhigend wie möglich auf sie ein, »wir denken nichts Schlechtes, aber wir waren auch mal jünger, und das, was du momentan so vor hast, gefällt uns einfach nicht besonders gut.«

»In dieser Familie ist einfach keiner auf meiner Seite!«, schluchzt sie weiter.

Ich würde am liebsten sagen: »Tja, ich weiß zu genau, wovon du redest, frag mich mal!«, aber da ich um unsere Rollenverteilung weiß – ich bin die Mutter, sie ist die Tochter – verkneife ich mir die Anmerkung und sage stattdessen:

»Das ist normal, das denkt man in deinem Alter, aber das ist doch Quatsch. Es geht gar nicht darum, wer auf welcher Seite steht. Wir wollen alle, dass es dir gutgeht.«

Dieses Gespräch läuft irgendwie komplett schief. Ich wollte ihr Anweisungen für die Zeit ohne uns geben, in der nötigen Strenge und Schärfe, jetzt aber sitze ich hier und tätschle meiner schniefenden Tochter den Kopf.

»Ich habe dich wirklich doll lieb!«, betone ich noch einmal und füge hinzu: »Also sei so gut und enttäusche uns nicht.«

Christoph hat es drei Stunden vor Abflug tatsächlich geschafft, seinen Kram zusammenzupacken. Seinen Golfkram und seine Golfklamotten. Den Rest hat er großzügig mir überlassen.

»Das macht dir doch nichts aus, mein Zeug eben mit rauszusuchen«, argumentiert er.

Es macht mir eigentlich sehr wohl etwas aus, aber ich tue es trotzdem. Einfach, weil die Diskussion darum in etwa die gleiche Zeit in Anspruch nehmen würde wie das Packen selbst.

Dass die Ehefrau für ihn den Koffer richtet, ist in vielen Familien absolut normal. Anita, meine Nachbarin, hat in einem Gespräch darüber mal gesagt, dass es ja auch Sinn macht, schon weil ihr Friedhelm sonst den letzten Krempel einpacken würde.

»Der hat dann seine olle Badehose, zwei T-Shirts aus der Studienzeit und zwei Treckinghosen für vierzehn Tage dabei. Und dazu drei Unterhosen. Das ist mir abends dann so peinlich, wenn der in seiner Zipperhose zum Büfett geht – da nehme ich das bisschen Arbeit lieber in Kauf!«

An dem Argument ist natürlich was dran. Aber eigentlich stinkt es mir. Es ist doch von einem erwachsenen Mann nicht zuviel verlangt, seine Siebensachen zusammenzupacken. Ich lege ihm ja auch morgens nicht seinen Anzug fürs Gericht raus. Außerdem finde ich, dass ich in diesem Haushalt sowieso überproportional viel erledige. Um nicht zu sagen, fast alles. Aber erstaunlicherweise wird das nicht honoriert. Es gilt irgendwie als selbstverständlich und ist nicht der Erwähnung wert. Und je mehr man macht – umso mehr wird es zur Selbstverständlichkeit …

Ich telefoniere kurz bevor wir das Haus verlassen, noch mal ausgiebig mit meiner Freundin Sabine, die was Männer angeht, wahrlich kein besonders geschicktes Händchen hat. Deshalb bin ich, was ihre Ratschläge angeht, generell auch eher vorsichtig. In meinem Fall klingt ihr Kommentar zur Situation nicht vielversprechend.

»Wenn du wüsstest was sich da draußen auf dem freien Markt an Männern tummelt, Not und Elend, würdest du ohne Frage bei Christoph bleiben«, meint sie nur trocken.

Ausharren und auf bessere Zeiten hoffen, nur weil die Lage auf dem Männermarkt betrüblich ist?

»Mach dir jetzt erst mal einen schönen Urlaub, lass es krachen, hab mal wieder wilden und verrückten Sex, und dann guckst du noch mal neu auf die Situation. Vielleicht brauchst du nur mal einen Tapetenwechsel!«, rät sie mir.

Vielleicht. Aber wenn das alles ist, was mir fehlt, ein Tapetenwechsel, warum rumort es dann so vehement in mir?

»Wir müssen los!«, ruft es aus dem Wohnzimmer.

Christoph ist bereit zur Abfahrt. Rudi und Claudia stehen parat. Sie will wahrscheinlich mit eigenen Augen sehen, wie wir die Tür hinter uns zuziehen. Ich bin nicht sicher, ob mein Schwiegervater und Claudia das hier in meinem Sinne regeln. Irgendwie habe ich ein äußerst ungutes Gefühl. Christoph scheint es ähnlich zu gehen.

»Papa, du hast ein Auge auf Claudia, gell!«, beschwört er noch einmal seinen Vater.

»Ich bin doch kein Baby mehr!«, mischt sich Claudia ein.

»Genau deshalb!«, sagt Christoph, und ich muss ihm ausnahmsweise mal Recht geben.

Auf der Fahrt zum Flughafen fange ich tatsächlich an, mich zu entspannen. Endlich Urlaub. Urlaub nur mit Mann. Keine Kinder – stattdessen Golf, die Dollingers und die Heines – und dazu noch all die anderen Menschen, die im Club Urlaub machen. Ob das mit denen besser ist als mit den eigenen Kindern, deren Unzulänglichkeiten man wenigstens kennt? Immerhin fliegen wir ohne die Dollingers und die mir unbekannten Heines hin. Noch ein bisschen Ruhe ...

Schon beim Einchecken fällt mir die absonderliche Mischung der Passagiere auf. Während Christoph mit der Air-Berlin-Bodentante diskutiert, ob Golfgepäck extra bezahlt werden muss oder nicht, habe ich Zeit, die Mitfliegenden in der Schlange einer genaueren Musterung zu unterziehen. Die Mischung ist wirklich bizarr.

Da ist die Upperclass-Golffamilie – Vati und die Kinder mit aufgestellten Kragen und komplett in Polo Ralf Lauren, Mutti mit Louis-Vuitton-Täschchen und fettem Einkaräter (wenn nicht mehr, aber leider kenne ich mich damit nicht so aus). Hinter ihnen eine muntere Gruppe Männer. Alle um die Mitte Zwanzig und mit Bierdose in der Hand. Auf ihren neonorangefarbenen T-Shirts prangt eine hübsche Urlaubsbotschaft: Ficken, blasen, saufen: Malle wir kommen! Na, da wird sich Malle bestimmt riesig freuen. Die Upperclass-Mama dreht sich alle paar Minuten mit angewidertem Blick nach hinten um. Dass sie mit derartigem Pöbel in einer Maschine wird sitzen müssen, macht ihr sichtlich zu schaffen. Wiederholtes Kopfschütteln soll ihre Haltung wohl verdeutlichen.

Ich bin nicht sicher, welche Gruppe ich schlimmer finde. Christoph sympathisiert natürlich mit der Golferfamilie. Er strahlt die Einkaräter-Tussi an, als gelte es, sie jetzt und hier zu erobern.

»Geht's auch zum Golfen?«, fragt er, obwohl das bei dem Gepäck ja offensichtlich ist.

Peinlich dieses Angewanze. Sie schaut erstaunt auf, sieht Christoph an, mustert ihn von oben bis unten und entschließt sich dann tatsächlich, mit ihm zu reden.

»Wir fahren auf unsere Finca!«, antwortet sie, um gleich mal klarzumachen, dass sie nicht etwa eine schnöde Pauschaltouristin ist.

»Herrlich«, schwärmt Christoph, »wir denken auch darüber nach, uns ein Ferienhaus anzuschaffen!«

Tickt der noch richtig? Seit wann denn das? Und vor allem – wovon? Haben wir immense Geldreserven, von denen ich nichts ahne? Ein Ferienhaus? Ich wäre froh, wir hätten unser Reihenhaus abbezahlt.

»Wir haben es nie bereut«, legt Frau Einkaräter jetzt richtig los. »Es ist doch was völlig anderes, ins eigene Zuhause zu fahren.«

»Natürlich«, beteuert Christoph, und ich würde zu gerne wissen, wie er das so vehement behaupten kann. Meiner Information nach besitzt Christoph kein Ferienhaus und war mit seinen Eltern jahrelang im Wohnmobil unterwegs.

»Vielleicht sieht man sich ja mal beim Golf!«, beendet die Fincabesitzerin ihren kleinen Smalltalk mit meinem Mann, der mir irgendwie gerade ganz peinlich ist. Er hat so was Untertäniges in seiner Stimme gehabt. Gepaart mit Bewunderung. Einen gewissen Sozialneid kann ich ja noch nachvollziehen, aber dieses Devote finde ich übertrieben. Sie haben ein Haus – fein für sie. Es gibt immer Menschen, die mehr haben.

An sich finde ich – wir können zufrieden sein. Aber Christoph hat seit Neustem so einen Drang nach mehr.

Nach mehr sozialem Status, mehr Anerkennung, mehr Luxus.

»Also dann, tja, vielleicht sieht man sich mal!«, verabschiedet er sich, und ich ziehe ihn sanft in Richtung Sicherheitskontrolle.

»Was sollte denn das?«, zische ich ihn an, nachdem Familie Golf außer Sichtweite ist.

»Man wird doch mal mit netten Leuten ein Gespräch führen dürfen!«, verteidigt er sich direkt.

»Seit wann erwägen wir, ein Ferienhaus zu kaufen?«, frage ich giftig nach.

»Ich habe schon mal drüber nachgedacht. Ist doch ne schöne Sache so ein Ferienhaus, oder?«, antwortet er ganz freundlich.

»Eine sehr schöne Sache. Die Frage ist nur, wovon wir uns ein Ferienhaus kaufen, vielmehr du dir ein Ferienhaus kaufst!«, merke ich leicht ironisch an.

Eine schöne Sache! Eine schöne Sache ist für mich irgendwie kleiner. Ein iPad oder eine kuschelige Decke oder ein paar heiße Stiefel. Aber ein Haus? Wir leben sicherlich nicht über unsere Verhältnisse (auch ein Ausdruck meines Vaters), aber einer von uns denkt augenscheinlich über unsere Verhältnisse. Verrückt. Wann wollte er mir denn mitteilen, dass wir darüber nachdenken, ein Ferienhaus zu kaufen?

Im Flugzeug sitzen wir in einer Dreierreihe – Christoph am Fenster, ich habe den Mittelplatz. Ich hasse den Mittelplatz. Nirgends kann man seine Beine hinstrecken. Zu meiner großen Freude setzt sich einer aus der Ficken-Blasen-Saufen-Gruppe neben mich. Mit Bierdose in der Hand und ordentlicher Bierfahne.

»Auch ein Schlückchen?«, fragt er freundlich.

Christoph wendet mir entsetzt den Kopf zu.

»Gerne«, sage ich, obwohl es mich ein ganz klein bisschen ekelt. Aber es ist eine Art Trotzreaktion. Christoph strebt nach oben, ich orientiere mich in die Gegenrichtung. Der FBS-Mann hält mir freudestrahlend die Bierdose hin, und ich nehme einen guten Schluck.

»Andrea, ich bitte dich!«, entfährt es meinem Mann.

Er schaut, als hätte ich eine Klobrille auf einer Rastanlage abgeleckt.

»Willst du auch was?«, frage ich freundlich.

»Sag mal, geht's noch?«, kommt die prompte Rückfrage.

»Ich bin der Jens!«, stellt sich mein Sitznachbar vor.

»Andrea«, antworte ich und reiche ihm seine Bierdose zurück.

»Kannst jederzeit noch einen Schluck haben!«, redet Herr Ficken-Blasen-Saufen weiter.

»Interessantes T-Shirt!«, sage ich nur.

»Na ja«, wird er ein wenig verlegen, »ist halt ziemlich eindeutig, aber die anderen fanden es gut, und ich wollte kein Spielverderber sein.« Gruppenzwang – da haben wir es.

»Sehr eindeutig«, stimme ich zu, immerhin scheint er sich zu schämen, »und vielleicht auch nicht ganz altersadäquat.«

»Alters … was?«, will er wissen und ich sage,

»Na ja, nicht passend für dein Alter.«

»Was soll's!«, ist sein Kommentar. »Noch ein Schluck Bier, Frau Nachbarin?«

Ich verzichte dankend und dann starten wir.

Zweieinhalb Stunden dauert der Flug, nur unterbrochen von einem Brötchen und einer Dose Bier, die mir Jens spendiert. Er hat mich in sein Herz geschlossen. Normalerweise trinke ich nachmittags kein Bier. Normalerweise trinke ich überhaupt sehr selten Bier. Aber warum eigentlich nicht? Immerhin habe ich Urlaub, muss nicht mehr Auto fahren und so ein kleiner nachmittäglicher Rausch ist auch mal eine feine Sache.

Das scheint Christoph anders zu sehen. Demonstrativ hat er ein Wasser ohne Kohlensäure bestellt. Das ist das neuste. Wasser ohne Kohlensäure. So ähnlich kommt mir auch unsere Beziehung vor. Eine Ehe ohne Prickeln.

»Isst du dein Brötchen nicht auf?«, unterbricht Jens, mein neuer Freund und Bierspendierer, meine schrägen Assoziationen. Ehe ohne Prickeln? Ich überlasse ihm mein angebissenes Brötchen, und er freut sich.

»Bei dem, was wir so wegkippen, muss man eine ordentliche Grundlage haben«, versucht er, mir seinen guten Appetit zu erklären.

Christoph ist ob meiner neuen Flugbekanntschaft reichlich konsterniert. Er sagt gar nichts mehr und nippt an seinem Wässerchen. Wahrscheinlich hat er Angst, dass seine neue Golffreundin, Frau Einkaräterin, mitbekommt, mit wem seine Frau da lustig Bierchen zischt. Immerhin ist Jens, mit dem zugegebenermaßen schlimmen T-Shirt, ansonsten ein netter Kerl. Ich gebe ihm ein paar Urlaubsflirttipps.

»Mit dem T-Shirt wird es schwierig. Das hat, na ja, sagen wir es mal deutlich, ein bisschen was Abstoßendes!«, rate ich ihm dezent zu anderer Oberbekleidung.

»Ist aber doch auch lustig!«, befindet Jens.

»Humor ist eine schwierige Sache. Frauen finden so etwas selten lustig!«, mahne ich.

»Männer auch!«, brummelt Christoph. »Bevor ich so rumlaufen würde, würde ich lieber oben ohne gehen!«, fügt er noch hinzu.

Jens überlegt und greift dann beherzt nach seinem T-Shirt.

»Auch gut!«, nuschelt er, während er sich das T-Shirt über den Kopf streift.

Für einen Mann seines Alters hat er eine ziemliche Wampe. Eine richtige Kugel.

»Und besser so?«, fragt er in Richtung Christoph und der zuckt nur mit den Schultern.

Wenige Minuten später steht eine der Stewardessen neben Jens.

»Das ist kein FKK-Flieger. Wären Sie so freundlich und würden sich wieder anziehen!«, sagt sie streng.

»Man kann es euch Frauen aber auch nie recht machen!«, stellt Jens fest und guckt verwirrt. Irgendwie stimmt das, was er sagt.

Trotzdem ist er brav und streift sein T-Shirt wieder über. Allerdings verkehrt herum. So kann man die Aufschrift nicht mehr lesen.

»Man sollte im Leben kompromissbereit sein!«, teilt er mir mit, und in all seiner Schlichtheit hat er etwas durchaus Weises. In jedem Mann kann eine Überraschung stecken, freue ich mich.

Christoph fängt an, auf mich einzureden, kaum dass wir das Flugzeug verlassen.

»Was sollte denn das eben?«, will er wissen. »Ist das jetzt dein Niveau?« nörgelt er weiter.

War er schon immer so? So ein Korinthenkacker? So ein humorloser Kerl? Oder habe ich mich wirklich dermaßen daneben benommen?

Ja, ich habe Bier getrunken. Ja, und das noch vor achtzehn Uhr. Ja, ich habe mit einem Mann gesprochen, der ein ekelhaftes T-Shirt getragen hat. Ja, ich bekenne mich in all diesen Punkten für schuldig. Einerseits – andererseits: Wo ist das Problem? Es war ein Spaß.

»Wie konntest du nur aus seiner Dose trinken? Das ist ja so was von megaeklig!«, geht das Gemecker weiter.

Megaeklig ist auch megaeklig. Als Wort. Ein Erwachsener, der mega als Silbe vor ein Wort setzt, so einer sagt demnächst auch geil und supi.

»Er hatte offensichtlich keinen Herpes. Außerdem weißt du doch, ich bin da nicht so!«, antworte ich und bemühe mich, nicht zu gallig zu klingen.

Ich bin da wirklich nicht so. Irgendwo habe ich auch mal gelesen, dass die Ansteckungsgefahr lange nicht so groß ist, wie man denkt. Ich würde aus der Dose von fast jedem trinken. Christoph hingegen, ist in dieser Hinsicht sehr speziell. Ich weiß, dass er sich zu Anfang selbst bei mir überwinden musste. Er mag das einfach nicht. Völlig legitim übrigens. Ekelschwellen sind unterschiedlich besetzt und unterschiedlich hoch.

»Es ging mir darum, ein Gegengewicht zu deinem Geplänkel mit der Golf-Tante zu setzen!«, versuche ich, mein durchaus ungewöhnliches Verhalten zu erklären. Aber er kapiert es nicht.

»Habe ich mit ihr etwa Bier aus einer Dose getrunken?«, fragt er irritiert. »Also echt, Andrea, manchmal verstehe ich dich nicht.«

Ich dich auch nicht und vor allem verstehe ich nicht,

warum es uns so schwerfällt, den anderen zu verstehen, denke ich und halte die Klappe. Früher hätten wir über all das hier gelacht …

Unser Gepäck ist schnell da, doch Christoph hat ja noch Sperrgepäck. Nein, nicht mich (obwohl er es sicherlich manchmal so empfindet), sondern sein Golfzeug. Wir warten am Sperrgepäckband und treffen die Fincabesitzer wieder.

»Na, guten Flug gehabt?«, beginnt Christoph sofort wieder ein Gespräch.

»Na ja«, lamentiert Frau Einkaräter, »was kann man erwarten? Charter und Holzklasse – nicht das, was ich mag. Aber zwei Stunden gehen ja gerade noch. Leider gibt es ja keine Business Class. Was will man machen.«

Sie seufzt. Christoph nickt emphatisch mit dem Kopf, gerade so, als hätte ihm Frau Einkaräter von einer sehr schlimmen, unheilbaren Krankheit berichtet. Es fehlt nicht viel und er würde ihr sein Beileid aussprechen.

»Sie«, sie guckt auf mich, »hat es ja ganz arg getroffen!«

Was meint sie denn jetzt?

»Also, ich habe es gut ausgehalten!«, sage ich freundlich. So freundlich wie mir eben möglich. Die tut gerade so, als wäre ich im Frachtraum transportiert worden.

»Na, also da hätte ich mich aber beschwert!«, stöhnt sie auf.

Ich kapiere immer noch nichts. Aber Christoph scheint ein Licht aufzugehen.

»Tja«, wirft er ein, »man kann sich seine Sitznachbarn eben nicht aussuchen, soweit ist es beim Fliegen halt noch nicht.«

Reden die etwa von Jens, meinem großzügigen Bierspender? Müsste ich mich jetzt nicht für ihn in die Bresche werfen? Zum Glück kommt Christophs Golfgepäck bevor ich loslegen kann.

»Na dann!«, trennt sich Christoph nur ungern von seiner neuen Lieblingsfamilie. »Ich wünsche eine schöne Zeit!«

»Gleichfalls«, sagt Frau Einkaräter, »und seien Sie nur vorsichtig, wenn Sie aus dem Flughafen rauskommen. Es gab in letzter Zeit sehr unschöne Diebstähle.«

Ihr Gatte nickt nur. Uff! Die wären wir erst mal los.

Wir verlassen den Flughafen, die Sonne scheint, und ich klammere mich an mein Handtäschchen. Christoph reckt seinen Kopf in Richtung Himmel und strahlt.

»Was für ein Wetterchen!«, freut er sich.

Was hatte er denn im Hochsommer auf Mallorca erwartet? Nebel, Nieselregen und Glatteis? Wetterchen? Seit wann redet mein Mann so? Bald sagt er wahrscheinlich auch noch Prösterchen – oder Stößchen. Ich weiß, das ist ein wenig kleinlich, aber ich finde diese Wortschöpfungen erbärmlich. Dieses gewollt Originelle ist extrem unoriginell.

Wir werden in einem Kleinbus transportiert. Außer uns sind noch zwei Paare und eine Familie mit zwei Kindern im Bus.

»Ist unser siebtes Mal im Robinson Club!«, verkündet eine der Frauen stolz. »Wir fühlen uns sooo wohl dort«, erzählt sie ungefragt weiter.

Was für eine Überraschung. Man fährt ja wohl kaum sieben Mal irgendwohin, wo es scheußlich ist. Eine lebhafte Unterhaltung setzt ein. Wer schon wo in welchem Club war. Ich beteilige mich nicht, sondern schaue aus dem Fenster.

Das also ist Mallorca. Es ist grüner, als ich erwartet habe und das im Hochsommer. Wir brettern über die Autobahn. Lassen Arenal, die Bettenburg und Sammelstelle der Ficken-Blasen-Saufen-Kumpels, die Sangriaeimer-Bucht und das Zuhause von Jürgen Drews rechts liegen. Wir fahren Richtung Osten. Der Club liegt im Südosten der Insel, am Rande von Cala Dor. Küste des Goldes. Großspuriger Name, mal sehen ob er verdient ist. Ich warte auf das Meer. Ich liebe das Meer. Zum Anschauen vor allem. Ein Blick aufs Meer hat etwas Relativierendes. Diese Größe, diese Macht, diese Unendlichkeit. Meer beruhigt mich.

Wir verlassen die Autobahn. Endlich. Campos heißt der erste Ort durch den wir fahren. Nicht gerade aufregend und kein Meer weit und breit. Die Robinson-Club-Sachverständige Ariane gerät beim nächsten größeren Ort ins Schwärmen.

»Das ist Santanyi, hier ist es so hübsch, und die haben einen wunderbaren Markt immer mittwochs und samstags. Und so nette Cafés. Ich setze mich immer ins Hotel Santanyi, trinke einen schönen Aperol Sprizz und beobachte die Marktbesucher.«

Sie kriegt sich vor Begeisterung gar nicht mehr ein. Ich kann auf den ersten Blick aus dem Busfenster nicht in Ekstase verfallen. Ariane scheint meinen Blick bemerkt zu haben.

»Das ist die Umgehungsstraße, drinnen im Ort ist es wirklich total niedlich. Richtig mallorquin.«

Wie auch sonst auf Mallorca. Man könnte denken, sie sei vom Mallorquinischen Tourismusverband und müsste uns noch hier im Bus von der Insel überzeugen. Zwanzig Minuten später halten wir endlich vor dem Club.

»Schön, dass ihr da seid!«, begrüßt uns ein Animateur.

Clubleben heißt mit jedem auf Du und Du zu sein. Alle im Club duzen sich. Kein Problem. Ich bin oft kleinlich, spießig und auch prüde, aber das macht mir relativ wenig aus.

Auf Christoph wartet gleich an der Rezeption schon eine Nachricht.

»Schnapp die Eisen, wir sind auf der Driving Range! Fritz.«

»Wer, um alles in der Welt, ist Fritz?«, frage ich Christoph, dem ich ansehe, dass er am liebsten sein Golfbag schnappen und direkt losrennen würde.

»Fritz ist der Heine Fritz, mein Golffreund aus dem Club. Die Heines sind schon heute Morgen angekommen. Mann – und da ist der schon auf der Range, cool.«

Sehr cool.

»Können wir erst noch aufs Zimmer oder willst du gleich zur Range?«, frage ich meinen Mann und meine diese Frage natürlich keineswegs ernst. Er sieht aus, als würde er tatsächlich überlegen.

»Erst aufs Zimmer«, antwortet er, und ich bin dann doch erleichtert. Jedenfalls so lange bis er sagt: »Ich muss mich ja wenigstens umziehen, kann ja schlecht so zum Golfen!« Er grinst.

Jetzt muss ich schon in Konkurrenz zum Golfspiel treten. Das ist demütigend

»Ich zeig euch mal, wo euer Zimmer ist!«, unterbricht uns eines von diesen immer freundlichen Wesen, genannt Animateur. »Ich bin der Hansi!«, strahlt er uns an. Hansi ist blutjung und augenscheinlich verzückt von seinem Aufgabengebiet.

Die Clubanlage macht so auf den ersten Blick einen guten Eindruck. Sauber, architektonisch ganz nett und unser Zimmer ist zwar klein, aber okay. Ich habe eh nicht vor, viel Zeit im Zimmer zu verbringen, und wenn überhaupt, dann im Bett.

»Wollen wir uns erst mal ein Stündchen hinlegen?«, frage ich, so kokett wie möglich, kaum dass ich die Tür hinter mir zugezogen habe.

»Hinlegen – mitten am Tag?«, kommt die sofortige Rückfrage. »Lass uns den Club erkunden!«, schlägt mein Mann alternativ vor.

Immerhin, er hat von uns beiden gesprochen. Früher hätte ich das mit dem Hinlegen nur andeuten müssen und er wäre im Bett gewesen, aber früher war eben früher. Gemeinsam den Club zu erkunden ist ja auch schon mal eine nette Idee. Immerhin rennt er nicht direkt zu seinen Golfkumpels auf diese ominöse Driving Range. Vielleicht darf man nicht gleich zuviel erwarten.

Die Clubanlage ist schön, der Wellnessbereich riesig, der angrenzende Strand winzig. Aber es ist ein Strand da. Und das Meer.

»Lass uns die Badesachen holen und ein bisschen am Strand liegen und aufs Meer gucken!«, schlage ich meinem Mann vor. Er willigt ein, möchte aber vorher noch einen kurzen Blick auf die umliegenden Sportanlagen des Clubs werfen.

»Es gibt Tennisplätze, ein Fußballfeld, ein riesiges Arenal mit Sportmöglichkeiten!«, zählt er begeistert auf.

Natürlich ist dort garantiert auch diese Driving Range. Aber – ach, was soll's.

»Lass uns aufs Zimmer gehen, da ziehen wir uns um, und ich gehe vor zum Strand. Du kannst ja dann nachkommen!«, zeige ich mich kompromissbereit.

Man muss auch gönnen können. Schließlich haben wir Urlaub und sind auch keine siamesischen Zwillinge.

»Abgemacht!«, stimmt er auch direkt zu.

Eine Viertelstunde später liege ich am Strand. Allerdings nicht im orangefarbenen Bikini – für den müsste ich entweder ordentlich alkoholisiert oder irgendwie anderweitig enthemmt sein. Zumindest braungebrannt wäre gut. Ich mag es, einfach nur am Strand zu liegen. Ohne zu lesen und ohne Stöpsel im Ohr. Ich gehöre sowieso nicht zu den Menschen, die ständig Musik auf den Ohren haben. Schon aus der Angst heraus, um mich herum vielleicht etwas zu verpassen. Außerdem finde ich, es wirkt irgendwie auch leicht autistisch und nicht wirklich kommunikativ. Kopfhörer auf den Ohren sagen: Lass mich ja in Ruhe! Zu Hause allerdings wäre das definitiv manchmal eine Botschaft in meinem Sinne. Sollte ich mal in Betracht ziehen. Meine Kinder machen das ja oft genug.

Die Kinder. Ich überlege, ob ich nicht schon mal bei Claudia und Rudi anrufe, entscheide mich aber dagegen. Ich möchte auf keinen Fall wie die Übermutti erscheinen, die es kaum einen halben Tag ohne ihren Nachwuchs aushält. Außerdem sollen sie nicht das Gefühl haben, kontrolliert zu werden. Jedenfalls Rudi nicht. Claudia könnte ein wenig Angst vor Kontrolle nicht schaden.

Ich beäuge die Menschen um mich herum. Stelle mir vor, ich wäre Single und auf Männersuche. Ich liebe Gedankenspiele. Die Ausbeute ist klein. Gut, der Strand ist auch klein, aber immerhin liegen etwa 30 Männer hier rum. In Badehose lässt sich wenig kaschieren. Ich weiß, wovon ich rede! Keiner der Männer sieht so aus, dass ich spontan bereit wäre, mich auch nur auf einen Kaffee zu verabreden. Dabei bin ich, was Äußerlichkeiten angeht, gar nicht mal streng. Wie auch? Ich gehöre nun mal auch nicht zur allerersten Liga. Egal, wie wohlwollend man mich betrachtet. Mittelalt, mittelschlank, mittelhübsch. Und mitteldick – je nachdem, mit wem man mich vergleicht. Das ist nichts, womit man sich als Superbeauty qualifiziert. Ein Mann, der mir gefällt, muss nicht umwerfend aussehen. Aber er muss irgendetwas in mir ansprechen. Und er muss so aussehen, dass ich mir vorstellen könnte, ihn zu küssen – lange und mit allem. Insofern ist Aussehen doch wichtig für mich, denn wenn ich ihn nicht lecker finde, mag ich mir gar nichts vorstellen – egal wie humorvoll, intelligent, großzügig und charmant er ist.

Ein Drittel der Männer hier am Strand ist tätowiert. Mal mehr, mal weniger dezent. Eine winzig kleine Tätowierung lasse ich mir ja noch gefallen, aber großflächige Inschriften mag ich nicht. Da lese ich lieber ein Buch. Männer mit Beschriftung haben etwas Verstörendes. Was Haare angeht, bin ich nicht so speziell. Ich habe auch nichts gegen keine Haare. Lieber eine ordentliche Glatze als diese mühsame Resthaarverwaltung. Drei Haare sorgsam gelegt sind peinlich. Bärte sind nicht mein Schönstes, aber kein Ausschlusskriterium. Figürlich, wenn möglich, nicht zu dünn. Sonst fühle ich mich dick, und das tut mir nicht gut. Ich möchte keinen Mann, der wie Karl Lagerfeld in eine 26er Jeans passt. Schon der Gedanke macht mir schlechte Laune. Das Problem mit dem Zu-Dünn-Sein haben hier am Strand allerdings die wenigsten Männer. Die meisten haben eine ordentliche Wohlstandswampe, tragen sie aber sehr ungeniert vor sich her. Wo sind nur all die Mens-

Health-Cover-Boys, wenn man sie mal braucht? Hier jedenfalls nicht.

Nein, wirklich attraktiv finde ich hier keinen. Ich gebe den »Strandjungs« Noten. Nur so zum Spaß, und um mich zu beschäftigen. Wenn ich von einem Mann hören würde, dass er am Strand liegt und Frauenkörper benotet, wäre ich mit Sicherheit die Erste, die Hassschaum vor dem Mund hätte. Aber bei mir ist es selbstverständlich etwas völlig anderes …

Bei mir ist das nur ein reines Gedankenspiel, mit dem ich mich auf ein mögliches Singledasein einstelle. Rein prophylaktisch sozusagen. Man könnte auch meinen als abschreckende Maßnahme. Bei dem, was ich hier sehe, muss ich Sabine uneingeschränkt recht geben. Die Auswahl ist, positiv formuliert, bescheiden.

Inzwischen schmore ich seit etwa eineinhalb Stunden in der prallen Sonne, und noch immer ist Christoph nicht aufgetaucht. Will er abwarten, bis ich durchgebraten bin? Bis es dunkel wird, und er sich keinen Sonnenbrand mehr holen kann?

So oder so, es scheinen jedenfalls sehr große Sportanlagen zu sein, die der Club hier hat.

Nach zweieinhalb Stunden habe ich das komplette Männermaterial mehrmals gründlich gescannt, bin im Meer gewesen, nur bis zum Hals allerdings, und mein Körper schimmert in einem satten Rosa. Es reicht. Immer noch kein Christoph weit und breit. Trotz Sonne und Meerblick steigt ein Hauch von Ärger in mir auf. Wo steckt der bloß? Soll ich jetzt kreuz und quer durch die weitläufige Anlage laufen, um Christoph zu suchen?

Ich werde aufs Zimmer gehen, mich umziehen und dann zum Essen gehen. Ich habe nach meinem kleinen

Bissen Flugzeugbrötchen nämlich verdammten Hunger. Das ist ein Zustand, in dem ich etwas ungemütlich werden kann. Deshalb gelte ich in Diät-Phasen auch als nicht gesellschaftsfähig. Fast schon als gefährlich. Eine große Gruppe aus diätenden Frauen könnte man weltweit in jede Armee bestens integrieren. Geködert mit ein paar Kohlenhydraten oder einer schönen warmen Mahlzeit mit Sättigungsbeilage wären Frauen zu sehr vielem fähig.

Kaum stehe ich unter der Dusche und begucke meinen Körper, der vom Hautton her Miss Piggy Konkurrenz machen könnte, betritt Christoph das Bad.

»Meine Güte, was ist denn mit dir passiert?«, fragt er mit Blick auf meinen Körper.

Ich denke selbstverständlich, er meint meine Haut und nicht die Spuren, die die Zeit in den letzten Jahren hinterlassen hat.

»Ich habe am Strand auf jemanden gewartet! Das ist mit mir passiert!«, antworte ich und bin selbst überrascht, dass unsere Gespräche neuerdings immer einen kleinen kämpferischen Unterton haben.

»Meine Güte«, reagiert auch Christoph sofort genervt, »ich habe zufällig den Fritz und den Lukas auf der Driving Range getroffen, da wird man sich ja mal unterhalten dürfen.«

»Jeder setzt seine eigenen Prioritäten!«, kontere ich blitzschnell und habe das Gefühl, einen Punkt gemacht zu haben.

»Früher warst du nicht so kleinlich! Aber lass uns diese unerfreuliche Debatte verschieben, ich habe Hunger!«, sagt Christoph und zieht die Tür zum Schlafzimmer hinter sich zu. Ich dusche zu Ende und creme meinen geschundenen Körper gründlich ein. Morgen könnte ich ohne alles zum Pool gehen. Ich trage einen Badeanzug aus weißer Haut, der sich herrlich vom, mittlerweile satten, Pink des restlichen Körpers abhebt. Ich bin eine Art menschliches Colour-Blocking. Wenn ich zu meinem Pink den orangefarbenen Bikini tragen würde, könnte ich auch als Warnsignal im Straßenverkehr arbeiten.

»Wir treffen die Heines und die Dollingers in fünfunddreißig Minuten im Clubrestaurant zum Essen!«, teilt mir mein Mann netterweise noch mit.

Am liebsten wäre mir, ich könnte sagen: »Viel Spaß! Ich habe am Strand schon andere Verabredungen getroffen«, aber da ich nicht mehr fünf Jahre alt bin, verschiebe ich mein Beleidigtsein und sage nur: »Ich beeile mich.«

Meine Haut brennt, und ich würde am liebsten nackt gehen. Ich entscheide mich für ein leichtes Sommerkleid ohne Ärmel, und selbst das ist nicht wirklich angenehm auf der Haut.

»Hast du dich nicht eingecremt, oder was ist los?«, fragt mich ausgerechnet der Mann, der normalerweise findet, dass Sonnencreme nur etwas für Weicheier ist.

»Nicht genug!«, antworte ich knapp, und wir gehen los.

Auf Gaby freue ich mich fast. Es sieht ja ganz danach aus, als würde ich meine Ferien hauptsächlich mit ihr verbringen. Zum Glück spielt sie kein Golf.

»Wir haben morgen früh eine Startzeit!«, verkündet mir mein Mann noch schnell auf dem Weg.

»Was heißt das jetzt genau?«, frage ich nach.

»Na was wohl«, antwortet er ungeduldig, »wir spielen Golf in Vall D'or, dem Platz hier in der Nähe.«

»Und was mache ich?«, will ich wissen.

»Du kannst ja mitkommen und dich auf die Terrasse

setzen. Oder mit uns über den Platz laufen«, ist Christoph nicht um eine Antwort verlegen.

Der hat ja nicht alle Tassen im Schrank. Ich soll mich vier Stunden auf eine Terrasse setzen, um zu warten, bis die Herren ihre Golfrunde beendet haben? Spannender geht's ja wohl kaum.

»Du spinnst doch!«, sage ich nur und gucke beleidigt.

Unser erster Urlaubstag – und mein Mann verzieht sich auf den Golfplatz. Was habe ich bloß erwartet?

»Du kannst dir doch auch einen netten Tag hier im Club machen, mal ins Fitnessstudio gehen oder so!«, schlägt Christoph dann noch vor.

Eine Idee toller als die andere!

»Jetzt lass uns erst mal gucken, wo die anderen sind!«, sagt Christoph, als wir das Clubrestaurant betreten.

Endlich! Gleich gibt's Nahrung. Es riecht wunderbar und mein Blick fällt auf ein gigantisches Büfett. Das hebt meine Laune sofort. Essen ist wirklich der Sex des Alters. Alle sitzen an großen Tischen – ein Prinzip des Clublebens um das Miteinander zu stärken.

»Andrea!«, kreischt es auf einmal quer durch den Raum.

Es ist Gabys Stimme. Sie sitzen draußen. Ich erkenne Gaby sofort. Sie winkt und ihr Blondhaar schwingt hin und her. Schön, dass mein Erscheinen mal eine solche Begeisterung auslöst. Lukas hat seinen unvermeidlichen dunkelblauen Blazer mit Goldknopf an und Gaby ein maritimes Sommerkleidchen mit der Betonung auf chen. Wenig Kleid mit viel Geringel. Neben Gaby und Lukas sitzt ein weiteres Paar. Das müssen die Heines sein. Ich begrüße zunächst Gaby und Lukas und dann fällt mein Blick auf Herrn Heine.

»Das ist der Fritz!«, sagt mein Mann. Ich sehe Fritz

und weiß sofort, dass ich ihn schon mal gesehen habe. Dieses gegelte Haar, dieser arrogante Blick – schlagartig weiß ich, wer Fritz ist. Scheiße, Scheiße, Scheiße. Fritz ist der Jaguar-Mann. Das Arschloch, das mir den Parkplatz weggeschnappt hat. Oh mein Gott! Wie kann das sein? Es gibt Millionen Kerle, nein Milliarden auf der Welt und hier sitzt jetzt ausgerechnet der Fritz, dem ich den Jaguar geklaut habe. Er mustert mich sehr gründlich.

»Kennen wir uns nicht?«, fragt er dann und meine pinkfarbene Gesichtshaut wechselt abrupt zu einem dunklen Rot.

»Nicht, dass ich wüsste!«, antworte ich so ruhig wie möglich.

»Und das ist seine Frau Katharina«, stellt mir Christoph die Ehefrau vom Gel-Arsch vor.

Katharina ist eine aparte Person. Sehr schmal, dunkles Haar, zum Bob frisiert, leicht gebräunt, aber mit etwas angespannten Mundwinkeln. »Hallo!«, sagt sie nur.

Ich stammle ebenfalls »Hallo« und will am liebsten auf der Stelle verschwinden.

»Ich bin mir sicher, Sie zu kennen!«, legt Fritz noch mal nach.

»Dich!«, lacht Lukas. »Wir sind im Club, sei nicht so steif Fritzi, hier wird geduzt.«

»Also gut«, fügt sich Fritz, »dann bin ich mir eben sicher, dich zu kennen.«

»Ne«, sage ich, mit so fester Stimme wie möglich, »das wüsste ich doch, ich habe ein sehr gutes Personengedächtnis. Und ich spiele kein Golf.« Ich hoffe, er lässt sich überzeugen. Er sieht nicht so aus.

»Ich komme schon noch drauf!«, bleibt er hartnäckig. Ich hoffe inständig, dass er nicht drauf kommt.

Fritz und Katharina sind ein hübsches Paar, keine Frage. Sie sieht so aus, wie man sich eine Klischee-Pariserin vorstellt. Chic, zart, aber energisch. Sie hat nichts Besonderes an, sieht aber trotzdem besonders aus. Das ist die hohe Kunst. Hose, Top, ein paar Ohrringe – fertig. In meinem geblümten Sommerkleidchen komme ich mir im Vergleich wie eine Vorstadt-Liesel vor. Trutschig, moppelig und verbrannt.

»Jetzt lasst uns essen!«, schlägt Lukas vor.

Jetzt und hier an diesem Tisch mit Jaguar-Mann zu essen, erscheint mir extrem heikel. Je länger er mich sieht, umso höher die Wahrscheinlichkeit, dass er sich erinnert. Aber deswegen mit leerem Magen aufs Zimmer zu verschwinden, kommt auch nicht in Frage. Hunger geht immer vor. Außerdem kann ich ihm ja nicht dauerhaft aus dem Weg gehen. Solange ich hartnäckig abstreite, ihn je gesehen zu haben, kann ja eigentlich nichts passieren. Und wie schon Albert Einstein gesagt hat: Inmitten von Schwierigkeiten liegen massenweise Gelegenheiten! Ich nutze also die Gelegenheit zur Nahrungsaufnahme.

Das Essen ist wunderbar. Bei dem Gedanken täglich an dieses Büfett gehen zu können, hebt sich meine Laune augenblicklich, auch wenn das bedeutet, dass der orangefarbene Bikini in sehr weite Ferne rückt. Wenn ich ab jetzt jeden Abend so reinhaue, werde ich auf dem Rückflug ein Stück Ergänzungssicherheitsgurt brauchen. Ab morgen werde ich mich zügeln und stundenlang Sport treiben. Aber heute brauche ich die Kalorien, um mich zu beruhigen. Ich weiß es wirklich sehr zu schätzen, wenn ich nicht selbst für die Nahrungszubereitung zuständig bin. Und zu wissen, dass man nach dem Essen nicht abräumen, Spülmaschine einräumen und ähnliche Dienstleistungen verrichten muss, ist ein zusätzlicher Vorteil. Auch die Nachspeisen sind unglaublich lecker. Ich gehe so oft zum Büfett, dass man denken könnte, ich würde für eine ganze Kompanie das Essen heranschleppen. Aber sobald ich am Tisch sitze, nutzt Fritz die Gelegenheit, mich genau anzuschauen. Man sieht richtiggehend, wie es in seinem Gehirn rattert. Wie er sich wieder und wieder fragt, woher er bloß mein Gesicht kennt. Heute bin ich erstmals fast froh, ein ziemliches Allerweltsgesicht zu haben.

Ich halte den Kopf gesenkt und widme mich der Crema Catalan. Die Unterhaltung ist etwas schleppend. Die Männer reden übers Golfen und Gaby brabbelt einfach munter vor sich hin. Sie macht Pläne für die nächsten Tage. Für Katharina, mich und sich selbst. Katharina wirkt nicht besonders interessiert.

»Ich habe einiges an Literatur dabei, ich werde mich an den Pool legen und lesen!«, gibt sie Gaby dezent einen Korb.

»Und wir zwei, was machen wir, Andrea?«, lässt sich Gaby nicht so schnell den Wind aus den Segeln nehmen. »Wollen wir zu Yoga gehen? Oder zum Spanischkurs? Oder worauf hast du Lust?«, erkundigt sie sich freundlich.

Gaby ist, all meiner früheren Vorurteile zum Trotz, wirklich liebenswürdig. Trotzdem – allein die Vorstellung, eine Woche, rund um die Uhr, mit Gaby zu verbringen, erscheint mir anstrengend. Es gibt wenige Freundinnen, mit denen ich mir das vorstellen kann. Und die große Frage lautet: Ist Gaby eine dieser Freundinnen? Haben die paar Pilze uns so eng zusammengeschweißt?

»Lass uns morgen mal alles erkunden, und dann entscheiden wir!«, sage ich so freundlich wie möglich. Ich bringe es einfach nicht fertig, Gabys Enthusiasmus einen weiteren Dämpfer zu verpassen. Sie kann schließlich nichts für Christophs Verhalten. Wahrscheinlich geht es ihr mit Lukas ähnlich.

»Spielen Sie denn Golf?«, frage ich freundlich bei Katharina nach.

»Ja, aber ich habe meine Sachen nicht mit«, antwortet sie knapp.

Klingt nicht so, als wäre sie darauf aus, freundliche Konversation zu machen.

»Katharina hat Handicap neun! Sie ist die beste Golferin von uns allen!«, teilt mir Christoph mit.

»Toll!«, sage ich und habe keine Ahnung was Handicap neun bedeutet. Ich frage aber nicht nach, schon weil ich keinerlei Lust darauf habe, dass mir Christoph ein weiteres Mal diesen Handicapquatsch erklärt.

Nach dem Essen trinken wir noch einen Absacker an der Bar und Gaby versucht mich zu überreden, die Michael-Jackson-Show anzuschauen.

»Hier gibt's jeden Abend Programm! Das ist doch phantastisch!«, freut sie sich.

Ich bin nicht ganz so begeistert. Eigentlich wollte ich nicht unterhalten werden, sondern mich selbst unterhalten.

»Ach, Gaby, ich bin ein bisschen müde von der Reise, nach dem Glas gehe ich ins Bett und schlafe mich mal richtig aus«, drücke ich mich vor der Show.

Ich bin kein Fan von Laienshows. Die kann ich nur aushalten, wenn ich sehr viel getrunken habe. Außerdem stehe ich auch nicht wahnsinnig auf Michael Jackson.

»Die Shows sind immer richtig toll!«, schwärmt Gaby, aber als sie mein Gesicht sieht, kapituliert sie. »Ist schon okay. Wenn du müde bist, gehen wir einfach morgen

Abend zu einer Show. Die haben hier jeden Abend Programm!«

Christoph ist auch dafür, schlafen zu gehen.

»Wir haben eine frühe Startzeit!«, ist sein Argument.

Eigentlich wäre das ein perfekter Abend, um noch ein bisschen Sex zu haben. So als Einschlafhilfe. Was nicht despektierlich gemeint ist. Sex muss ja nicht immer rasend und voller Leidenschaft sein. Es gibt ja auch die eher gemütliche Variante. Wäre als Wiedereinstieg in die Materie vielleicht gar nicht übel.

Wenn unsere Sexpause noch länger dauert, kann ich Christoph verklagen. Hat eine Frau in Frankreich tatsächlich gemacht. Nachdem ihr Mann ihr jeglichen Sex verweigerte, hat sie ihn vor Gericht gezerrt. 10000 Euro hat sie erstritten – die Ehe allerdings wurde daraufhin geschieden. Verständlicherweise. Von beiden Seiten.

Soweit möchte ich es ungern kommen lassen. Allein der Gedanke: Einen Prozess zu führen, um mal wieder Sex mit dem eigenen Mann zu haben! Das ist wahre Demütigung! Ich weiß gar nicht, für wen dieser Prozess peinlicher ist? Möchte man sich öffentlich als die Frau präsentieren, mit der selbst der eigene Mann nicht ins Bett will?

Christoph putzt seine Zähne, und wie er da so in seiner Boxershorts vor dem Waschbecken steht, finde ich ihn süß. Ich umschlinge ihn von hinten und drücke mich an ihn. Einer muss ja mal anfangen. Oder besser gesagt: Eine!

»Du glühst ja förmlich!«, ist sein Kommentar.

Kein Wunder! Mein Körper ist außen verbrannt und glimmt innen nach.

»Ja, das tue ich!«, hauche ich, so verführerisch wie ich kann, in sein Ohr.

»Meine Güte, lass mal los, ich fange sonst direkt an zu

schwitzen. Es ist ja schon heiß genug draußen. Ich bin froh, dass die Klimaanlage hier drin geht!«

Wie charmant. Und wie romantisch. Und wie leidenschaftlich. Alles zerstört innerhalb von wenigen Sekunden.

»Das war eine Annäherung! Hey – ich will was von dir!«, versuche ich, die nonverbale Botschaft zu übersetzen.

Wenn dezente Hinweise nicht reichen, dann eben massive. So schwer von Begriff war Christoph früher nicht. Möglicherweise will er meine Hinweise gar nicht verstehen und versucht, sich elegant aus der Affäre zu ziehen.

»Ich bin wirklich müde, Andrea!«, sagt er nur. »Ich weiß sowieso nicht, ob das mit deinem Sonnenbrand eine so gute Idee wäre!«

Fehlt nur noch, dass er Kopfweh hat. Die Sorge um meinen Sonnenbrand finde ich auch etwas albern. Es ist ja immerhin mein Sonnenbrand. Und außerdem wäre er ja wohl meine – und nicht seine – Entschuldigung.

Ich creme mich noch mal komplett ein und verbringe ein bisschen Zeit im Badezimmer, um die Schmach zu verdauen. Aber ich gebe nicht auf! Im Bett robbe ich mich an mein Objekt der Begierde heran. Herr Reimer würde sich mit Sicherheit nicht so bitten lassen, denke ich.

»Du bist total glitschig«, nuschelt Christoph, und es hört sich fast ein bisschen angeekelt an.

Natürlich bin ich glitschig – schließlich bin ich frisch eingecremt. Zu Hause hätte ich Angst vor den Folgen für die Bettwäsche. Hier ist es mir egal. Zum Glück sind hier andere für Themen wie Bettwäsche und Handtücher zuständig. Der Mann an meiner Seite hat seine Beißschiene an. Gegen das nächtliche Zähneknirschen.

»Nimm die mal raus!«, fordere ich ihn auf und deute auf seinen Mund.

Ich hasse dieses Plastikteil. Sexy ist was anderes. Allerdings hasse ich auch das Knirschen. Eine ambivalente Situation. Obwohl Schienenkompromisse leicht möglich sind. Schiene raus – küssen, Sex, das volle Programm, einmal mit allem quasi –, dann, vor dem Schlafen, Schiene wieder rein.

»Los raus damit!«, werde ich ganz deutlich. »Lass uns knutschen!«, quengle ich.

»Andrea, ich schlafe schon fast!«, nuschelt Christoph zurück, und beim Sprechen flutscht die Schiene leicht hin und her. Wirklich nicht sexy.

Davon abgesehen erkenne selbst ich einen Korb, wenn er so riesig ist wie der, den ich gerade eben bekommen habe. Ein Gigakorb. Wahrscheinlich vom Weltall aus zu sehen. So groß, dass er alles verdeckt, zerdrückt und zerstört. Körbe sind generell kein Grund zur Freude – dieser hat etwas ganz besonders Trauriges. Man überwindet sich, gibt sich einen Ruck und man erntet eine so deutliche und brutale Abfuhr. Das führt mit Sicherheit nicht dazu, dass man sofort wieder den nächsten Versuch startet. Im Gegenteil. Der Korb versaut uns also nicht nur den heutigen Abend (vor allem mir!), sondern auch die nächsten.

Dabei liest man doch ständig, dass Frauen einfach nur mehr in die Offensive gehen müssen. Sich mehr trauen sollen. Tja, in der Theorie eine wunderbare Idee – in der Praxis frustrierend. Männer müssen in ihrem Leben so manchen Korb wegstecken. Einfach weil sie es sind, die normalerweise den ersten Schritt machen. Oft genug werden sie dann unbarmherzig und knallhart von Frauen abgebügelt. Auch ich war häufig nicht wirklich charmant. Ein Fakt, den ich heute Abend bereue. Ein Korb vom eigenen Mann ist allerdings noch mal ein Spezialfall. Eigentlich sollte man ja vermuten, dass man sich hier auf sicherem, korbfreiem Gebiet bewegt. Pustekuchen …

Aber immerhin – ich habe verstanden. War ja auch schwer misszuverstehen.

Ich liege wach und schwitze mich durch die Nacht, trotz hochtouriger Klimaanlage. Meine innere läuft leider nur noch sehr untertourig …

Und jetzt hatte ich gestern Abend mal ein paar Hormone mobilisiert – und dann das! Was für eine Niederlage! Ich fühle mich nicht nur schwitzig, sondern auch unattraktiv, einfach nicht begehrenswert.

Christoph brabbelt vor sich hin. Ich kann nichts verstehen, aber das ist wahrscheinlich auch besser so. Wer weiß, vielleicht probiert er im Traum neue Ausreden aus?

10

Um halb sieben klingelt der Wecker. Wohlgemerkt – im Urlaub! Christoph ist schlagartig putzmunter und springt aus dem Bett.

»Guten Morgen!«, ruft er freudestrahlend.

»Es ist halb Sieben!«, knurre ich zurück.

Wozu hat man Urlaub, wenn man nicht ausschlafen kann? Ich bin keine Der-Frühe-Vogel-Fängt-Den-Wurm-Frau. Im Gegenteil: Der frühe Vogel kann mich mal. Im Alltag muss ich früh aufstehen, schon deshalb liebe ich das Ausschlafen.

»Du spielst doch erst um Neun!«, erinnere ich meinen Mann, der schon in Richtung Badezimmer strebt.

»Der Fritz und ich wollen vorher noch auf die Driving Range zum Einspielen!«, erklärt er seine Hektik.

Der Fritz. Den hatte ich gar nicht mehr auf dem Zettel. Hoffentlich hatte Fritz keine nächtliche Eingebung!

»Und kommst du mit zum Golf?«, fragt mein Mann doch tatsächlich, während er sich seine Golfklamotten zusammensucht.

Wie nett von ihm zu fragen! Ha. Eigentlich müsste er doch so langsam kapiert haben, dass es kaum etwas Langweiligeres für Nicht-Golfer gibt. Ich habe es ihm schon zigmal erklärt. Ich bin doch nicht im Urlaub, um mir makellosen Rasen anzusehen und dazu drei Kerle, die versuchen, einen kleinen Ball in ein sehr kleines Loch zu bugsieren. Ich bin allein vom Vorschlag genervt. Hört dieser Mann mir eigentlich nie zu? Ist das so schwer zu verstehen?

»Nein, ich komme nicht mit, heute nicht, definitiv

nicht«, teile ich ihm, so freundlich wie gerade eben noch möglich, mit. Das fehlt noch: Stundenlanges neben Fritz Herlaufen. Ich sollte ihm so wenige Chancen wie irgendwie möglich zum Erinnern geben.

»Na, dann sehen wir uns spätestens heute Nachmittag. Pass auf mit der Sonne!«, sagt er freundlich. »Kommst du mit zum Frühstück?«, will er immerhin auch noch wissen.

»Ne, ich gehe später«, antworte ich.

Warum jetzt abhetzen, nur um den Herren ein paar Minuten Gesellschaft zu leisten? Wer allein zum Golfen geht, kann auch allein frühstücken.

»Dann beschwer dich aber nachher nicht wieder, ich hätte keine Zeit für dich!«, antwortet Christoph, während er sich seine Golfkappe auf dem Kopf zurechtrückt.

Rechnen wir jetzt schon in Minuten ab? Versucht er sich mit kleinen Frühstückseinladungen ein Zeitpolster zu erarbeiten? Beschwere ich mich wirklich so viel? Ich finde nicht. Im Gegenteil: Wenn ich alles sagen würde, was mir so auf den Wecker geht, würde er sich wundern. Sehr wundern. Mein Genörgel zieht mich selbst runter. Ich mag mich so auch nicht. Aber alles kann ich halt doch nicht schlucken. Es muss eben manchmal raus.

Christoph geht, und ich versuche, noch ein bisschen zu schlafen. Wenn man schon mal wach war und dann wieder einschläft, träumt man oft verrücktes Zeug. In meinem Traum reitet Fritz auf einem Jaguar und beide zeigen mir die Zähne … Fritz und der Jaguar … gruselig …

Gegen zehn Uhr wache ich auf und bin froh, dass mich im Traum keiner gefressen hat. Jetzt will ich frühstücken. Meine Haut hat sich über Nacht ein wenig beruhigt und ich schmiere mich vorsorglich mit Lichtschutzfaktor 25 ein. Das dürfte ja wohl reichen.

Beim Frühstück treffe ich auf Katharina, die Ehefrau von Fritz, die jetzt, bei Tageslicht besehen, noch brauner aussieht. Hat sie die Nacht auf dem Solarium verbracht? Katharina ist ähnlich wortkarg wie gestern Abend und löffelt ihren Obstsalat. Ich starte mit Rühreiern. Mit Tomate und gebratenem Speck. Man hat zwar eine gewisse Esshemmung, wenn man Frauen wie Katharina gegenübersitzt, die, obwohl sie so zart sind, nur ein wenig Obstsalat zu sich nehmen. Aber ich kann die Esshemmung überwinden. Das Büfett ist wirklich großartig, und es wäre schade, nicht zuzuschlagen. Auch ich entscheide mich für Obstsalat, allerdings als Beilage zu einem schönen dicken Pfannkuchen und einem Stück fettgetränktem French Toast.

»Und was hast du heute vor?«, versuche ich so was wie Konversation.

Sie zuckt mit den Schultern.

»Weiß nicht«, antwortet sie. »Lesen wahrscheinlich.«

Keine Gegenfrage, ihr Interesse an einer Unterhaltung scheint gering zu sein. Ich sage auch nichts mehr, obwohl es mir schwerfällt. Nicht, dass ich in Plauderlaune wäre, aber so ein angestrengtes Nicht-Miteinander-Reden stresst mich. Katharina wartet nicht mal ab bis ich fertig bin. Kaum hat sie ihr letztes Löffelchen Obstsalat intus, verabschiedet sie sich.

»Schönen Tag!«, sagt sie nur. Kein Gedanke an irgendwelche Gemeinsamkeiten. Keine Verabredung, kein Wollen-Wir-Zusammen-Mittag-Essen. Nichts von alledem. Das war deutlich. Dann halt nicht. So scharf bin ich auf die Frau von Mister Jaguar auch nicht. Aber obwohl ich sie nicht sonderlich sympathisch finde, ärgert mich ihr Verhalten irgendwie. Ich will gemocht werden. Selbst von Katharina. Ich weiß, das spricht nicht für mein Selbstbewusstsein.

Kaum ist sie weg, habe ich neue Gesellschaft. In einem Club ist man nur allein, wenn man sich in seinem Zimmer befindet oder sich versteckt. Ansonsten ist es eine Art betreutes Reisen. Man sitzt an großen Tischen und überall lauern wahnsinnig gutgelaunte Menschen, die einen ekstatisch begrüßen. Es ist befremdlich, hat aber etwas Ansteckendes. Es gibt nur zwei Möglichkeiten damit umzugehen: Rückzug und verhaltenes Fremdschämen oder Mitmachen und infizieren lassen. Ich entscheide mich für Mitmachen. Was bleibt mir auch übrig? Ich will mich stimmungsmäßig nicht noch mehr runterziehen lassen. Hier eine Woche mit Motzgesicht über die Anlage zu laufen, ist auch nicht gerade eine schöne Aussicht.

»Du«, unterbricht mich eine junge Stimme, »hast du Lust auf Wassergymnastik?«

Lust wäre übertrieben, aber da ich ansonsten keine Pläne habe, willige ich ein.

»In einer halben Stunde im Pool!«, sagt der freundliche junge Kerl begeistert und grinst mich an.

»Ich komme!«, verspreche ich und denke: Mal sehen.

»Und du bist gerade angekommen, oder?«, fragt mich eine Mittvierzigerin in knackigen Hotpants, die mir am Tisch gegenübersitzt. »Ich bin die Lieselotte aus Duisburg!«, stellt sie sich direkt vor.

»Andrea, aus der Nähe von Frankfurt«, antworte ich artig.

Lieselotte und Hotpants. Ein Name kann wirklich alt

machen. Da kann man sich mit der Optik noch so viel Mühe geben, wenn man Lieselotte heißt, versaut einem das jedes Anti-Aging-Konzept.

»Wollen wir zusammen zur Wassergymnastik gehen?«, fragt mich Lieselotte.

Jetzt bin ich dran, aus der Wassernummer komme ich nicht mehr raus.

»Fein«, antworte ich deshalb, »wir sehen uns am Pool.«

Erstaunlich, dass ich noch gar nichts von Gaby gesehen habe. Wo die wohl steckt? Dafür, dass sie so großartige Pläne mit uns beiden hatte, bin ich doch überrascht, sie nirgends zu entdecken. Na ja, sie wird schon auftauchen. Nach Christophs Korb und Katharinas abweisendem Verhalten sehne ich mich richtiggehend nach jemandem, der freiwillig und gerne Zeit mit mir verbringt.

Brav stehe ich eine halbe Stunde später im Wasser und versuche, den Anleitungen einer jugendlichen Aquagymnastiklehrerin zu folgen. Sie ist etwa halb so alt wie ich, und wenn sie sich bewegt, sieht man ihre Bauchmuskulatur. Ihr unglaublich dickes braunes Haar hat sie lässig zu einem Pferdeschwanz gebunden, und ich komme mir bei ihrem Anblick vor wie 100. Bisher dachte ich, Wassergymnastik sei etwas für schlaffe Senioren, die, apathisch auf einer Poolnudel hängend, durchs Becken treiben. Ich habe mich getäuscht. Wassergymnastik, jedenfalls hier und mit dieser durchtrainierten Vorturnerin, ist anstrengend. Das Becken ist voll, die Musik dröhnt und Lieselotte ist an meiner Seite.

»Ich bin allein hier. Du auch?«, fragt sie freundlich.

»Eigentlich nicht«, antworte ich mit der bisschen Restpuste, die mir bleibt, »eigentlich aber doch.«

Sie schaut erstaunt.

»Wie meinst du denn das?«, will sie wissen.

»Ich bin mit meinem Mann hier, aber der spielt Golf!«, sage ich und rolle als Kommentar mit den Augen.

»Du spielst also nicht!«, antwortet sie.

»Genau!«, sage ich nur.

»Ist doch super, da können wir ein bisschen was miteinander unternehmen!«, freut sie sich. »Es sind leider sehr viel mehr Familien hier, als ich dachte. Die in meinem Reisebüro hat gemeint, das wäre eher ein Singleclub.«

»Bist du Single?«, erkundige ich mich.

Immerhin ist hier eine Person, die Kontakt sucht und tatsächlich mit mir spricht.

»Ja, seit drei Jahren. Mein Mann hat sich neu orientiert. Mit anderen Worten: Er hat mich aussortiert und gegen ein jüngeres Model ausgetauscht. Profan, ein Klassiker und trotzdem sehr bitter. Ich will gar nicht drüber reden, das macht mir nur neue Falten, und ich werde so verdammt wütend«, erzählt sie mir.

Verständlich. Allein der Gedanke macht mich sauer. Was bilden sich diese Kerle eigentlich ein? Ich kenne Lieselotte nicht, aber rein optisch ist an ihr wirklich kaum etwas auszusetzen. Sie hat einc tolle Figur, sieht gepflegt und gut aus. Schönes halblanges, sorgsam gesträhntes Haar, dezent geschminkt und freundlich. Sie bemerkt meinen Blick.

»Ach«, sagt sie nur, »es ist letztlich total egal, wie du aussiehst, darum geht es doch gar nicht.«

Ich bin unsicher.

Sie redet weiter: »Guck dir jemanden wie den Schwarzenegger an. Der betrügt seine Frau, seine gutaussehende, tolle Frau mit der wirklich nicht besonders attraktiven

Haushälterin. Und warum? Weil er die Möglichkeit hat. So einfach und so dämlich ist es. Gib ihnen eine Gelegenheit, ihr Ego aufzupolieren, und sie nutzen sie.«

Während sie das sagt, spüre ich eine Hand an meinem Bein. Genauer gesagt, an meinem Oberschenkel.

»Oh, Entschuldigung!«, tönt es von links.

Ein dicklicher, weißhäutiger Mittfünfziger grinst mich an. Spinnt der? Tatscht hier im Wasser rum.

»Schon gut«, entgegne ich und gucke nicht besonders freundlich.

Wir paddeln und strampeln, und Lieselotte will wissen, ob ich mit ihr mal einen Ausflug mache.

»Ich will mal raus aus dieser Anlage und ein bisschen was von der Insel sehen. Hast du Lust mitzukommen? Vielleicht mal nach Santanyi, zum Bummeln, Einkaufen und Kaffeetrinken?«

Warum eigentlich nicht, denke ich. Ich muss ja nicht hier ausharren und warten, bis mir mein Ehemann mal die Ehre seiner Gesellschaft gibt.

»Klar!«, antworte ich deswegen, »das wäre schön.«

Zack, schon wieder eine Hand an mir. Diesmal an meinem Po. Der Alte tickt wohl nicht mehr richtig. Am liebsten würde ich ihm ein paar scheuern.

»Hey!«, blaffe ich ihn an. »Das ist mein Po, der ist kein Allgemeingut! Finger weg!«

Er lacht nur blöde, entfernt aber immerhin seine Hand.

»Ich habe nur ein wenig Halt gesucht!«, versucht er sich zu rechtfertigen.

»Ich bin keine öffentliche Haltestelle!«, knurre ich, und Lieselotte lacht.

»War doch nur ein Versehen!«, stammelt mein Aquagymnastiknachbar.

»Ich suche mir gerne selbst aus, wer mir an den Hintern langt!«, lege ich noch mal nach.

»Und – käme ich in die nähere Auswahl?«, grinst mich das kleine Männchen an.

Der hat vielleicht Nerven.

»Nein!«, antworte ich mit fester Stimme und denke an meine Korbgedanken von gestern.

Nett ist das nicht von mir, aber ein wenig subtiler sollten Annäherungen vielleicht schon sein. Man kann doch nicht einfach zulangen.

»So sind sie! Sie probieren es halt!«, kichert Lieselotte.

Richtig witzig kann ich das nicht finden. Eine kleine Stimme in mir drin allerdings sagt: Immerhin – da ist jemand, der dich gut findet. Aber so tief bin ich doch noch nicht gesunken, dass ich für jegliche Form von Annäherung dankbar sein muss, tadle ich mich selbst. Ich denke an Herrn Reimer. Da hätte ich vielleicht nicht ganz so schroff reagiert. Aber ein Mann wie Herr Reimer legt einem auch nicht einfach seine Pranke auf den Po. Das hat der gar nicht nötig.

»Trinkst du einen Kaffee mit mir? Auf meine Kosten versteht sich«, bittet der Pograbscher auf seine Art um Verzeihung. »Jetzt sei doch nicht so eingeschnappt!«, fügt er noch hinzu. »Du bist halt ein verdammt flotter Feger.«

Was für ein Ausdruck? Aus welchem Jahrhundert stammt der denn? Obwohl ich den Mann peinlich und reichlich unattraktiv finde, bin ich wider Willen doch geschmeichelt. Flotter Feger! Selbst ein solches Kompliment ist eine Art Dünger für mein angeschlagenes Ego.

»Mal sehen«, antworte ich deshalb und gucke nicht mehr ganz so streng.

Als wir nach 45 Minuten aus dem Wasser steigen, bin ich geschafft. Meine Arme brennen und meine Beine sind noch schwerer als sie eh schon waren.

»Zeit für einen schönen Drink. Den haben wir uns verdient!«, beschließt Lieselotte.

Es ist noch nicht mal Mittag. Ein bisschen früh für den ersten Alkohol, denke ich. Ach Scheiß drauf, ist mein nächster Gedanke. Es ist Urlaub.

»Fein!«, sage ich und das kleine weiße Männchen folgt uns.

»Da hast du aber einen richtigen Fan aufgetan!«, flüstert mir Lieselotte zu.

Wir bestellen drei Aperol Sprizz, das neue angesagte Modegetränk, und mein »Fan« zückt sofort seine Clubkarte, um zu bezahlen. Immerhin, er ist kein Geizhals.

»Auf euch!«, prostet er uns zu, als er sein Glas erhebt. »Ich bin der Kurt, ich mach in Hundefutter!«, stellt er sich dann vor.

Er fährt sich mit der Hand durch sein Resthaar und lacht. Lieselotte strahlt ihn an, als hätte er gerade gesagt, er sei George Clooney und habe die Absicht, sich jetzt und hier endgültig fest zu binden.

»Hundefutter – interessant«, antworte ich, obwohl ich mir kaum etwas Langweiligeres vorstellen kann.

Aber genau diese kleinen Sätzchen sind es, die Männer begeistern. Auch Kurt.

Ich weiß gar nicht, warum ich das gesagt habe. Vielleicht weil ich Angst habe, Kurt an Lieselotte zu verlieren? Wie albern. Ich finde diesen Mann nicht mal ansatzweise attraktiv und trotzdem möchte ich, dass er weiterhin auf mich fixiert bleibt. Ich will ihn nicht, will ihn aber auch nicht abtreten.

»Tja, Hundefutter ist tatsächlich eine irre interessante Branche«, legt Kurt los.

Dann folgt eine Abhandlung über Trockenfutter, die Zusammensetzung und als Highlight ein Vortrag über das neue Light-Futter für adipöse Hunde.

»Das ist unser Renner!«, freut sich Kurt und streicht sich dabei gedankenverloren über seinen Bauch.

Ein wenig von seinem Futterverkaufsschlager würde ihm selbst auch nicht schaden. Mir allerdings auch nicht.

»Wahnsinn!«, haucht Lieselotte über den Tisch hinweg und nippt an ihrem Aperol.

»Noch ne Runde, die Damen?«, erkundigt sich Kurt freudig.

Ich winke ab und habe das Gefühl, jetzt schon leicht einen sitzen zu haben.

»Warum eigentlich nicht?«, kichert Lieselotte.

Man muss auch gönnen können, fährt es mir durch den Kopf.

»Na, dann trinkt noch schön einen. Ich glaube, ich gehe mal an den Strand!«, sage ich und stehe auf.

Kurt scheint ein wenig enttäuscht, was mir natürlich insgeheim sehr gefällt, aber er fügt sich in sein Schicksal. Auch er kennt die Devise: Nimm, was du kriegen kannst. Ganz so weit bin ich noch nicht!

Auf dem Weg zum Zimmer treffe ich Gaby.

»Wo hast du denn gesteckt?«, begrüße ich sie freudig.

»Ich war mit beim Golfen für ein Stündchen. Lukas wollte so gerne, dass ich mal seinen Abschlag sehe!«, antwortet sie gutgelaunt.

»Und war's toll?«, frage ich leicht ironisch zurück.

»Unglaublich!«, sagt sie, ohne einen Hauch von Ironie. »So ein schöner Platz, und die Jungs hatten so einen Spaß. Und der schlägt vielleicht weit, mein Lukas. Phantastisch!«

Da ist sie wieder, die alte Gaby aus der Prä-Pilzphase: Voller Bewunderung für ihren Lukas.

»Wärst du mal mitgekommen, man sitzt auch so hübsch auf der Terrasse. Und der Blick – wunderschön.«

Was für ein Gesülze.

»Ich steh nicht gern nur als Applausfrau neben meinem Gatten!«, schaffe ich mal klare Verhältnisse.

»Ach, du bist immer gleich so absolut. Guck mal, sieh das doch mal so: Das hat mich jetzt zweieinhalb Stunden meines Lebens gekostet und Lukas hat es glücklich gemacht. Das Leben ist ein Geben und Nehmen!«, sinniert sie.

Ja, sicherlich so kann man es sehen. Aber im Geben liege ich eh schon um Längen vorn. Dieses Ungleichgewicht auszugleichen wäre eindeutig Christophs Aufgabe. Oder bin ich ungerecht? Selbstgefällig und jammerig? Immer wieder die gleichen Fragen und immer wieder keine richtigen Antworten. Ich stehe nun mal eher auf meiner Seite und man kann ja wohl kaum erwarten, dass ich die Lage völlig objektiv betrachte.

»Ach Gaby«, seufze ich deshalb, »das ist alles nicht so leicht bei uns.«

»Es ist nie leicht. Alles, was über zwei, drei Jahre hinausgeht, ist nicht mehr leicht«, antwortet sie und zeigt Verständnis.

»Manchmal denke ich über ein Leben ohne Christoph nach!«, rücke ich mit der ganzen Wahrheit raus.

Irgendwem musste ich es mal sagen. Warum dann nicht Gaby? Vielleicht kann jemand, der relativ unbeteiligt ist, eine Situation besser und neutraler beurteilen.

»Oje«, zeigt sie sich erschüttert, »das klingt ja mehr nach was Generellem!«

»Ja, vielleicht ist es auch nicht urlaubsgeeignet, so als Gesprächsthema«, mache ich einen verbalen Rückzieher. »Vergiss es einfach.«

»Ne, ne, ist schon okay, aber hier so mitten auf dem Weg ist vielleicht nicht der richtige Ort!«, sagt sie.

»Ich wollte zum Strand. Magst du mitkommen?«, frage ich sie.

»Mit der Haut willst du in die Sonne?«, kommt die prompte Gegenfrage.

Nicht ganz unberechtigt die Frage. Ich sehe immer noch aus wie ein gut gebratener Hummer.

»Ich creme mich noch mal ein, und dann können wir los!«, bejahe ich. »Meine Haut ist robust, das wird ganz bald braun!«, beruhige ich die entsetzt schauende Gaby noch.

Sie selbst ist schön zart gebräunt. Sie sieht meinen Blick und lacht. »Selbstbräuner, damit ich hier nicht wie ein Mozzarella rumlaufen muss. Ansonsten creme ich mich mit Fünfziger ein. Die Sonne ist ja so gefährlich.«

Da hat sie selbstverständlich recht, trotzdem liege ich gerne in der Sonne und grille vor mich hin. Ich weiß, dass es faltig macht, schließlich bin ich eine regelmäßige Frauenzeitschriftenleserin, aber trotzdem kann ich es nicht lassen. Ich bin lieber braun und faltig als weiß und faltig. So ein leicht gebräunter Teint (vielmehr geht bei mir eh nicht) wirkt auch direkt so gesund. Auch wenn er es definitiv nicht ist.

»So und jetzt raus mit der Sprache!«, fordert mich Gaby auf, kaum dass wir unsere Handtücher auf den Liegen ausgebreitet haben. Eben noch hatte ich immensen Mitteilungsdrang, jetzt ist mir das Thema eher unangenehm. Ich kenne diese Frau doch fast gar nicht. Was, wenn sie eine Tratschtante ist?

»Ach«, sage ich deshalb, »ich will jetzt lieber ein bisschen dösen, mir ist gerade nicht nach reden.«

Gaby zeigt Verständnis: »Auch gut. Ganz wie du willst.«

Das mag ich. Sie ist keine von den Frauen, die jetzt nachbohren und enttäuscht sind, weil sie eine große Herz-Schmerzgeschichte erwartet hatten.

Wir verbringen den kompletten Nachmittag am Meer. Es weht ein leichter Wind, und die Hitze ist gut auszuhalten. Wir liegen einfach nur da, kühlen uns hin und wieder im Meer ab und mein Aperol Sprizz vom Vormittag sorgt dafür, dass ich ein schönes Nickerchen halte.

Geweckt werde ich von Christophs Stimme.

»Ach, da treibst du dich rum!«

Dass man ein verspätetes Mittagsschläfchen jetzt schon Rumtreiben nennen kann, halte ich für übertrieben.

»Und war's schön?«, frage ich so freundlich wie möglich.

»Schön ist untertrieben. Es war phantastisch. Der Platz, die Terrasse – alles so gepflegt. Ein piccobello Rasen. Und stell dir vor, ich habe mehrere Bogeys gespielt und sogar ein Par.«

Gaby scheint beeindruckt. Im Gegensatz zu mir.

»Da kannst du aber stolz sein!«, beglückwünscht sie meinen Mann.

Da ist sie wieder. Die Schleim-Gaby, wie ich sie kenne. Der fehlen definitiv ein paar Pilze.

»Wo sind denn die anderen Helden des Golfsports?«, macht sie gleich weiter.

Mal ehrlich, das geht mir dermaßen auf den Keks. Ich könnte mich direkt aus dem Liegen heraus in den Sand übergeben.

»Die sind zum Pool. Da liegt auch Katharina. Und wir wollten uns in einer Viertelstunde alle da treffen!«, freut sich Christoph.

Meine Freude hält sich in Grenzen.

»Ich dachte, wir zwei machen uns einen schönen Rest-Nachmittag!«

»Machen wir doch auch, aber alle zusammen eben! Ist doch viel lustiger!«, sagt Christoph und bekommt natürlich Unterstützung von Gaby.

»Toll, lass uns unseren Kram packen, wir waren eh lange genug hier unten. Los Andrea!«

Ich will schmollend hier liegenbleiben und denke: Ihr könnt mich alle mal! So was von! Aber anstatt genau das zu tun, erhebe ich mich und sage: »Na gut.«

Ich will nicht die Spaßbremse vom Dienst sein. Die doofe, klammerige Spielverderberin. Aber das hier läuft so gar nicht nach meinem Plan. Ich wollte endlich mehr Zeit mit meinem Mann verbringen, Dinge klären und mehr Intimität erleben. Und jetzt fühle ich mich hier wie auf Klassenfahrt. Immer schön in Gruppen zusammenbleiben. Keiner macht was allein!

Heute Abend werden wir reden. Oder Sex haben. Oder erst reden und dann Sex haben. Obwohl es wahrscheinlich andersrum mehr Sinn macht. Erst Sex – dann reden.

»Hast du mal daheim angerufen?«, will mein Mann auf dem Weg zum Zimmer wissen.

»Ne, du?«, frage ich zurück, um klar und deutlich zu zeigen, dass das nicht automatisch in mein Aufgabengebiet fällt. Sein Vater, seine Tochter – das wäre doch auch mal einen Anruf wert. Trotzdem habe ich das Gefühl, mich rechtfertigen zu müssen:

»Ich dachte morgen reicht. Da hat Claudia ihren ersten Arbeitstag und dann wirkt das auch nicht so kontrollmäßig.«

»Unserem Fräulein Tochter schadet Kontrolle sicher nicht. Ich hätte selbstverständlich gedacht, dass du anrufst. Ich kann ja schlecht auf dem Golfplatz telefonieren!«, beklagt er sich.

Vorwürfe, Missverständnisse und kein Sex – eine tolle Kombination. Ein gemeinsamer Lebensabend in der Seniorenwohnanlage rückt gerade in weite Ferne. Ich habe Kopfweh und überhaupt keine Lust auf Fritz und Co.

»Ich glaube, ich bleibe auf dem Zimmer. Ich hab ein bisschen Kopfweh, vielleicht sollte ich mich eine Weile hinlegen!«

Christoph findet das kindisch.

»Du hast doch am Strand schon gepennt. Gib wenigstens zu, dass du keine Lust hast!«, meckert er.

»Ich habe keine Lust auf diese Gruppe, die ich mir nicht ausgesucht habe, und ich habe wirklich Kopfweh. Also wo ist dein Problem?«, sage ich zur Abwechslung einfach mal die Wahrheit. »Du hattest ja auch kein Problem damit, den halben Tag ohne mich zu verbringen!«, lege ich noch nach. Stimmt ja auch.

»Ah, daher weht der Wind. Madame ist beleidigt, weil ich Golfen war. Und das ist jetzt die Strafe. Aber eins sage ich dir, Andrea: Sieh mal lieber zu, dass du dich nicht selbst bestrafst mit deinem albernen Verhalten. Das ist ja Kindergartenniveau.«

Keine Ahnung, woher er weiß, was Kindergartenniveau ist. Ich kann mich nicht erinnern, dass er die Kinder besonders häufig hingebracht oder abgeholt hätte. Außerdem gibt es meines Wissens nach keine Altersbeschränkung fürs Beleidigtsein.

»Ich gehe jedenfalls jetzt. Du kannst dir ja überlegen, ob du noch kommst oder lieber schmollend im Zimmer sitzt!«, ergänzt er noch und ich fühle mich behandelt wie ein Kleinkind.

»Ich muss mit dir reden! Wir müssen reden!«, mache ich eine klare Ansage.

»Da haben wir nachher ja noch Zeit genug, so eilig kann das ja nicht sein!«, antwortet er. »Ich gehe jetzt zum Pool. Ich habe Lust, ein bisschen zu schwimmen.«

Ich, ich, ich. Und was ist mit mir? Interessiert ihn das? Ich will schreien, heulen und hauen. Am liebsten alles auf einmal. Tatsächlich mache ich aber nichts von alledem. Was würde ein Streit schon bringen? Irgendwie ist mir auch nicht nach Streiten. Wenn wir wenigstens streiten würden – das wäre immerhin schon mal etwas. Emotion, Aufregung – aber nicht mal dafür langt es. Die Stimmung hat eher etwas Lähmendes, Aussichtsloses. Ich schaue aus dem Fenster, sehe die strahlende Sonne und in mir ist November. Trüb, grau und unangenehm. Ich merke, wie mir die Tränen aufsteigen. Ich fühle mich unverstanden und nicht wertgeschätzt. Dass mein eigener Mann jede andere dämliche Gesellschaft meiner vorzieht, ist so verdammt ernüchternd. Er sollte doch merken, was mir wichtig ist. Nach all den Jahren muss er doch erkennen, wann es drauf ankommt, Präsenz zu zeigen. Er geht.

»Bis später!«, sagt er noch.

Ich sitze im Zimmer und weine. Einfach so vor mich hin. Ich weine und weine und wundere mich, wo all die Tränen herkommen. Ich weine um eine Beziehung, die mir nicht mehr wie eine vorkommt. Was sind wir zwei? Ein Ehepaar? Eine Gemeinschaft? Oder nur zwei Erwachsene, die irgendwann mal ineinander verliebt waren? Wir leben in separaten Welten, die sich nur ab und an überschneiden, hauptsächlich dann, wenn es um logistische Fragen geht.

Was will ich? Wo soll es hingehen in meinem Leben?

Die immergleichen Fragen rasen durch meinen Kopf. Ich möchte mich in Arme werfen, in starke Arme, möchte gehalten und geliebt werden. Nicht für das, was ich tue, sondern für das, was ich bin – wie ich bin. Ist das so abwegig? Vermessen? Ich bin doch eine liebenswerte Person, oder etwa nicht?

Ich lege mich ins Bett, halte es da aber nicht lange aus. Es ist heiß. Im Zimmer und in meinem Körper. Vor allem in meinem Körper. Selbst der lässt mich im Stich. Statt mich zu unterstützen, zieht er mich noch mehr runter. Wie schaffen es andere Frauen, dass es so aussieht, als würde die Zeit anscheinend spurlos an ihnen vorübergehen?

Ich stelle mich nackt vor den Spiegel. Was ich da sehe, treibt mir erneut die Tränen in die Augen. Das ist nicht die Andrea, die ich sein will. Das hier ist eine mittelalte Frau mit einem, wenn überhaupt noch, mittelalten Körper. Dieser Körper, das muss man ihm lassen, passt perfekt zu meiner Gefühlswelt. Irgendwie alles derangiert. Der Lack ist halt ab.

Ich brauche dringend Zuspruch. Irgendetwas Aufmunterndes. Ich rufe Heike an. Dann Sabine. Jedes Mal habe ich die Mailbox dran. Ich hinterlasse keine Nachrichten. Ich möchte eine Stimme hören, mit jemandem reden, der mich mag, mich unterstützt, mich versteht oder wenigstens so tut als ob.

Zu Hause erreiche ich immerhin Rudi, den ich aber mit meinen Sorgen nicht belästigen will. Er hat selbst genug Traurigkeit in sich. Er soll sich nicht noch um mich kümmern müssen. Ich vermisse ihn. Hätte mir jemand vor einem Jahr gesagt, dass ich mal so für ihn fühlen würde – ich hätte nur gelacht. Dass Rudi, mein Schwiegervater mal meine mentale Stütze sein würde, hätte ich wirklich nicht gedacht. Aber manchmal geht es ja gar nicht um Ratschläge, nicht ums Reden, sondern nur ums für einen Dasein. Um Anteilnahme. Um Liebe.

»Wie geht es euch beiden denn so?«, frage ich Rudi. »Versteht ihr euch? Klappt alles?«

Rudi klingt recht gut gelaunt.

»Alles bestens, Herzscher. Hier läuft alles. Ihr müsst euch net sorgen. Die klaa Claudia ist unnerwegs, un es geht ihr gut. Mir auch. Wie is es denn bei euch?«

Ich atme tief ein und lüge los.

»Wunderbar, alles schön. Es geht uns gut!«

»Du klingst gar net so!«, antwortet Rudi, und wieder einmal wird mir klar, was für feine Antennen Rudi hat. Das hätte ich meinem Schwiegervater früher nie zugetraut. Manchmal steckt in Menschen viel mehr, als man auf den ersten, zweiten und sogar dritten Blick sieht.

»Das ist die Verbindung, die ist nicht so gut. Hier ist alles okay. Wetter gut, Essen gut«, sage ich schnell.

Immerhin – das mit dem Wetter und dem Essen ist die Wahrheit.

»Hör mal, Rudi, wo steckt die Claudia denn?«, will ich lieber wissen.

Eleganter Themenwechsel.

»Die macht en Referat mit einer Freundin und übernachtet dann da!«, antwortet er.

Ein Referat! In den Ferien! Mit Übernachtung! Bei irgendeiner angeblichen Freundin ohne Namen. Darüber darf ich überhaupt nicht nachdenken.

»Rudi, es sind Ferien. Was denn für ein Referat? Und was für eine Freundin?«, frage ich dann aber doch mal nach.

»Des hab isch jetzt vergesse, aber des hat alles seine Ordnung, mach disch net verrückt, geniess deinen Urlaub. Ab moin geht die klaane ja arbeite, und dann melde mer uns emal«, versucht er mich zu beruhigen. »Entspannt euch, es läuft.«

Ich bin keineswegs beruhigt, probiere aber nicht auszuflippen, vor allem, weil mein Handlungsspielraum von Mallorca aus doch extrem eingeschränkt ist. Wo um alles in der Welt steckt meine Tochter?

»Gut, Rudi, dann mach dir einen schönen Tag und grüß Claudia!«, antworte ich so gelassen wie eben möglich.

Kaum habe ich aufgelegt, wähle ich die Nummer meiner Tochter. Die kann sich warm anziehen! Nicht mit mir, denke ich. Während das Freizeichen ertönt, überlege ich, welche Sanktionen als Drohung gut wären. Ich weiß nicht, wie andere, ohne Drohgebärden, ihre Kinder erziehen. Allein mit vernünftigen Vorschlägen sind meine Kinder nicht zu überzeugen. Claudia hat ihr Handy aus. Ich schicke eine SMS:

Wo steckst du?

Wenn ein Stein ins Rollen kommt, reißt er viel mit sich. Christoph, Claudia, meinen Körper, mein Gesamtbefinden – alles ist in Bewegung. Abwärts. Wie kann man das stoppen? Meine Güte, ich dramatisiere. Steine, die abwärts rollen – was für ein albernes Bild. Ich muss Initiative zeigen, darf mich nicht so einfach ergeben.

Wie liest man es in Frauenmagazinen noch gleich immer: Das Leben liegt in Ihrer Hand! Ergreifen Sie die Regie!

Also gut! Ich streife mir ein leichtes Sommerkleid über, trinke einen Piccolo aus der Minibar und schnappe ein Handtuch. Ich werde mich amüsieren. Werde gutgelaunt und strahlend sein. Die Frau, die ich in letzter Zeit viel zu häufig war, die muffige, leidende Heulsuse, muss jetzt eine Auszeit nehmen. Wer sich anders präsentiert, wird auch anders wahrgenommen! Auch das ist eine Weisheit aus irgendeinem Heftchen. Es ist zwar eigentlich entsetzlich, dass ich mich für Christoph präsentieren muss, aber wenn es ihn zugänglicher macht, dann ist es einen Versuch wert. Ich lasse mich weder von meiner Familie noch von meinen Hormonen bezwingen.

Ich stelle mir vor, ich wäre Schauspielerin. Meine aktuelle Rolle: Eine große, gutaussehende, erfolgsverwöhnte Frau mit immensem Selbstbewusstsein auf dem Weg zum Pool. Sie will ihren Mann überraschen, der so gar nicht mit ihr rechnet.

Der Erste aus unserer kleinen Reisegruppe, den ich treffe, ist Fritz. Er steht in hübschen, blau-weiß gestreiften Badeshorts und mit Sonnenbrille am Beckenrand. Das aufgesetzte Selbstbewusstsein bekommt schon erste Risse.

»Hallo, Andrea«, begrüßt er mich, »na, schönen Tag gehabt?«

Er schiebt sich die Sonnenbrille in die Gelhaare und mir fällt wieder ein, was dieser Fatzke damals zu mir gesagt hat: »Sind das die Wechseljahre oder brauchst du mal wieder einen ordentlichen Fick?« Er hat eindeutig all das, was ich getan habe, verdient, und an sich würde ich ihm rückwirkend am liebsten noch mal ordentlich eine verpassen. Aber ich habe ja eine Rolle: Ich bin groß, attraktiv und entspannt. Eine souveräne, selbstbewusste Person.

»Ja, war ganz nett!«, antworte ich, meiner Rolle entsprechend, und ergänze: »Ich habe gehört, das Golfspiel war ein Erfolg.«

Mir soll keiner vorwerfen, ich würde Gespräche abblocken. Er lacht.

»Übrigens, Andrea, was ist dein Lieblingstier?«

Was will er denn jetzt? Ist das ein klitzekleiner Psychotest, nach dem Motto: Nenn mir ein Tier, und ich sage dir, wer du bist. Mein Lieblingstier? Eine Frage, über die ich noch nie intensiv nachgedacht habe. Hund zu antworten, wäre vielleicht zu profan. Hat so was Durchschnittliches. Wahrscheinlich sagen die meisten Menschen, vor allem die meisten Deutschen, Hund. Will man wie alle sein? Nein. Katze klingt nach Studienrätin ohne Mann mit leichtem Oberlippenflaum und Hase nach kleinem Mädchen.

»Da muss ich mal überlegen!«, weiche ich einer Antwort aus.

»Soll ich dir vielleicht einen Vorschlag machen?«, fragt Fritz.

Einen Vorschlag für mein Lieblingstier? Habe ich einen Sonnenstich, oder unterhalten wir uns tatsächlich über Tiere?

»Ich glaube, du magst Raubkatzen!«, grinst er mich an.

Raubkatzen? O Gott, Raubkatzen! Der hat mich erkannt. Ein Jaguar ist eindeutig eine Raubkatze!

»Nein, also Raubkatzen sind so gar nicht mein Ding!«, sage ich und mein Blick gleitet über den Poolbereich. »Äh, Biber, Füchse, Giraffen und, äh, Zebras finde ich faszinierend«, stammle ich.

Was für ein Schwachsinn. Biber! Füchse, Giraffen und Zebras! Blöder geht's ja kaum noch.

»Biber?«, sagt er nur. »Biber?«

»Ach, da sind ja die anderen! Hallo ihr zwei!«, winde ich mich aus dem Nager-Dilemma.

Selten habe ich mich so gefreut, Gaby und Lukas zu sehen. Die beiden sind im Pool und winken freundlich. Ich reiße mir das Kleid vom Leib, werfe es auf eine Liege und springe ins Wasser. Flucht ist erst mal gut, denke ich. Ich brauche Zeit zum Überlegen. Eventuell überinterpretiere ich die Raubkatzenaussage auch. Vielleicht findet er mich nur so wahnsinnig wild und aufregend, und es war eine Art verstecktes Kompliment. Unwahrscheinlich – aber wer weiß. Am liebsten würde ich untergetaucht bleiben bis Fritz weg ist. Aber wie soll ich ihm nur die restlichen Tage aus dem Weg gehen? Ich kann ja schlecht eine Woche komplett abtauchen. Leugnen, leugnen, leugnen muss meine Devise sein. Er hat schließlich keinerlei Beweise. Den Jaguar habe ich nicht mit, und es wird schon keine Hausdurchsuchung geben. Gaby und Lukas kichern, als ich auftauche. Ich lache freundlich zurück, bis ich merke, dass meine linke Brust ein wenig aus dem Badeanzug schielt. Ich tauche direkt wieder ab. Erst das Raubtier-Biber-Desaster und jetzt Nipplegate auf Mallorca. Ich packe unter Wasser alles wieder schön an Ort und Stelle. Wie peinlich! Oben ohne vor Lukas und Gaby.

Als ich auftauche, sehe ich Fritz, wie er auf Christoph einredet. Bestimmt will er wissen, was ich für ein Auto fahre. Die Beweiskette schließen. Christoph wird entsetzt sein, wenn er die Geschichte hört. Sie war mir ja schon unangenehm, bevor ich wusste, dass es der Jaguar von Fritz war. Früher hätte ich Christoph eine solche Geschichte erzählt. Der Christoph von damals hätte mit mir darüber gelacht. Ich bereue, die Jaguar-Kratzgeschichte zutiefst, allerdings nicht, weil Fritz es nicht verdient hätte (und ehrlich gesagt hat es mir ja auch Spaß gemacht und meine niederen Rachegelüste befriedigt), sondern weil ich kurz davor stehe, erwischt zu werden und das dann einige beschämende Diskussionen nach sich ziehen könnte.

Natürlich weiß ich, dass mein Verhalten nicht wirklich erwachsen war, aber manchmal kommt es darauf auch nicht an. Was heißt außerdem schon erwachsen? Wut ist doch in jeder Altersklasse erlaubt und letztlich war mein Motor bei diesem kleinen Delikt ja Wut. Unendliche Wut auf einen richtig arroganten Kotzbrocken, der immerhin auf einem Frauenparkplatz geparkt hat. In diesem Fall sogar auf meinem!

Hier ist mir Fritz noch gar nicht besonders unangenehm aufgefallen. Sehr viel habe ich von ihm allerdings auch noch nicht mitbekommen. Seine Frau scheint ähnlich arrogant. Wo steckt die eigentlich? Sehr begeistert von der Reisebegleitung ihres Mannes ist sie offensichtlich auch nicht.

Die Einzige, die sich mal wieder wie Bolle amüsiert, ist Gaby. Lukas und sie kriegen sich vor Begeisterung gar nicht mehr ein über meinen kurzen Busenblitzer.

»Mach's noch einmal, Janet!«, ruft mir Lukas quer durchs Becken zu.

Ich verstehe die Anspielung sofort. Justin Timberlake und Janet Jackson. Bei irgendeinem Superbowl-Event hat er ihr einen Teil des Kostüms runtergerissen, und ihre rechte Brustwarze (gepierct!) war zu sehen. Was für ein Ereignis: Ein Stückchen Brust mit Metall! In Amerika eine Aufregung, die wochenlang für Schlagzeilen gesorgt hat.

Was für ein Idiot Lukas doch ist. Ein höflicher Mensch hätte einfach so getan, als wäre gar nichts gewesen.

»Janet!«, quiekt nun auch Gaby lauthals. Auch sie hat den vermeintlichen Witz inzwischen kapiert. Immerhin haben wir jetzt die Aufmerksamkeit aller Badenden. Was für ein Heidenspaß! Und alles wegen einer Brust! Dabei liegen am Pool ausreichend Frauen, die gleich zwei Exemplare stolz zur Schau stellen und das nicht nur für Sekunden, sondern dauerhaft. Aber das, was man immer sehen kann, ist lange nicht so spannend wie das, was man eigentlich nicht sehen soll.

»Janet geht raus aus dem Wasser!«, informiere ich Gaby und Lukas, und sie bekommen einen erneuten Lachanfall. Haben die ein kleines Pilzgericht zu Mittag gegessen?

»Reg dich nicht auf!«, höre ich da von rechts. Lieselotte meine Aquagymnastikbekannte schwimmt auf mich zu.

»Und wo ist dein Herr Chappi?«, frage ich sofort.

Sie schaut irritiert.

»Der Mister Hundefutter. Kurt!«, erkläre ich meinen, auch nicht besonders originellen, Scherz.

Ich scheine mich witzniveaumäßig an meine Begleiter anzupassen.

»Ach, der Kurt!«, stöhnt sie. »Der hat mir etwa eineinhalb Stunden lang die verschiedenen Zusammensetzungen der diversen Hundefuttermischungen erklärt, und ich habe drei oder sogar vier Aperol in der Zeit gekippt. Der identifiziert sich so mit seiner Firma – echt, das kannst du dir nicht vorstellen. Ich hatte schon Angst, dass er Kostproben dabei hat und ich probieren muss. Manchmal hat er auch so geguckt, als wäre ich so ne Art persönliches Leckerchen.«

»Also wird das nichts mit Kurt und dir?«, erkundige ich mich mitleidig.

Sie lacht: »Wer weiß. Je nachdem, wer hier noch so ist. Wenn er nichts redet geht er ja.«

»Vielleicht kann er auch Platz und Sitz und holt Stöckchen! Und gibt Laut, wenn es drauf ankommt!«, ergänze ich.

»Das kann durchaus ein Vorteil sein«, lacht Lieselotte. »Immerhin hat er eine gute Figur, so einigermaßen, und ein bisschen Spaß hätte ich gern mal wieder. Solange er beim Sex nicht bellt!«

Sie schüttelt ihre nasse Mähne, und ich staune. Über die Beliebigkeit und auch die Trostlosigkeit. Ist man irgendwann wirklich so weit, dass man einen Mann wie Kurt in Betracht zieht? Selbst, wenn man ihn nur stumm ertragen kann? Was für eine Aussicht!

»Wer ist der denn da? Der würde mir optisch richtig gut gefallen«, unterbricht sie meine Gedanken und zeigt mit einem Kopfnicken in die Richtung von Christoph und Fritz.

Meint sie etwa meinen Mann?

»Welcher von beiden denn?«, frage ich nach.

»Mal ehrlich, Andrea, die sind doch beide nicht übel. Der lange Dunkelblonde hat was, aber der mit der blau-weißen Badehose, den finde ich echt richtig lecker!«

Einerseits bin ich beruhigt, dass sie Fritz vorzieht, andererseits auch ein wenig gekränkt. Zweiter Platz bei zwei Konkurrenten. Mein Mann oder Fritz. Also mal ehrlich! Bei allen Defiziten, die Christoph hat, ist er doch noch um Klassen besser als ein Fritz. Fritz ist doch so ein typischer Upper-Class-Möchtegern-Gockel. Christoph insgeheim leider auch ein wenig, aber man sieht es ihm immerhin noch nicht an. All das sage ich allerdings nicht. Stattdessen weise ich sie freundlich darauf hin, dass ich die beiden kenne.

»Cool«, freut sie sich, »dann kannst du sie mir ja vorstellen!«

»Ich will erst noch ein bisschen schwimmen!«, sage ich, weil ich keine Lust habe, das Tierquiz zu vertiefen.

»Dann halt nachher!«, meint Lieselotte und schwimmt schon mal in Richtung Beckenrand.

Ich ziehe meine Bahnen. Kann ja nicht schaden, meinen Körper zu bewegen. Andererseits was soll so ein bisschen Schwimmen auf die Schnelle bringen? Das ist das Fatale am Sport – diese verdammte Regelmäßigkeit mit der man ihn ausüben muss. Mal so ein wenig schwimmen zu gehen schadet nicht, nützt aber auch nicht.

Fritz und Christoph beobachten mich. Sie scheinen über mich zu reden, jedenfalls schauen sie in meine Richtung. Vielleicht leide ich aber auch schon unter Verfolgungswahn. Ich schwimme länger als in den ganzen letzten Urlauben zusammen. Ich werde im Wasser bleiben, bis die beiden da oben verschwunden sind. Bahn für Bahn schwimme ich hin und her, immer darauf bedacht, nur ja nicht in ihrer Nähe zu wenden.

Ich bin schon fast eine knappe Stunde im Wasser, als sich Katharina zu der Männergruppe gesellt. Sofort verändert sich Christophs Körperhaltung. Er steht aufrechter, gestikuliert und lacht. Gerade so, als wäre er auf der Balz. Ich bin erstaunt. Katharina ist nicht blond. Mein Mann ist in dieser Hinsicht eher schlicht gestrickt. Seine Hormone schienen immer auf Blond konditioniert. Jedenfalls bisher. Würde ihm eine Frau wie Katharina besser gefallen als ich? Eine Frau, die so nebenbei ungeheuer stilvoll und lässig wirkt. So kein bisschen muttimäßig. Obwohl ich alles tue, um nicht so zu wirken, habe ich doch immer einen Hauch von Mutti. Irgendeine Mischung aus bieder und patent. Ich weiß es, kann aber gar nicht genau festmachen, woran das eigentlich liegt. Haare, Figur, Kleidung, Auftreten? Als ich darüber nachdenke, ob er so eine Frau wie Katharina mir vorziehen würde, höre ich meinen Namen.

»Andrea, willst du schwimmen bis du Kiemen bekommst?«

Mein Mann richtet das Wort an mich.

»Bis ihr endlich verschwindet«, würde ich gerne antworten, aber, wie so häufig, sage ich nicht etwa das, was ich denke, sondern stattdessen: »Du sagst doch immer, ich soll mehr Sport treiben!«

Kaum habe ich es gesagt, bereue ich es. Das klang schon wieder verdammt frustriert und zickig. Witzig und schlagfertig wäre gut gewesen, aber dazu braucht man eine gewisse Leichtigkeit. So angespannt wie ich in meinem Inneren bin, schaffe ich das im Moment nicht.

»Ich trainiere für den Ironman auf Hawaii«, wäre eine coole Antwort gewesen. Leider fällt sie mir erst jetzt ein.

»Wir gehen was trinken!«, ruft Christoph zurück und ignoriert meinen schnippischen Einwand.

Kaum ist der Satz raus, wendet er sich auch schon wieder Katharina zu. Ich kann nicht hören, worum es geht, aber selbst die Grande Dame Katharina scheint sich zu amüsieren. Sie wirft ihren Kopf in den Nacken und lacht. Selbst von hier aus, im Wasser, kann ich ihre strahlend weißen Zähne blitzen sehen.

Ob Christoph mich betrügen würde? Hat er schon? So wie seine Augen in letzter Zeit auf Wanderschaft gehen, würde ich vermuten, er hat noch nicht, wäre aber nicht abgeneigt, wenn sich eine Möglichkeit bieten würde. Er sondiert das Terrain. Was wäre wenn? Würde ich es ignorieren, weiterleben wie bisher und einfach denken, es ist eine Phase, es geht vorbei. So wie das viele Frauen tun. Ausharren und fest glauben: Ich bin die Konstante, diese Affäre ist nur ein kleiner Sidekick! Nichts von Bedeutung, so wie ein kleiner Regenschauer, für den es sich nicht mal lohnt, den Schirm aufzuspannen. Kann man amouröse Verstrickungen des eigenen Mannes einfach aussitzen? So tun, als gäbe es sie gar nicht?

Vielleicht könnte ich das, wenn mein Mann sehr, sehr reich wäre. Unglaublich reich. Das ist etwas, was ich natürlich nie öffentlich zugeben würde, weil es peinlich ist. Aber das wäre die Wahrheit: Während er munter und wahllos rumvögeln würde, könnte ich munter und wahllos sein Geld ausgeben, wissend, dass er eine nach der anderen beglückt, aber vor allem wissend, dass ich bleiben und ihn am Ende beerben würde.

All diese Gedanken haben etwas sehr Unromantisches. Hart, nüchtern und berechnend. Ich kann mir die entsetzten Blicke schon vorstellen, wenn man so etwas in einem Gespräch erwähnen würde. Von Frauen wird anderes erwartet: Verklärung, Romantik, ewige Liebe und all das. Nur leider gibt es eben auch einen Alltag fernab von all der vielbeschworenen Romantik. Alltag bietet viel Raum für die kleinen und großen Demütigungen und Niederlagen. Dass da langfristig eine gewisse Bitterkeit entstehen kann, finde ich nicht verwunderlich. Aber es war ja eh nur eine theoretische Überlegung, denn Christoph ist nicht sehr, sehr reich. Er ist überhaupt nicht reich und kommt auch nicht aus wohlhabender Familie. Wieso also etwas ertragen, wenn es einem noch nicht mal materiell was bringt?

Würde ich meine Seele echt verkaufen, wenn Christoph stinkreich wäre? Würde ich dann über die Situation anders denken? Eine Trennung vielleicht nicht mal in Betracht ziehen? Ich ekle mich einen Moment vor mir selbst. Bin ich eine, die so käuflich ist? Macht sehr viel Geld eine Situation wie meine, eine Ehe in der man sich nicht wohl fühlt, denn wirklich besser? Vielleicht angenehmer. Aber emotionaler Geiz ist wahrscheinlich auch bei sonstiger Großzügigkeit schwer auszuhalten. Ein gewisses Schmerzensgeld verschönt die Lage, eine Art Blasenpflaster, bei dem die Blase bleibt, man sie aber weniger sieht und spürt. Wo ist mein Blasenpflaster? Meine Linderung? Meine Medizin, die mich mit der Lage versöhnt? Könnte ein Herr Reimer zum Blasenpflaster werden? Würde mich guter Sex ein bisschen beruhigen? Muss guter Sex zwangsläufig mit dem eigenen Mann stattfinden? Vor allem, wenn der nicht will – offensichtlich nicht will.

»Wer nicht will, der hat schon!«, hat mein Vater gerne gesagt. Gilt das nicht auch auf diesem Gebiet? Warum sich also verzweifelt an solch unwilligen Männern abarbeiten? »You can't ride a dead horse!«, hat mal eine amerikanische Bekannte von Sabine zu diesem Thema beigesteuert. Aber genau das versuche ich allabendlich. Ich will einen toten Gaul reiten. Warum suche ich mir nicht einen lebendigen?

Mittlerweile schwimme ich wirklich schon über eine gute Stunde und fühle mich als hätte ich zu lange in der Badewanne gelegen. Schwammig und aufgeweicht. Außerdem habe ich Mörderhunger. Schwimmen macht irrsinnig hungrig, schon deshalb ist diese Sportart für mich zum Abnehmen absolut ungeeignet. Inzwischen kann ich wenigstens beruhigt aus dem Wasser kommen. Niemand aus meiner nervigen Reisegruppe ist in Sicht. Ich bräuchte nur noch eine Tarnkappe, um ungestört Urlaub machen zu können. Ich trockne mich ab und ziehe mein Kleid über. Meine Arme sind richtig zittrig. Das Schwimmen hat mich angestrengt. Ich brauche irgendein Häppchen Nahrung.

Wie gesagt: Das ist das Schöne am Clubleben. Niemand muss je Hunger leiden. Rund um die Uhr werden die kulinarischen Bedürfnisse befriedigt. Heute stehen Mini-Burger auf dem Programm, und es gibt eine schöne Gazpacho und winzige Crêpes gefüllt nach Wunsch. Ich nehme alles. Ich kann mich ja nachher beim Abendessen ein wenig zurückhalten. Außerdem habe ich ja Sport getrieben. Als ich mir den Teller so richtig vollgeladen habe, entdecke ich meine Reisegruppe.

»Unser Biber hat aber ordentlich Kohldampf, der wilde Nager!«, tönt es von dort.

Ich hätte ihm das gesamte Auto zerkratzen müssen! Ich muss mich sehr anstrengen, damit man mir meine Verachtung nicht ansehen kann. Was soll das Tiergetue? Dieser hämische Unterton? Als ich zum Tisch komme, mir einen Platz suche, macht er weiter.

»Na, hat der Biber auch für seinen Freund, seinen Seelenkumpel, den Jaguar, was mitgebracht?«

Alle lachen, obwohl dieser Satz für die anderen völlig sinnfrei sein muss. Scheint hier aber keine Rolle zu spielen. Auch mein Mann lacht aus vollem Hals. Stattdessen hätte er mir mal den Teller abnehmen und einen Stuhl besorgen können. Dazu ist er aber eindeutig zu abgelenkt. Er sitzt stolz da, eingerahmt von Lieselotte und Katharina.

Wie unglaublich blöd Menschen sein können: Lachen, ohne überhaupt zu kapieren, worum es geht. Die können mich alle mal. Ich setze mich widerwillig, erhebe meinen

Blick und fixiere Arschgesicht Fritz und dann platzt es aus mir heraus.

»Jetzt hör mal ganz genau zu, Fritz. Der Nager, dein vielzitierter Biber, kann sehr, sehr sauer werden. Und so ein Biber hat ausgesprochen scharfe Zähne. Er kann nahezu alles zerstören. Alles. Und so ein Biber ist absolut hemmungslos! Der fürchtet sich vor nichts, auch vor keinem Jaguar. Hast du das verstanden? Und nerv' nicht, ich will essen.«

Alle am Tisch sind fassungslos und gucken, als hätte mir die Sonne jegliche Hirnstruktur weggebrannt.

»Andrea?«, sagt Christoph nur komplett peinlich berührt. Gaby fragt mich, ob ich Hilfe brauche, Lieselotte tätschelt unbeholfen meinen Rücken, Lukas will wissen, ob ich in der Sonne getrunken habe und, wenn ja, was, nur Fritz hält seine vorlaute Klappe. Auch Katharina sagt nichts, aber die redet ja eh nicht, vor allem nicht mit mir.

»Ich habe weder getrunken, noch einen Sonnenstich. Ich musste nur mal was klarstellen und der, den es betrifft, der hat es hoffentlich auch kapiert. Und jetzt würde ich gerne meinen Burger essen. Und den Crêpe«, beende ich meine kleine Ansprache.

Das war eine Andrea, die mir gefällt. Eine, wie ich sie gerne häufiger wäre. Couragiert und direkt. Nicht so verhuscht und verängstigt. Eine Frau, die sich nicht die Butter vom Brot nehmen lässt. Eine Frau, die sich wehren kann, keine kleine verhuschte Maus in Schockstarre, die sich in jede beliebige Ecke treiben lässt und dort zitternd wartet, bis alles vorbei ist.

Ich habe einfach keine Lust, mir diesen Biber-Jaguar-Mist, diese kryptischen Andeutungen die komplette Woche anzuhören. Was kann im schlimmsten Fall schon passieren? Fritz kann die Geschichte erzählen. Eine Geschichte, die bis auf den Anfang, wo er, wenn er denn bei der Wahrheit bleibt, definitiv die schlechtere Figur abgibt, nur auf Mutmaßungen basiert. Er hat nicht gesehen, dass ich es getan habe, er hat keine Beweise. Natürlich kann er sich denken, dass ich es war, aber ohne Beweise kann der Idiot denken, was er will. Jedenfalls ist ihm durch meine kleine, wirre, aber strenge Ansprache mal kurz die Sprache weggeblieben. Immerhin etwas.

»Soll ich dich aufs Zimmer begleiten?«, fragt Christoph.

»Ne, ich esse jetzt erst mal. Dann kannst du gerne mit mir aufs Zimmer kommen. Ich freue mich, dich mal für mich zu haben!«, sage ich laut und deutlich und für alle verständlich und schiebe mir noch einen Happen Crêpe in den Mund.

Sich zu wehren, sich nicht einfach so zu ergeben, kostet Überwindung, hinterlässt aber ein wundervolles Gefühl. Ein Gefühl von Selbstbewusstsein und von Du-Kannst-Mich-Mal. Ich darf mir nicht mehr so viel gefallen lassen, schießt es mir durch den Kopf. Es fühlt sich viel lebendiger an, mal etwas zu tun, was andere vielleicht nicht erwarten. Fritz ist sichtlich erschüttert. Alle schweigen und beobachten mich, wahrscheinlich um nur ja nicht meine nächste irre Anwandlung zu verpassen. Auf irgendeine merkwürdige Art genieße ich diese bizarre Form der Aufmerksamkeit. Kaum habe ich den letzten Bissen verspeist, nehme ich Christoph beim Wort.

»Lass uns gehen, der Biber will in seinen Bau!«

Christoph zögert kurz und ahnt wahrscheinlich, dass Widerspruch zwecklos wäre.

»Gut, Andrea, vielleicht ist es auch besser, du kommst aus der Sonne raus!«, ergänzt er noch.

Ich glaube, er sucht verzweifelt eine feine Entschuldigung für das auffällige Verhalten seiner Frau.

»Bis nachher!«, sagt Gaby und ist die Erste, die das allgemeine Schweigen bricht.

»Acht Uhr beim Essen?«, fragt Lukas und Christoph nickt.

»Wir sehen uns!«

Kaum haben wir uns wenige Meter vom Tisch entfernt, geht es los.

»Sag mal, Andrea, ich weiß ja, dass du zurzeit schräg drauf bist, aber was, um alles in der Welt, sollte dieses lächerliche Bibergerede und diese subtile Drohung?«

»Hatte nichts mit dir zu tun, das war was nur für Fritz. Hauptsache, der hat es verstanden«, antworte ich.

Jetzt, wo ich Christoph mal für eine gute Stunde nur für mich habe, möchte ich die Zeit nicht mit der Jaguar-Story verplempern.

»Ich möchte über uns reden!«, ändere ich meinen ursprünglichen Plan und verschiebe den Sex auf später. Wir reden, dann essen wir entspannt und dann geht es rund. Die Nacht wird uns gehören!

»Gut«, sagt Christoph, »dann lass uns reden.«

Ich weiß gar nicht so recht, wo ich anfangen soll. Es gibt ja keine wirklich schwerwiegenden Sachverhalte (man merkt an meinem Vokabular, dass ich mit einem Anwalt verheiratet bin!). Das meiste, was mir zu schaffen macht, ist eine Form der Befindlichkeit. Ein Ungleichgewicht. Deshalb fange ich mit dem elementarsten überhaupt an.:

»Sag, Christoph, liebst du mich noch?«

Es folgt eine Pause. Eine Pause, die bei dieser Frage eindeutig zu lang ist. Er räuspert sich.

»Das kann ich so einfach nicht beantworten!«, lautet Christophs Antwort.

Was soll das heißen? So schwer war die Frage doch nicht. Ja oder Nein heißt im Normalfall die Antwort. Komischerweise war ich mir sicher, er würde Ja sagen. Dieses Das-Kann-Ich-So-Einfach-Nicht-Beantworten macht mir klar, dass wir ein wirkliches Problem haben. Ich dachte, er sagt »Ja, natürlich« und im Laufe des Gespräches »Es tut mir so leid« und dann wird alles wieder gut. Ein Trugschluss. Auch ich bin für mich, was die Antwort auf diese Frage angeht, unsicher, war aber bis jetzt davon überzeugt, dass er mich liebt.

»Was soll das heißen?«, frage ich nach und meine große Selbstsicherheit vom Poolauftritt schwindet im Affenzahn. Ich rausche mental von der Sonnendachterrasse runter in den dunklen Keller. Wenn man sich noch liebt, lässt sich alles richten, so mein naiver Glaube. Wenn allerdings diese Basis wegbricht – was dann?

»Tja, was das heißt: Ich weiß es nicht, heißt, ich weiß es nicht. Wir sollten doch zumindest ehrlich miteinander sein, oder?«, antwortet mein Mann.

Auch seine Stimme klingt traurig.

»Du weißt nicht, ob du mich liebst?«, frage ich noch mal nach, weil ich irgendwie hoffe, mich verhört zu haben. Das kann doch nur ein gigantisches Missverständnis sein.

Mein Handy klingelt. Ausgerechnet jetzt.

»Entschuldige«, sage ich und schaue aufs Display. Claudia.

»Es ist Claudia. Ich muss da mal rangehen«, entschuldige ich mich und drücke auf die grüne Taste.

»Mama«, hält sich Claudia nicht mit langen Begrüßungsarien auf, »relax, ich bin bei Nina und schlaf hier und morgen gehe ich zum Kackbaumarkt. Chill. Alles okay.«

An sich entscheide ich, was okay ist.

»Moment mal«, hake ich deshalb nach, »wieso musst du denn bei Nina schlafen? Es ist uns erheblich lieber, du schläfst daheim. Und was ist das für ein Referat, das du da angeblich machst?«

»O Mann, ihr rafft echt nichts«, beschwert sich unsere Tochter. »Ich bin sechzehn, nicht elf. Ich übernachte bei meiner Freundin, nicht unter der Brücke. Ihr seid so Megaspießer.«

Von Claudia kann ich noch was lernen. Die zückt direkt die ganz großen Kaliber und haut gleich mal ein paar Beleidigungen raus. Ich habe keine Lust auf Diskussionen.

»Gut«, entgegne ich, »danke für den Megaspießer. Du kannst bei Nina schlafen, obwohl du gerade wirklich unverschämt warst, aber ab morgen bist du abends daheim. Solange du das Praktikum machst, schläfst du bei uns. Haben wir uns verstanden?«

Ich schaue zu Christoph, und er nickt. Immerhin. Da ziehen wir, wie man so schön sagt, mal an einem Strang.

»Hab's kapiert«, informiert mich Claudia mit einer schönen Motzstimme.

»Geht es euch denn sonst gut? Was macht Opa?«, versuche ich, noch so was wie eine normale Unterhaltung zu führen.

»Ja, alles gut«, ist die knappe Antwort von Claudia. »Okay, also bis irgendwann!«, ist ihre Verabschiedung.

Keine Rückfrage, ob es uns gutgeht. Wie das Hotel ist, das Wetter oder das Essen. Schlicht kein Interesse. Das ist ein unglaubliches Teenagerphänomen. Sie interessieren sich nur für sich und ihren winzig kleinen Kosmos. Keinen

Blick über den Tellerrand. Egomanie in Reinkultur. Hoffentlich verwächst sich das bald! Christoph macht mir ein Zeichen.

»Papa will dich noch sprechen«, sage ich, aber da macht es schon klick. Claudia hat das Gespräch beendet.

»Sie hat aufgelegt!«, sage ich und kann mich nicht mal richtig aufregen. »Soll ich noch mal anrufen?«, frage ich Christoph.

»Ne, lass mal, die redet ja eh nicht!«, antwortet Christoph, und es hört sich resigniert an.

Wir schweigen beide. Das, was gesagt wurde, steht zwischen uns. Es ist zwar kaum etwas gesagt, aber eigentlich trotzdem alles. Die Antwort auf die alles entscheidende Frage ist gegeben. Ich-Weiß-Nicht ist kein Ja. Man könnte denken, es ist auch kein Nein, aber letztendlich heißt Ich-Weiß-Nicht Nein.

Als wir in unserem Zimmer angekommen sind, ist es Christoph, der das Schweigen bricht.

»Und du, Andrea, liebst du mich noch?«

Jetzt heißt es auch für mich Farbe bekennen. Natürlich könnte ich einfach Ja sagen und damit wäre er der Buhmann. Der, der sich nicht sicher ist. Der, der die Beziehung möglicherweise zerstört. Der Schuldige. Obwohl man wohl kaum von Schuld reden kann, wenn jemand nicht mehr liebt. Das ist ja im Normalfall keine Absicht.

»Ich bin mir auch unsicher, ein klares Ja fällt mir auch schwer. Da ist Liebe, aber irgendwie verschüttet. Vielleicht ist es auch nur die Erinnerung daran, ich weiß es auch nicht.«

Er nimmt mich in den Arm. Ich weine, weil ich das Gefühl habe, hier ist er, der Bruch, den ich immer gefürchtet habe. Er streicht mir über den Rücken. Er weint nicht.

»Macht dich das nicht traurig?«, schniefe ich.

»Doch«, ist seine Antwort, »das macht es.«

Einen kurzen Moment später schaut er verstohlen auf seine Uhr.

»Du, wir müssen los. Abendessen. Die anderen warten!«

Wir reden über unsere Zukunft, es geht um alles, und Christoph sorgt sich, ob irgendwelche Leute eventuell auf uns warten. Meine Stimmung schwankt. Ich finde das so unerträglich, dass sich in meine Traurigkeit eine ordentliche Ladung Wut mischt.

»Du denkst jetzt an diese Deppen? Ans Abendessen?«, motze ich.

Er schaut auf, und sein Blick sagt mir, dass er meine Beschwerde nicht versteht.

»Ja schon. Was soll man dazu denn auch noch groß sagen. Das ist eine verfahrene Situation, keine Frage. Aber mal ehrlich, ich habe auch Hunger, und ich finde außerdem, dass man so was nicht unbedingt im Urlaub klären muss.«

Eine verfahrene Situation? Sind wir hier in einem abstrakten Anwaltsgespräch? Verfahrene Situation klingt gerade so, als hätte er selbst gar nichts damit zu tun, als ginge es um einen Klienten. Eben noch hatte ich das Gefühl, er wäre genauso betroffen wie ich und jetzt, nur wenige Minuten später, wirkt er völlig unbeteiligt. Fast schon kühl.

»Wir können das doch vertagen!«, schlägt er vor.

Natürlich, eine brillante Idee. Wir sagen uns, dass wir nicht sicher sind, ob wir uns noch lieben und machen uns anschließend einen feinen Abend. Ohne, auch nur weiter darüber gesprochen zu haben. Wie tumb muss man sein, um so etwas auch nur in Erwägung zu ziehen?

»Ist das dein Ernst?«, frage ich zurück.

Ich bin wirklich fassungslos. Wenigstens vertreibt diese Kombination aus Wut und Entsetzen meine Tränen.

»Na ja, wir werden das ja so schnell nicht klären, und da können wir ja auch erst mal Essen gehen«, antwortet er seelenruhig.

Wie pragmatisch. Hauptsache was gegessen. Genau das sage ich auch. »Hauptsache essen!«

Er verteidigt sich sofort.

»Im Gegensatz zu dir hatte ich keine Crêpes und Mini-Burger! Ich will mich nämlich tagsüber ein bisschen zurückhalten. Für die Figur.«

Eben noch ging es um ganz große Gefühle, um die Basis, um alles und jetzt keifen und zicken wir uns mal wieder durch die Niederungen der Banalitäten. Erbärmlich. Trotzdem kann ich das nicht einfach so hinnehmen.

»Ich hatte keine Crêpes und Mini-Burger, sondern einen Burger und einen Crêpe. Wenn du das so höhnisch sagst, klingt es, als wäre ich ein absoluter Vielfraß!«

Ich bin ein Vielfraß, keine Frage. Nahrung macht mir einfach gute Laune. Trotzdem hasse ich diese versteckten Hinweise: »Ich will mich nämlich ein bisschen zurückhalten. Für die Figur.«

Das heißt in der Übersetzung nichts anderes als: Dir, meine Liebe, könnte das auch nichts schaden. Womit er auch nicht Unrecht hat. Aber sollten sich Paare in dieser Hinsicht immer die große, oft grobe Wahrheit um die Ohren hauen? Ist Ehrlichkeit da nicht fehl am Platz? Christoph schaltet sich wieder ein.

»Ich verstehe dich einfach nicht, Andrea. Lass uns Essen gehen und dann weitersehen.«

Was soll's, denke ich, ich kann ihn ja schlecht zwingen, hier zu bleiben.

»Ich muss mich erst noch fertig machen, ich kann ja nicht in meinem kleinen Strandhängerchen ans abendliche Club-Büfett. Geh vor, wenn du magst.«

Natürlich hofft ein Teil von mir, dass er auf mich wartet. Umsonst gehofft. Er zieht sich ein Hemd und eine Jeans über, offensichtlich verzichtet er aufs Duschen.

»Ich komme ungern zu spät!«, teilt er mir mit, gerade so, als wäre das eine Neuigkeit für mich. Eigentlich hätte ich es sogar wichtig gefunden, dass er wartet. Nicht, weil ich alleine nicht in der Lage bin, den Weg zu finden, sondern weil es ein Zeichen gewesen wäre: Neben all dem Hunger, bist du mir wichtig! So wichtig, dass es mir egal ist, ob ich Fritz und Konsorten mal ein paar Minuten warten lasse. Zusammen werden wir alles klären. Aber seine Prioritäten sind eindeutig. Eindeutig nicht bei mir.

Am liebsten würde ich ins Bett gehen. Aber draußen wartet ein lauer schöner Sommerabend, auch wenn es sich in mir alles andere als schön anfühlt. Ich gehe Duschen und zwänge mich in meine Lieblingsjeans.

Habe ich in der kurzen Zeit hier etwa schon zugenommen? Ich komme kaum rein. Erschwert wird das Ganze durch meinen Sonnenbrand. Jeans und Sonnenbrand sind keine gute Kombi. So wie Christoph und ich. Egal, womit ich mich beschäftige, egal, was ich tue, ich komme immer wieder auf uns. Wir waren doch mal eine wirklich gute Kombi. So verliebt, so glücklich und so zuversichtlich. Was hat uns an diesen Punkt gebracht? Vor allem: Gibt es einen Weg zurück?

Letztlich treibt mich der Appetit zu den anderen. Hätte ich den besser unter Kontrolle, wäre ich mit Sicherheit im Zimmer geblieben.

Meine Reisegruppe ist schon beim Dessert als ich ankomme. Aber immerhin: Nicht ein blöder Kommentar. Kein Biber, kein Jaguar, keine Bemerkung über meine Verspätung. Wer weiß, was Christoph in meiner Abwesenheit erzählt hat. Bei uns am Tisch sitzen auch Lieselotte und Mister Hundefutter, der sich redlich müht, Lieselotte für sich zu gewinnen. Sie hingegen scheint noch unschlüssig. Mittlerweile hat sie kapiert, dass Christoph mein Mann ist und Fritz zu Katharina gehört. Auch wenn man das den beiden nicht anmerkt. Gaby und Lukas, so seltsam sie auch sind, sind das einzige Paar, das auch mit sich Spaß zu haben scheint. Fritz und Katharina schweigen sich an. Immer häufiger sehe ich solche Paare. Paare, die gemeinsam irgendwo sitzen und sich so gar nichts zu erzählen haben. Dafür scherzt Fritz umso bemühter mit Lieselotte. Katharina wirkt so, als wäre ihr das vollkommen gleichgültig. Kurt, der immer mehr merkt, wie ihm seine Felle davonschwimmen, redet nun auf Christoph ein. Es geht um irgendwelche Hundefutterpatente.

Ich bin nur physisch anwesend, der Rest von mir döst mit offenen Augen vor sich hin. Dieses heitere Geplänkel langweilt mich. Ich konzentriere mich aufs Essen. Immerhin habe ich es geschafft, dass mich Fritz in Ruhe lässt. Wenigstens hier vor den anderen. Ich kann mir nicht vorstellen, dass er nichts mehr sagen wird. Aber mal abwarten. Runde eins geht jedenfalls an mich.

Nach dem Essen geht's an die Bar, nur Katharina verabschiedet sich. Sie sei müde. Das ist eigentlich das erste, was sie heute Abend sagt. Fritz hebt nur kurz den Kopf für ein knappes: »Gute Nacht.«

Kaum ist Katharina um die Ecke, wittert Lieselotte ihre

Chance und rückt noch ein bisschen näher an Fritz heran. Der genießt die Aufmerksamkeit sichtlich. Schon nach zehn Minuten liegt seine Hand auf ihrem Schenkel.

»Wie lange seid ihr eigentlich verheiratet, Katharina und du?«, werfe ich einen kleinen verbalen Keil zwischen die zwei.

Ich finde, dass Fritz wenigstens warten könnte, bis wir weg sind. Wie sollen wir morgen sonst mit Katharina umgehen? Oder kann uns das egal sein? Geht es uns schlicht nichts an? Meine Frage ignoriert Fritz. Nur Lieselotte wirft mir einen kleinen missmutigen Blick zu. Sie hat den Hinweis verstanden.

Gaby und Lukas kippen schnell ihren Wodka. Seit sie bei uns zur Pilzsause waren und glauben, dass Wodka sie so derart wuschig gemacht hat, trinken sie ständig Wodka. Wahrscheinlich in der Hoffnung, noch einmal Ähnliches zu erleben. Gaby hat mich, seit wir hier sind, auch schon dreimal gefragt, wie denn nun der Wodka an dem denkwürdigen Abend geheißen hat …

Kaum sind die Gläser leer, erheben sich die zwei und gehen zur Michael Jackson-Show. Ich weigere mich standhaft mitzukommen. Ich habe nicht genug getrunken, um mir das anzutun. Auch Christoph hat keine Lust. Kurt hat inzwischen verstanden, dass er verloren hat. Lieselotte würdigt ihn keines Blickes mehr. Ihr Objekt der Begierde heißt definitiv Fritz. Sie hat gewählt. Nur was, um alles in der Welt, verspricht sie sich von dieser fragwürdigen Eroberung?

Als sie zur Toilette wankt, folge ich ihr.

»Ja, sag es schon! Halt mir einen kleinen moralinsauren Vortrag!«, ergreift sie die Initiative.

»Na ja, es geht mich nichts an, aber der Fritz ist verheiratet. Die Frau, die da vor einer Stunde aufs Zimmer gegangen ist, ist seine Frau«, lege ich ihr behutsam nah.

Sie reagiert weniger behutsam:

»Du hast total recht: Es geht dich nichts an. Und, Andrea, ich bin nicht doof. Ich kann sehen und hören. Ich weiß, dass das seine Frau ist. Ich will ihn auch nicht heiraten, nur ficken. Und ja, ich habe einen sitzen, aber es gefällt mir.«

Mit diesen Worten lässt sie mich im Waschraum stehen. Das war deutlich.

Mir verschlägt es die Sprache. Sie hat selbstverständlich recht, dass mich die Geschichte nichts angeht. Es ist ja nicht so, dass Katharina eine enge Freundin von mir ist. Eher im Gegenteil. Katharina hat ganz offensichtlich keinerlei Interesse, auch nur eine Bekannte von mir zu sein. Sie mag mich nicht mal. Trotzdem habe ich das Gefühl, eingreifen zu müssen. Vielleicht, weil ich das dumpfe Gefühl habe, auch ich hätte Katharina sein können. Dabei sollte ich eigentlich nicht auf Lieselotte sauer sein. Sie ist die Ungebundene im Spiel. Trotzdem erwarte ich von ihr, dass sie die Finger von Fritz lässt. Wäre es nicht eigentlich die Aufgabe von Fritz, seine Finger von Lieselotte zu lassen? Oder ist das eine generelle Moralfrage? Gehört es sich auch für Single-Frauen nicht, mit verheirateten Männern anzubandeln? Darf man rücksichtslos flirten, wenn man weiß, dass der Kerl vergeben ist? Kann man das ausblenden? Geht es – wie Lieselotte sagt – wirklich nur um das Eine?

Die Finger von Fritz sind noch immer auf Lieselottes Oberschenkel, jetzt allerdings nicht mehr auf, sondern unter ihrem Kleid. Ich bin gleichzeitig angewidert und fasziniert. Will wegschauen, kann meinen Blick aber kaum abwenden. Will Fritz sie jetzt und hier flachlegen? Kurt hat nun endgültig kapiert, dass Lieselotte für ihn, jedenfalls heute, nicht zu haben ist. Er zieht, geschlagen, von dannen. Christoph versucht das ganze Gefummel zu übersehen. Er schlägt sogar vor, noch mal bei der Michael-Jackson-Show vorbeizugehen. Will er Fritz freie Bahn bieten? Machen das gute Kumpels füreinander?

»Lass uns schlafen gehen!«, ist meine Alternative. Obwohl ich eigentlich gar nicht so müde bin. Aber was soll man in einem Club ansonsten tun, wenn man genug getrunken hat und Shows nicht mag?

»Wir könnten auch noch mal runter zum Strand!«, überlege ich laut. Christoph ist nicht begeistert.

»All der Sand, da muss ich ja danach duschen. Ne, gehen wir halt aufs Zimmer. Vielleicht kommt noch was Gutes im Fernsehen.«

Lieber fernsehen als nächtlicher Strand! Genau das ist es, was mich stört.

Auf dem Weg zum Zimmer spreche ich Christoph auf Fritz und Lieselotte an.

»Findest du, das muss man Katharina sagen?«, frage ich.

»Spinnst du!«, antwortet er sofort. »Das geht uns doch nichts an. Wahrscheinlich haben die eine eher offene Beziehung. Katharina hat doch gesehen, was sich da entwickelt und ist trotzdem ins Bett.«

Fehlt noch, dass er sagt, dass sie deshalb selbst dran schuld ist. Was hätte sie denn tun sollen? Sich dazwischenwerfen? Lieselotte die Augen auskratzen?

»Außerdem glaube ich nicht, dass das was Ernstes wird. Fritz geht sicher auch gleich ins Bett!«, ergänzt er noch.

Fragt sich nur in welches Bett, denke ich. Ist eine Hand

unterm Kleid noch nichts Ernstes? Wo bitte fängt denn dann was Ernstes an? In mir regt sich Widerspruch.

»Was bitte war das denn dann?«, will ich von meinem Mann wissen.

Es geht mir eigentlich nur noch am Rande um die Sache mit Fritz, sondern eher um eine grundsätzliche Einschätzung einer solchen Situation. Ich will herausfinden, wo seine Schwelle wäre.

»Man darf so was nicht überbewerten. Die hatten beide was getrunken, und haben ein bisschen geflirtet. Sonne und Alkohol – mehr war das nicht«, redet er sich und Fritz raus.

Ich bin keine Moral-Scharfrichterin, aber dass Fritz und Lieselotte heute Sex haben werden, ist für mich sicher.

»Die werden heute miteinander ins Bett gehen, da bin ich sicher!«, empöre ich mich ein wenig.

»Ach Quatsch, Andrea, dass du immer so dramatisieren musst. Ich kenne den Fritz, der ist an sich harmlos«, hält Christoph ein kleines Plädoyer für seinen Freund.

Den Freund, mit dem er in den letzten Monaten sehr viel Zeit verbracht hat. Angeblich auf dem Golfplatz.

»Der lässt doch auch sonst nichts anbrennen?«, bohre ich weiter.

»Woher soll ich das denn wissen? Seit wann bist du denn so an Fritz interessiert?«, stöhnt Christoph sichtlich genervt.

»Mir ist das unangenehm, vor Katharina, vor allen. Ich will so was nicht wissen und auch nicht sehen, dann muss ich auch nicht darüber nachdenken!«, versuche ich meine Gedanken zu erklären.

»Dann vergiss doch einfach, was du gesehen hast, und mach dir darüber nicht so einen Kopf. Ist doch echt nicht unsere Sache. Wir haben, weiß Gott, genügend eigene Probleme, auch ohne einen Fritz!«, beendet Christoph das Gespräch.

Er schließt unser Zimmer auf, und nach dem Lichtschalter drückt er den Einschaltknopf des Fernsehers.

»Sollten wir nicht lieber da weiterreden, wo wir heute Mittag aufgehört haben?«, frage ich leise.

Im Fernseher blubbert Markus Lanz mit irgendeinem selbsternannten Experten für Erziehungsfragen. Lanz ist eine Sendung, bei der Christoph normalerweise nicht schnell genug umschalten kann. Diesmal schaut er fast andächtig auf die Glotze.

»Ich habe dich was gefragt!«, hake ich nach.

»Andrea, das war doch eine Sackgasse heute Nachmittag. Am besten wir lassen es sacken, denken nach und sprechen ein andermal weiter!«, antwortet mein Mann und wirft sich aufs Bett.

Jetzt hier von Markus Lanz zugequatscht zu werden, das fehlt mir gerade noch.

»Ich bin noch nicht müde und auf Fernsehen habe ich keine Lust. Wenn du nicht reden willst, gehe ich noch mal runter zum Strand!«, sage ich und hoffe, dass Christoph sich umentscheidet und mich begleitet. Tut er aber nicht:

»Okay, dann bis später!«, entgegnet er nur.

Er wirkt sogar ganz froh. Froh darüber, heute Abend ums Gespräch drumherum gekommen zu sein. Eigentlich habe ich keine Lust, allein zum Strand zu gehen. Aber hier die angehende Nacht mit Markus Lanz zu verbringen und einem Mann, der nicht will, was ich will, das halte ich einfach nicht aus. Nach Sex ist mir auch nicht. Bei der Stimmung, die zwischen uns herrscht, kann ich mir auch nichts vorstellen. Resignation sorgt eben nicht für Leidenschaft.

Feuriger Streit schon eher. Aber wir streiten nun mal nicht. Warum auch immer. Selbst dafür scheint uns die Leidenschaft zu fehlen.

Ich schnappe mir einen Piccolo aus der Mini-Bar, ein paar Nüsse und ein Handtuch und mache mich auf den Weg.

Die Nacht ist wunderbar. Die Luft, das leichte Rauschen des Meeres und dazu ein sanfter Wind. Trotzdem ist es warm. Von ganz fern höre ich das Mauzen einer Katze. Keine Musik, keine Menschen. Es riecht gut. Salzig und herb. Ich ziehe eine Liege in Richtung Wasser und lege mein Handtuch darauf. Ich setze mich und bohre die nackten Füße in den Sand. Ich liebe das Gefühl. Was wohl Claudia gerade macht? Und mein Kleiner? Hoffentlich hat er Spaß in seinem Fußballcamp. Er war noch nie so lange ohne uns unterwegs. Wie würden die Kinder reagieren, wenn wir uns trennen?

Obwohl hier alles so ruhig ist, kann sich mein Gehirn nicht beruhigen. Es rattert vor sich hin. Die Gedanken springen hin und her. Die Kinder, Rudi, Christoph, mein Job. Mein gesamtes Leben tanzt Rumba in meinem Schädel. Ungeordnet rauscht mir alles durch den Kopf. Ich lege mich auf die Liege und schaue in den Himmel. Vielleicht kann ich erst Ordnung in mein Leben bringen, wenn ich es schaffe, Ordnung in meinem Kopf zu machen. Einmal Schädel-Großputz. Aber es sind einfach zu viele Baustellen. Wie kann ich mich meiner Tochter wieder annähern? Wie schaffe ich es, dass mir mein Sohn nicht auch noch nach und nach entgleitet? Wo soll die Liebe zwischen Christoph und mir wieder herkommen? Wie kann ich Rudi helfen, wieder Spaß am Leben zu finden?

Ausgerechnet ich, die ich ja selbst so verzagt bin. Ich schließe meine Augen und versuche abzuschalten. Ich konzentriere mich auf meinen Atem. Versuche, mich an eine Probestunde Autogenes Training zu erinnern. Atmen und auf die diversen Körperteile konzentrieren. Die Beine werden schwer, die Arme werden schwer – so irgendwie ging das. Ich liege und atme. Das Rattern in meinem Kopf wird leiser. Ich atme so tief ich kann. Die Luft verteilt sich in meinem Körper. Ich werde ruhiger. Höre auf das Meer und versuche zu genießen. Ich merke, wie alles im Körper runterfährt. Kurz bevor ich einschlafe, höre ich Stimmen, die mich abrupt wieder in die Realität katapultieren. Es sind bekannte Stimmen.

»Nicht ins Wasser!«, kichert eindeutig Lieselotte.

»Du kleine wilde Katze, tiefer!«, sagt eine raue männliche Stimme. »Nimm ihn!«, keucht die gleiche Stimme.

Weit weg von mir können die beiden nicht sein. Wie unangenehm! Sollte ich Hallo rufen? Auf mich aufmerksam machen und den beiden damit den Schock ihres Lebens verpassen? Und damit gleichzeitig ihr Nümmerchen ruinieren? Oder einfach stillhalten und hoffen, dass es schnell vorbeigeht? In unserem Alter dauert das ja meist nicht mehr stundenlang. Immerhin habe ich Recht behalten. Sind die blind oder warum sehen die mich nicht? Meine Liege steht direkt am Wasser, aber ich wage es nicht, mich umzudrehen. Ich habe Angst, sie treiben es direkt hinter mir.

»Du hast so geile Brüste!«, stöhnt es da.

Ein bisschen origineller könnten Komplimente auch sein! Geile Brüste! Fritz ist ein Mann, der studiert hat und dann so was.

»Steck ihn mir rein, mach schon, dein dickes Ding! Fick mich, du großer Hengst, fick mich!«

Das ist Lieselotte, die für diese Sätze sicherlich auch keinen Literaturnobelpreis verdient hat. Immerhin, es sind relativ klare Anweisungen. Ich würde am liebsten im Sand versinken. Beim Sex von anderen zuzuhören ist sehr seltsam. Es klingt alles so irrsinnig albern. Hengst! Fury war ein Hengst. Ein großer schwarzer Hengst in einer Fernsehserie aus den 60er Jahren. Fritz ist alles Mögliche – ein ziemlicher Arsch zum Beispiel, aber ein Hengst? Was denken wir Frauen uns bei so etwas? Aber der Hengst scheint zu machen, was das geile Brüstchen will. Sprachlich haben die zwei sich anscheinend ausgepowert, was folgt ist Stöhnen in allen Tonlagen. Minutenlang. Ich wage kaum zu atmen, obwohl die zwei wahrscheinlich nicht mal bemerken würden, wenn ich ein Liedchen anstimme.

»Hey, weiter! Ich bin nicht fertig!«, unterbricht Lieselottes Stimme das Gestöhne.

Das Timing scheint ungünstig zu sein. Der Hengst kann wohl nicht mehr. Ist zum Wallach mutiert.

»Tja, der Alkohol, irgendwie will er nicht mehr!«, antwortet Fritz ziemlich kleinlaut.

Er kann nicht mehr – er redet von seinem Penis in der dritten Person. Ich habe fast Mitleid. Ist ihm sicher irre peinlich. Aber andererseits bin ich ganz froh. Das bedeutet dann wohl, dass ich bald wieder richtig Luft holen kann.

»Was für eine Scheiße«, sagt Lieselotte frei von Mitleid und ziemlich uncharmant.

Die Frau weiß anscheinend, was sie will, und wenn sie es nicht bekommt, kann sie offensichtlich ganz schön grantig werden. Furchterregend, aber auch bewundernswert. Schließlich hatte er ja durchaus seinen Spaß.

»Gib mir ein bisschen Zeit, der erholt sich schon wieder! Früher konnte ich zig Mal hintereinander«, versucht er Lieselottes Laune wieder herzustellen.

Früher, denke ich nur, früher konnten wir alle tolle Sachen. Wie armselig.

»Früher nutzt mir nichts!«, hat Lieselotte ähnliche Gedanken wie ich. »Ich will es jetzt, habe ich etwa aufs falsche Pferd gesetzt?«

Die Frau ist wirklich knallhart. Jetzt wird es auch dem Hengst zu bunt.

»Sei mal nicht so zickig. Kümmere dich lieber um ihn, dann will er auch bald wieder spielen!«

Er will spielen! Mein Gott, auf der Peinlichkeitsskala ist immer noch Luft nach unten.

»Wollen wir da vorne auf die Liege und noch mal von vorne anfangen?«, bettelt Fritz.

Auf welche Liege? Hier ist nur eine, und das ist die, auf der ich liege. Bitte nicht. Nicht auf die Liege versuche ich es mit Gedankenübertragung. Lieselotte du willst nicht auf die Liege.

»Du Langweiler!«, lacht sie auch nur.

Dann will er anscheinend wieder spielen und die Liege ist aus dem Rennen. Der Hengst gibt noch mal alles und nach wenigen Minuten haben wir es alle überstanden. Ich bin mindestens genauso froh wie Fritz als es vorbei ist.

»Du bist ja doch ein wahrer Hengst!«, säuselt Lieselotte besänftigt und fügt hinzu: »Wenn er noch mal spielen will, jederzeit gerne!«

Dann aber ohne mich, hoffe ich nur.

Die beiden scheinen den Strand zu verlassen. Ich harre noch einige Minuten aus, bevor ich mich langsam aufrichte. Sie sind weg. Ich bin noch immer erstaunt, dass sie mich nicht entdeckt haben. Dabei hätte es mir ja gleichgültig sein können. Aber irgendwie schämt man sich mit. Ein Gutes hat der Vorfall: Sollte Fritz noch eine Andeutung in Richtung Jaguar machen, lasse ich den Hengst aufgalop-pieren.

Was für eine Nacht! Immerhin, es war eine Nacht mit Sex – allerdings nicht ganz so, wie ich es mir ursprünglich vorgestellt hatte. Ich beschließe, Christoph zunächst nichts davon zu erzählen. Ich habe Angst, dass er es Fritz erzählt und mein Trumpf verblasst. Ich will nicht, dass Fritz vorbereitet ist, falls ich die Bombe platzen lasse. Ich schleiche mich ins Zimmer. Christoph schläft. Der Fernseher läuft noch, und das, was ich da sehe und höre, klingt ähnlich wie das, was ich gerade am Strand gehört habe. Selbst Sex-Vokabular unterliegt offenbar einer gewissen Norm.

11

Am nächsten Tag ist golffrei. Die Herren haben gnädigerweise beschlossen, nur jeden zweiten Tag Golf zu spielen.

»Was wollen wir machen?«, frage ich freundlich bei Christoph nach.

»Entspannen, sonnen, baden, nichts Besonderes! Urlaub halt«, lautet seine Antwort.

Klingt okay. Genau das machen wir dann auch. Wir liegen am Strand, schwimmen ein wenig und lesen. Das Liebesthema sparen wir aus. Es ist ein friedlicher Tag. Gaby und Lukas leisten uns Gesellschaft. Fritz geht es laut Katharina nicht so gut.

»Ihm ist das Essen anscheinend nicht so bekommen!«, informiert sie uns.

Ich glaube eher, er hat sich übernommen, spare mir aber jeglichen Kommentar. Katharina verbringt den Tag mit Anwendungen. Massage, Gesichts-Treatments und Pilates. Jeder wie er mag, denke ich nur. Gaby schwärmt von der Michael-Jackson-Show:

»Ich glaube, die schaue ich mir noch mal an, so cool wie die ist!«

Ich genieße die Sonne. Nachmittags taucht dann auch Fritz aus der Versenkung auf. Der Hengst wirkt wie ein waidwundes Reh. Angeschlagen. Die Männer grinsen, als wüssten sie mehr. Verschwörerisch.

»Harter Abend?«, fragt Lukas mitfühlend.

Fritz nickt nur und brummelt was von Trainerstunde.

»Damit ich euch mal morgen zeigen kann, wie man ordentlich Golf spielt!«, tönt er schon wieder.

Zu wissen, wie kleinlaut das Großmaul sein kann, ist herrlich. Manchmal muss man einen Trumpf nicht mal ausspielen und kann ihn trotzdem genießen.

Heute ist spanischer Abend. Ein wenig seltsames Motto für einen Club in Spanien. Sollte da nicht jeder Abend ein spanischer Abend sein?

Sei's drum. Das Essen ist phantastisch. Tapas ohne Ende und jede Menge frischen Fisch. Die Animateure tragen Flamencoklamotten, und es läuft Gitarrenmusik. Auch wenn wir in Liebesfragen keinen Schritt weitergekommen sind, das heute war ein richtiger Urlaubstag. Kann das die Wende sein? Es wäre schön. Wieder kein eigener Sex, aber auch keine Tränen. Immerhin. Eins nach dem anderen.

Im Bett fällt mir auf, dass wir vergessen haben, zu Hause anzurufen. Eigentlich ein gutes Zeichen. Es ist kurz vor elf, und wir überlegen, ob wir noch anrufen können.

»Lass es uns morgen machen, bevor wir jetzt Rudi und Claudia wecken. Wäre irgendwas, hätten die sich ja sicher gemeldet.«

Ich schlafe tief und fest und schwitze nur ein ganz klein wenig. Selbst meine Hormone scheinen sich beruhigt zu haben.

12

Am nächsten Morgen ist Christoph früh weg. Der Golfplatz ruft. Ich habe keine Pläne und lasse es gemütlich angehen. Beim Frühstück denke ich über den gestrigen Tag nach. Rückblickend bin ich überrascht von mir selbst. Wie konnte ich den Tag so entspannt verbringen? Kann man sich mit dieser Situation doch arrangieren? Oder liegt es daran, dass wir im Urlaub sind? Kann man das Nicht-Geliebt-Werden aushalten, wenn die Umstände so angenehm sind, wie sie es hier sind? Kann man eine Kröte schlucken, wenn sie auf einem hübsch dekorierten Teller sitzt und nicht weiter auffällt? Wird die Kröte erst zur Kröte, wenn sie im fetten Schlamm hockt? Ist der Alltag, der unselige, das vielzitierte Tüpfelchen auf dem I? Macht es ein rundum sorgloses, luxuriöses Leben einfacher, sich zu arrangieren? Ich denke ja. Das erklärt auch so manche Paarkombinationen. Können wir zwei dauerhaft so tun, als hätte unser Gespräch gar nicht stattgefunden? Kann man dieses Wissen ausblenden und einfach so weiterleben? Jetzt hier beim Frühstück habe ich meine Zweifel. Was war bloß gestern mit mir los? Warum habe ich die Zeit nicht genutzt und noch einmal mit meinem Mann geredet? Vielleicht, weil ich ahne, dass dieses Gespräch zu nichts führt. Will ich so leben? Verdrängen und ausblenden? Will ich, dass er sich besinnt und merkt wie wahnsinnig liebenswert ich bin? Ich will tatsachlich unbedingt, dass er mich liebt, obwohl ich gar nicht weiß, ob ich ihn noch liebe. Das ist seltsam. Brauche ich seine Liebe als Bestätigung? Für mein Ego?

Ich besuche den Bauch-Beine-Po-Kurs und merke, dass ich ausreichend Bauch, Beine und Po habe. Vor allem Bauch.

Danach gehe ich zum Strand und treffe auf Lieselotte. Ich bin ein wenig gehemmt. Ulkig, schließlich war nicht ich es, die diesen Strand zweckentfremdet hat. Trotzdem kann ich ihr kaum in die Augen schauen.

»Und, wie geht es dir?«, frage ich freundlich.

»Bisschen verkatert, sonst gut. Waren heiße Nächte!«, antwortet sie, und ich würde am liebsten sagen: »Ich weiß, erspare mir Details, ich habe sie in Auszügen live miterlebt.«

»Und was hast du heute vor?«, lenke ich unseren kleinen Plausch stattdessen auf anderes Terrain.

»Ich werde nach dem Mittagessen mal einen Ausflug machen, mit dem Taxi nach Santanyi, in dieses nette Dorf. Bisschen bummeln. Magst du mitkommen?«, antwortet sie.

Gar keine schlechte Idee, denke ich. Mal raus aus diesem Club, mal was anderes sehen und der Haut eine kleine Auszeit gönnen.

»Warum nicht? Ich bin dabei! Christoph ist eh Golfen«, stimme ich zu.

Das Mittagessen lasse ich ausfallen. Der Bauch-Beine-Po-Kurs hat mich ein wenig erschüttert. Mein Bauch kann offensichtlich auch mal einen Mittag ohne warme Mahlzeit überstehen!

Mit dem Taxi fahren wir nach Santanyi. Ein wirklich hübscher Ort, aber reichlich verschlafen. Kein Geschäft hat offen. Siesta – bis 17 Uhr. Einkaufen fällt also flach. Wir setzen uns in ein niedliches Hotel an der Kirche, und weil wir nicht wissen, was wir sonst tun sollen, bestellen wir uns eine Flasche Wein.

»Wir müssen ja nicht mehr fahren!«, ist Lieselottes Argument.

Stattdessen trinken wir.

»Und wie war dein Abend vorgestern noch?«, fallen bei mir nach dem zweiten Glas die Hemmungen.

»Lustig!«, antwortet sie mit einem Grinsen. »Ich war noch mal am Strand und bin dann ins Bett.«

Ja, so kann man die Geschichte natürlich auch erzählen, als eine Art Lückentext. Ich bin kurz davor zu sagen, dass auch ich am Strand gewesen bin.

»Ich habe durchaus gemerkt, dass du irgendwie sauer warst, weil ich mit Fritz geschäkert habe!«, gesteht sie.

»Vielleicht bin ich da altmodisch, aber Fritz ist verheiratet und seine Frau ist auch noch dabei, da finde ich das, sagen wir mal unangemessen«, versuche ich zu erklären.

»Macht das einen Unterschied, ob sie dabei ist oder nicht? Spielt das eine Rolle?«, fragt sie. Eine gute Frage.

»Nein, eigentlich nicht«, gebe ich zu.

Sie kommt richtig in Fahrt: »Und wieso stehe eigentlich ich am Pranger? Ich bin geschieden und trotzdem bist du sauer auf mich. Ist nicht Fritz derjenige, der, wenn überhaupt, schuldig ist? Warum nur ticken wir Frauen so? Suchen die Schuld immer bei uns selbst, nie bei den Männern? Sind Männer tatsächlich so wehrlos und Opfer von gierigen, willigen Frauen? Er kann doch nein sagen, oder?«

Auch an diesem Argument ist durchaus was dran.

»Ich nehme mir einfach, was ich will!«, setzt sie noch einen drauf.

»Aber muss es denn ein verheirateter Mann sein?«, wende ich ein.

»Nein«, antwortet sie, »es muss nur einer sein, der mir gefällt. Wenn der verheiratet ist, stört es mich nicht.«

»Aber du zerstörst möglicherweise eine Ehe!«, werfe ich noch ein gewichtiges Argument in den Ring.

Sie lacht: »Sag mal, wie naiv bist du denn? Glaubst du das im Ernst? Ich, die Böse, die Sirene, die harmlose, treue Ehemänner auf den Pfad der Untugend lockt?«

»Böse ist übertrieben, aber dass du sie lockst, kannst du ja nicht abstreiten?«, kontere ich.

Ich will mir nicht all meine Illusionen nehmen lassen.

»Das sind erwachsene Männer mit freiem Willen. Ich muss sie nicht fesseln und knebeln. Davon mal abgesehen, die meisten nehmen was sie kriegen können, egal ob verheiratet oder nicht. Ich könnte nahezu jeden haben!«, bemerkt sie fast lapidar.

»Auch meinen Mann?«, frage ich.

Sie nimmt einen großen Schluck Wein und legt los.

»Die Wahrheit, Andrea? Wahrscheinlich ja, wieso auch nicht. Er ist sicherlich auch kein Heiliger. Dass zwischen euch nicht viel läuft, ist offensichtlich. Ich sage nur Körpersprache. Und wenn Männer ein bisschen ausgehungert sind, sexuell gesehen, oder was Anerkennung angeht, dann sind sie schnell zu haben.«

Das haut mich jetzt um. Ist das so deutlich zu sehen, wie es um uns steht? Ich bin versucht sie zu bitten, es auszuprobieren. Wirf deinen Köder aus, und wenn er anbeißt, weiß ich, was Sache ist, überlege ich. Aber will ich das wirklich? Sollte er tatsächlich »mitspielen«, wäre das ein Todesstoß für uns. Ich glaube, das könnte ich schwer ertragen.

»Ich würde mir das nicht gefallen lassen!«, sage ich.

»Ach ja?«, meint sie nur und nimmt noch mal einen kräftigen Schluck.

»Die meisten versuchen, nicht hinzuschauen, so wie diese Katharina. Sie akzeptieren es nicht, aber sie ignorieren es.«

Sie bestellt, ohne mich zu fragen, eine weitere Flasche Wein. Nach all den Offenbarungen kann ich den Alkohol brauchen.

»Keine Sorge, Andrea, ich würde mich nicht an deinen Mann ranschmeißen. Ich mag dich, da ziehe ich schon Grenzen, ich bin ja kein männermordendes Ungetüm!«, versucht sie, mich zu beruhigen.

»Aber«, will ich dann doch noch wissen, »wenn du ständig mit verheirateten Männern was hast, da wird doch keine Beziehung entstehen. Die wollen doch nur mal Abwechslung, nichts Neues, Festes.«

Jetzt lacht sie mich ein bisschen aus.

»Wie klein denkst du? Glaubst du, ich bin ernsthaft auf der Suche nach einer festen Beziehung? Die hatte ich schon. Ich fühle mich wohl allein. Ich will den Sex, den Spaß, die Aufregung. Auf den Alltag kann ich gut verzichten. Ich will gar nicht, dass sie ihre Frau verlassen. Das fehlt mir noch!«

Wow, das klingt nach einer starken, unabhängigen Frau. Aber auch nach einer ängstlichen. Nach einer, die sich eben nicht zutraut, langfristig interessant und aufregend zu sein. Nach einer, die die Kurzstrecke wählt, weil sie ahnt, dass sie an der Langstrecke scheitern würde. Das hat auch was Deprimierendes.

»Aber wenn du dich verliebst?«, frage ich vorsichtig.

»Wenn das passiert, sehen wir weiter. Bisher war keine Liebe im Spiel!«, antwortet sie und prostet mir zu.

Wir leeren die zweite Flasche Wein und trinken noch zwei schöne Milchkaffees. Ich bin reichlich angeschickert, als wir den traumhaft schönen Innenhof des Hotels verlassen. Auf der Heimfahrt im Taxi grüble ich darüber nach, ob Lieselotte mir sympathisch ist. Auf alle Fälle ist sie ehrlich, und das mag ich. Aber will ich so ein Leben? Nein.

Bis zum Abendessen ruhe ich mich aus. Ein verspätetes Mittagsschläfchen um ein paar Promille abzubauen. Tagsüber Alkohol bin ich einfach nicht gewöhnt.

Beim Abendessen fühle ich mich wieder halbwegs fit. Meine Haut hat den Tag genossen und sich ein wenig erholt. Ich bin nicht mehr pink. Die Männer schwelgen in langweiligen Golfgeschichten. Katharina ist wortkarg wie immer und Gaby hingegen ganz aufgeregt. Sie hat den heutigen Tag damit verbracht zu üben. Für eine Abendshow. Sie wird eine winzige Rolle in »Die Schöne und das Biest« haben. Lukas ist voll der Bewunderung.

»Gaby hat unglaubliches schauspielerisches Talent! Von ihrem Aussehen gar nicht zu reden!«, schwärmt er. »Ihr werdet sehen.«

Ich kann mich vor Vorfreude kaum halten. Dass Gaby schauspielerisches Talent hat, glaube ich sofort. So wie sie bei all den Golfgeschichten immerzu Ekstase heuchelt.

Lieselotte ist nicht zu sehen. Die direkte Konfrontation mit Katharina scheint selbst ihr unangenehm. Wir hängen nach dem Essen noch ein wenig an der Bar ab, und dann ist auch dieser Tag geschafft.

Im Bett nehme ich noch mal einen Anlauf.

»Christoph, wir können das doch nicht so zwischen uns stehen lassen«, beginne ich, »lass uns noch mal reden!«

»Muss das denn im Urlaub sein?«, ist Christophs Antwort.

Er gähnt lautstark.

»Jeder denkt nach, und wir reden, wenn wir zu Hause sind!«

Ich glaube, er will einfach so weitermachen. Es scheint ihn nicht wirklich zu stören.

»Was erwartest du nach all der Zeit?«, äußert er noch.

Tja, was erwarte ich? Auf jeden Fall mehr als das, was wir haben. Ich möchte wenigstens so etwas wie Hoffnung am Horizont sehen. Hoffnung auf Veränderung. Denkt er, es wird irgendwann eine Ladung Liebe vom Himmel regnen?

»Was ist denn mit Claudia, wie war es im Baumarkt?«, wechselt er elegant das Thema.

Mist, Claudia. Ich habe schon wieder vergessen anzurufen. Was bin ich bloß für eine Mutter? Sollte das Wohlergehen der Kinder nicht allererste Priorität haben?

»Ich habe sie nicht erreichen können!«, schwindle ich.

»Dann lass es uns jetzt versuchen«, entgegnet er.

Wir wählen die Nummer zu Hause, es ist nach 23 Uhr, und es dauert lange bis eine total verpennte Claudia den Hörer abnimmt. Christoph hat auf laut gestellt.

»Ja«, sagt Claudia, »Mann, es ist voll spät.«

Damit hat sie ausnahmsweise mal recht.

»Hier spricht dein Vater, ich wollte mal hören, wie dein erster Tag war?«, beginnt Christoph.

»Wie soll es schon sein? Öde natürlich, aber die Leute sind in Ordnung. Alles okay, kann ich jetzt wieder schlafen?«

Christoph grinst

»Natürlich, Liebling, leg dich hin, du musst ja morgen früh raus!«

»Danke dass du mich dran erinnerst, ich freu mich schon total!«, zischt unsere Tochter.

»Was ist mit Opa?«, rufe ich noch.

»Was soll schon mit Opa sein?«, fragt sie erstaunt. »Der schläft natürlich. Was sonst. Habt ihr gedacht, der wäre aus? Im Nachtleben? Wenn ihr Opa sprechen wollt, dann ruft zu einer normalen Zeit an!«

»Gute Nacht!«, sagt Christoph, und sie nuschelt ebenfalls »Gute Nacht«.

»Ja, da können wir ja beruhigt schlafen!«, beschließt Christoph und knipst, ohne mich zu fragen, das Licht aus.

Ich liege – wie so oft – noch eine ganze Weile wach. Im Traum sagt Lieselotte wilder Hengst zu meinem Mann!

13

Am nächsten Morgen weckt mich mein Handy.

Eine SMS von Herrn Reimer. Allerdings keine Flirt-Bikini-Badehosen-SMS, sondern eine beunruhigende:

Mark ernsthaft krank. Bauchweh mit Verdacht auf Blinddarmentzündung. Krankenhaus ist unsicher. Er muss nach Hause! Bitte melden!

Panisch starre ich auf die Meldung. Ich rüttle an Christoph und lese ihm die SMS vor.

»Wir müssen sofort nach Hause! Mark ist krank!«

»Gemach, gemach«, antwortet mein Mann.

Er liest sich die SMS noch mal durch und versucht mich zu beruhigen.

»Verdacht auf Blinddarm, Andrea, das heißt noch gar nichts. In dem Alter haben die oft mal Bauchweh, vielleicht ist es nur Heimweh.«

Ich könnte ihm eine knallen. Mein armer kleiner Mark! Ich will sofort nach Hause.

»Buch unsere Flüge um. Ich rufe derweil an!«, erteile ich Anweisungen.

»Eins nach dem anderen!«, sagt Christoph nur. »Wir rufen jetzt an, und dann sehen wir weiter.«

Hektisch wähle ich die Nummer. Herr Reimer meldet sich sofort.

»Hallo, Frau Schnidt, schön Sie zu sprechen. Leider nicht ganz so unter diesen Umständen«, begrüßt er mich.

»Wie geht es ihm?«, will ich als Erstes wissen.

Herr Reimer antwortet: »Es geht. Er hat starke Schmerzen, liegt im Bett und verlangt nach Ihnen. Wo sind Sie?

Können Sie ihn holen? Soll ich ihn bringen? Wie machen wir es?«

»Wir sind auf Mallorca. Wir müssen umbuchen, oder einen neuen Flug buchen und kommen natürlich schnellstmöglich nach Hause!«, sage ich und bemühe mich, meine Panik in den Griff zu bekommen. »Kann ich Mark sprechen? Bitte!«, frage ich noch.

»Natürlich, Frau Schnidt. Sorgen Sie sich nicht so sehr. Ich kümmere mich. Wir alle kümmern uns. Das wird schon wieder!«, redet er auf mich ein.

Was für ein netter Mann!

»Ich gehe jetzt zu Mark und gebe ihm das Handy!«, sagt er noch.

Es dauert einen Moment. Ich gucke Christoph an und schimpfe direkt los.

»Was sitzt du hier noch? Zieh dich an, kümmere dich um die Flüge! Es geht um unseren Sohn!«

Er erhebt sich tatsächlich und brummelt irgendwas.

»Mama«, piept da eine schwächliche Stimme. »Mama, bist du das?«

»Ja, mein Schatz, wie geht es dir? Du Armer!«, sage ich und unterdrücke die Tränen.

Ich will jetzt nicht hier auf Mallorca sein, sondern am Bett meines Sohnes sitzen, ihn in den Arm nehmen und für ihn da sein. Von meinem obercoolen Teenager ist nicht viel übrig. Er klingt verzagt und unglücklich.

»Es tut schlimm weh!«, jammert er.

»Ich komme so schnell ich kann!«, verspreche ich.

Christoph ist noch nicht mal angezogen. Der hat ja schön die Ruhe weg.

»Gib mir mal den Jungen!«, sagt er dann.

»Mark, Papa will dich noch sprechen. Verlass dich auf

uns, wir sind ganz bald da. Wir müssen nur nach Hause fliegen. Ich tue alles!«

Ich reiche das Handy weiter.

»Ganz ruhig, Mark, das wird. Wir holen dich. Jetzt nur keine Panik. Nicht weinen, das nützt ja nichts. Bleib stark!«, beendet er seine Ansprache.

Bleib stark, nicht weinen – was für ein Quatsch. Wenn es einem schlecht geht, darf man natürlich weinen.

»Wir melden uns, Herr Reimer, und herzlichen Dank für Ihr Kümmern!«, sagt er dann noch zu meinem Herrn Reimer und legt auf.

»Was hockst du noch hier? Wir könnten schon fast in der Luft sein!«, herrsche ich ihn an.

»Andrea, jetzt verliere mal nicht die Nerven. Es ist möglicherweise ein entzündeter Blinddarm, vielleicht aber auch nicht. Der Junge liegt nicht im Koma!«

Ich erspare mir die Antwort, und ohne mir die Zähne zu putzen und nur in einem dünnen Kleidchen über meiner Unterhose renne ich los. Ich lasse Christoph einfach im Zimmer sitzen. Ich rase zur Rezeption.

»Hallo, guten Morgen!«, begrüßt mich eine dieser supergutgelaunten jungen Dinger. Was die denen wohl täglich ins Getränk machen?

»Es gibt einen Notfall. Ich muss sofort nach Hause. Ich brauche einen Flug, also ich muss umbuchen!«, bricht es aus mir heraus.

»Eins nach dem anderen!«, sagt sie freundlich. »Wann geht denn dein normaler Flug und welche Flugnummer hat der?«, fragt sie.

»Was weiß ich, keine Ahnung. Samstagnachmittag, aber die Flugnummer habe ich jetzt nicht!«, reagiere ich nicht sehr entspannt, »es eilt wirklich!«

»Checke bitte mal deine Flugnummer, und ich checke inzwischen mal die Auslastung der Flüge. Wo soll es denn hingehen?«, versucht sie irgendwie Struktur in mein Anliegen zu bekommen.

»Nach Frankfurt, so schnell wie möglich, wenn du einen Flug findest, buch ihn. Den nächsten, den du kriegen kannst!«

»Und dein Name?«, fragt sie noch mal vorsichtig.

»Schnidt, Andrea Schnidt. Aber bitte beeile dich!«, flehe ich sie an.

»Mach ich, aber in der Zwischenzeit holst du deine Reiseunterlagen und packst vielleicht auch schon mal!«, gibt sie genaue Anweisungen.

»Mach ich, danke. Ich danke dir. Mein Sohn ist krank, ich muss da hin«, liefere ich noch eine Erklärung für die Hektik.

»Das verstehe ich doch«, sagt sie sehr liebevoll. »Sorge dich jetzt nicht, ich werde mich kümmern. Ich bekomme das hin!«

Mit einem »Danke« drehe ich mich um und rase zurück Richtung Zimmer.

Christoph steht im Bad und putzt Zähne.

»Wo sind unsere Unterlagen?«, frage ich.

»Gleich!«, sagt er mit Schaum im Mund.

Wenn ich seine Seelenruhe so sehe, werde ich auch gleich Schaum vor dem Mund haben. Allerdings, ohne die Zähne zu putzen. Er spült aus und geht zum Safe.

»Hier sind sie doch«, sagt er und drückt mir die Unterlagen in die Hand. »Warte einen Moment, und ich komme mit!«, fügt er dann hinzu.

Macht er sich überhaupt keine Sorgen? Wo nimmt der diese Ruhe her?

»Pack schon mal, ich erledige das!«, erteile ich Direktiven und flitze schon wieder los.

»Es sieht nicht so arg gut aus!«, informiert mich Clara an der Rezeption. »Es ist Hochsaison, die Flieger sind rappelvoll, mit viel Glück ist ein Platz auf der Maschine heute um sechzehn Uhr frei. Ich habe aber noch kein Okay. Und teuer ist er auch. Ich glaube nicht, dass wir was umbuchen können.«

»Nimm ihn, egal was er kostet!«, antworte ich.

Zur Not chartere ich eine Maschine. Das kann ja nicht sein, dass ich von dieser Insel nicht wegkomme.

»Wir brauchen zwei Plätze!«, fällt mir da wieder ein. Ich hatte Christoph glatt vergessen.

»Oh Gott!«, stöhnt sie »Das ist fast aussichtslos. Komm in einer Stunde wieder, und ich tue, was ich kann. Ich mach auch schon mal die Rechnung fertig, und ihr kümmert euch ums Gepäck, okay?«

Das klingt logisch, und ich stimme zu.

»Wir müssen packen – schnell packen. In einer Stunde werden sie uns Bescheid sagen!«, informiere ich Christoph.

»Kann ich so lange noch mal auf die Driving Range?«, fragt er ganz harmlos.

Ich könnte ihn mit bloßen Händen erwürgen. Auf die Driving Range? Hat der sonst keine Probleme?

»Dein Sohn ist krank und du willst noch ein bisschen golfen?«, frage ich nach.

Das kann ja nur ein besonders doofer Scherz gewesen sein.

»Welchen Unterschied macht das denn für ihn, wo ich bin, wenn ich nicht da bin?«, fragt er zurück.

Dass auch ich jetzt vielleicht in meiner Panik Unterstützung bräuchte, scheint ihm nicht in den Sinn zu kommen. Er ist und bleibt ein Ignorant.

»Du hast ja wohl einen Knall! Wir packen, und dann warten wir an der Rezeption!«, sage ich wo es langgeht.

»Bitte sehr!«, kommt es leicht beleidigt zurück. »Aber vielleicht könnten wir wenigstens noch frühstücken!«

»Wenn wir schnell packen, ist ein Kaffee eventuell sogar noch drin. Außerdem weiß ich noch nicht, wann Flüge gehen, da kannst du noch zig Kaffee trinken! Wahrscheinlich ist erst auf der Maschine heute Nachmittag was frei!«, antworte ich und unterdrücke meinen Zorn.

Er rollt mit den Augen.

»Dann nimm doch mal ein bisschen Druck raus. Das nützt dem Jungen doch nichts, wenn du jetzt hier kurz vor dem Herzinfarkt stehst.«

Ich habe in zehn Minuten alles in den Koffer gestopft.

»Du packst deinen Kram selbst!«, sage ich und mache mich wieder auf den Weg zur Rezeption.

Es ist zwar keine Stunde vergangen, aber ich halte die Warterei auf dem Zimmer nicht aus. Immerhin habe ich mir noch schnell die Zähne geputzt. Zwischendrin schicke ich Herrn Reimer eine SMS.

Bitte jederzeit melden. Sorge mich schrecklich!
tippe ich in die Tastatur.

Ganz ruhig, antwortet er, wir bekommen das gemeinsam hin. Hätte mich eigentlich lieber mit anderen Anliegen bei ihnen gemeldet. PS. Haben sie ein Foto von sich im Bikini gemacht?

Dieser Mann ist wunderbar. Das wusste ich gleich. Gemeinsam bekommen wir das hin! Wie lieb! Genau diesen Satz hätte ich sehr gerne auch von Christoph gehört. Stattdessen habe ich das Gefühl, er ist nicht richtig beteiligt.

Verfolgt das Geschehen von einer Art Beobachterposten aus. Dabei bin ich mir sicher, dass er seinen Sohn sehr liebt. Merkwürdig. Clara, die nette Frau vom Empfang schüttelt mit dem Kopf, als ich schon wieder vor ihr stehe.

»Du musst mir ein wenig Zeit geben, ich kann leider auch keinen Flieger herbeizaubern!«, informiert sie mich. »Du gehst jetzt zum Frühstück und bringst vorher dein Gepäck hierher. Dann komme ich im Restaurant vorbei, sobald ich Näheres weiß!«

Ich nicke brav. Was soll ich auch tun? Insgeheim weiß ich ja, dass es nicht schneller gehen wird, nur weil ich hier rumstehe.

Wieder spurte ich zum Zimmer. Soviel gerannt bin ich schon ewig nicht mehr.

»Und was ist jetzt?«, will Christoph tatsächlich wissen. »Wann fliegen wir?«

»Keine Ahnung, sie ist noch dran. Scheint nicht so leicht zu sein. Aber sie kümmert sich. Wir sollen im Restaurant auf sie warten. Und das Gepäck vorher vorne am Empfang abstellen«, gebe ich meine Information weiter.

»Na, dann lass uns das Gepäck wegbringen und was essen gehen. Da kann ich auch gleich gucken, ob ich die anderen treffe und ihnen Bescheid sagen!«, stimmt er zu. Immerhin!

Im Restaurant treffen wir alle. Sie ziehen lange Gesichter, als sie hören, was los ist.

»Müsst ihr da gleich beide zusammen abreisen?«, fragt mein persönlicher Liebling Fritz. »Es langt doch, wenn eine oder eine«, er schaut sehr betont auf mich, »nach Hause eilt. Wahrscheinlich hat der Kleine doch nur Heimweh!«

Ich könnte ihn erwürgen! Christoph zögert.

»Na ja, wahrscheinlich hast du sogar recht, aber ich weiß nicht, ob das so okay wäre!«

Das wäre so was von gar nicht okay. Das wäre, gelinde gesagt, das Hinterletzte. Schon dass er diese Möglichkeit in Betracht zieht, regt mich auf. Wenigstens Gaby zeigt Empathie.

»Der Arme. Natürlich müsst ihr heim, auch wenn das sehr schade ist.«

»Aber«, mischt sich der unsägliche Hengst noch mal ein, »ist nicht dein Vater daheim? Der kann das doch regeln und wenn es wirklich was Ernstes ist, könnt ihr immer noch fliegen. Es wird nichts so heiß gegessen wie es gekocht wird«, redet er auf Christoph ein.

Ich stehe auf und gehe zum Büfett. Ich weiß nicht, ob ich sonst die Fassung bewahren kann. Immerhin, die ansonsten fast stumme Katharina schaltet sich ein.

»Fritz, halt doch einfach mal den Mund, wenn du von etwas keine Ahnung hast!«

Das hätte ich ihr gar nicht zugetraut. Ich lade mir den Teller voll, um mich mit ausreichend Kohlenhydraten zu besänftigen. Als ich mir noch ein schönes Omelett bestelle, mit Speck und allem Drum und Dran, tritt Lieselotte neben mich. Im Schlepptau: Der Hundefutter-Kurt. Der Hengst scheint ausgedient zu haben. War wohl zuviel Wallach im Spiel! Sie begrüßt mich freudig.

»Wir gehen heute zum Tauch-Schnupperkurs. Lust mit zu kommen?«

Ich erkläre die Situation, und immerhin Lieselotte ist angemessen bestürzt.

»Ach du je, dass du noch so ruhig hier stehen kannst. Das ist ja schrecklich.«

Sie umarmt mich. Wie gut eine Umarmung tun kann!

»Wenn ich dir was helfen kann, sag es!«, redet sie weiter. »Einer meiner Ex', du weißt schon, ist ein hohes Tier bei Air Berlin – ich kann den anrufen, wenn du willst.«

Diese Unterstützung oder besser dieses Angebot ist richtig nett. Wir kennen uns kaum, aber je mehr ich diese seltsame Frau kennenlerne, umso mehr mag ich sie.

»Bevor du fliegst, gibst du mir aber deine Telefonnummer!«, ermahnt sie mich noch.

»Sehr gerne!«, sage ich und meine es auch so. »Es wäre schön, wenn wir in Kontakt bleiben könnten.«

»Solltet ihr einen Hund kaufen und Futter brauchen …«, offeriert jetzt auch Kurt seine Dienste.

Bevor ich antworten kann, fällt mein Blick auf eine suchende Clara vom Empfang.

»Entschuldigt mich«, sage ich und stürze auf sie zu. »Und?«, frage ich. »Gibt's Flüge?«

»Morgen könnt ihr fliegen, morgen gegen Abend. Oder einer allein in vier Stunden.«

»Moment!«, antworte ich nur und zerre sie mit zu unserem Tisch.

»Heute gibt es nur einen Flug, morgen Abend zwei!«, teile ich Christoph die Neuigkeiten mit.

»Dann seid ihr ja morgen doch noch da, da können wir ja noch mal zum Golfen!«, entfährt es Fritz.

»So gesehen«, sagt Christoph, »wenn wir den Reimer noch mal anrufen. Ja, warum eigentlich nicht. Was meinst du Andrea?«

Immerhin, er fragt nach meiner Meinung. Ich atme einmal tief durch und lege los.

»Spiel du schön Golf, ich nehme den Flieger in vier Stunden. Dann sage ich dir Bescheid, und wenn du magst, kommst du morgen. Wenn es nichts Ernstes ist, kannst du ja wie geplant bleiben. Ich will dir ja nicht die Ferien versauen. Tschüss allerseits.«

Wenn er jetzt nicht merkt, wie wenig ernst das gemeint war, dann kann er mich mal. Das werde ich ihm nicht verzeihen.

»Das klingt logisch!«, entgegnet mein Mann. »Du fliegst, wir telefonieren, und dann entscheiden wir das weitere Prozedere. Das macht Sinn.«

Es ist entschieden: Er kann mich mal. Er macht Urlaub, als ob nichts wäre, und ich kümmere mich.

Vier Stunden später sitze ich im Flugzeug Richtung Heimat.

Unser Abschied war kühl.

»Melde dich, sobald du Mark gesehen hast und beim Arzt warst!«, sagt mein Mann, als ich abfahre. Er winkt dem Taxi noch kurz hinterher.

Kurz vor dem Abflug habe ich Herrn Reimer noch eine SMS geschickt.

Bin auf dem Weg! Wo soll ich Mark abholen? PS. Bikini blieb leider ungetragen!

Innerhalb weniger Minuten habe ich eine Antwort.

Ich bringe Mark persönlich nach Hause. Habe ausreichend Betreuungskräfte im Camp, die sich um die übrigen Kinder kümmern. Wir werden ungefähr zeitgleich eintreffen. PS. Ziehen Sie doch zur Begrüßung den Bikini an!

Der Mann ist unglaublich. So zupackend! So hilfsbereit! Und so gut aussehend! Immerhin einer, der sich kümmert. Der mir zur Seite steht.

Am Flughafen in Frankfurt warte ich ungeduldig auf mein Gepäck. Es kommt nicht. Ausgerechnet dann, wenn man es eilig hat. Das ist ja mal wieder typisch, denke ich und entscheide mich, ohne Gepäck zu gehen. Sie werden es mir schon aufheben.

Eine halbe Stunde später bin ich daheim. Alles ist ruhig. Kein Rudi, kein Karlchen. Aus dem ersten Stock höre ich allerdings Stimmen. Claudia scheint immerhin da zu sein. Wo sich Rudi wohl rum treibt? Abends, mitten in der Woche? Erstaunlich.

Ich schleiche mich hoch in den ersten Stock, um meine Tochter zu überraschen. Die Dusche läuft. Ich öffne die Badezimmertür und ziehe den Duschvorhang zurück. Ein mir wildfremder Kerl, tätowiert von oben bis unten und vollkommen haarlos, steht vor mir. Er schreit, ich schreie. Wo sind Claudia und Rudi? Was hat dieser Mensch mit ihnen gemacht? Ich kann gar nicht aufhören zu schreien. Wahrscheinlich wird er jetzt auch mich niedermetzeln.

»Ganz ruhisch«, sagt der nackte Kerl dann und streckt mir eine Hand hin.

»Ich bin Fred. Vom Baumarkt. Isch hab mich morts erschreckt.« Ich trete zurück und versuche, ihn nicht anzustarren. Er hat sich erschreckt? Wer steht denn in wessen Badezimmer?

»Was machen Sie in meiner Dusche?«, frage ich fassungslos. »Wo sind meine Tochter und mein Schwiegervater? Was haben Sie ihnen angetan? Ziehen Sie sich was an!«

»Angetan?«, kommt die sichtlich erstaunte Antwort, und die Badezimmertür geht auf.

Claudia! Immerhin sie lebt. So wie der Kerl aussieht, habe ich alles für möglich gehalten.

»Mama, o Gott, was machst du denn hier? Du bist doch

auf Malle«, begrüßt sie mich ausgesprochen verhalten, schnappt sich ein Handtuch und hält es dem Baumarkt-Kerl hin.

Die scheinen ja ziemlich vertraut miteinander.

»Wer ist das, und was macht er hier?«, will ich von meiner Tochter wissen.

Dieser Mann ist mindestens dreißig Jahre alt.

»Das ist der Fred, ein Lagerist vom Baumarkt«, gibt sie Auskunft.

Gleich wird sie mir sagen, dass sie sich verlobt haben und Fred bei uns einzieht und sie ihn wahnsinnig liebt. Welch ein Albtraum!

»Herr Fred«, sage ich im strengsten Mutterton, »wären Sie so nett, sich schnellstmöglich etwas überzuziehen und dann reden wir im Wohnzimmer. Meine Tochter ist gerade mal sechzehn Jahre alt. Ich hoffe, das wissen Sie! Ich könnte Sie fast noch anzeigen!«

»Mama, geht's noch!«, nölt Claudia.

»Kann ich mich noch schnell eincremen?«, fragt der Nackte völlig entspannt und unbeteiligt.

»Nein!«, zetere ich, packe meine Tochter und zerre sie aus dem Bad.

»Geht's noch bei dir?«, frage ich zurück und muss richtig an mich halten. »Hast du jeglichen Restverstand verloren? Ist das dein Männergeschmack? Ein ganzkörpertätowierter, komplett rasierter Glatzkopf, der mindestens dreißig ist? Bist du blind und taub und doof?«

Ich kann mich kaum mehr einkriegen. Kaum sind wir ein paar Tage weg, angelt sich meine Tochter ein solches Prachtstück. Ein Mann in diesem Alter wird sich nicht mit ein paar Küsschen abspeisen lassen, schießt es mir durch den Kopf. Wieso hat der geduscht? Was war davor?

»Habt ihr etwa Sex gehabt, möchtest du Mutter werden, Mutter seiner Kinder? Willst du dir dein gesamtes Leben ruinieren?«

»Mach mal halblang. Man wird ja nicht gleich Mutter, nur weil man Sex hat.«

Mein Entsetzen wächst.

»Witz, Mama, Witz! Der Fred und ich sind nur Bekannte. Wir haben nix. Der wollte nur mal duschen, weil er bei sich kein Wasser hat. Er hat die Rechnung nicht bezahlt. Da läuft nichts, der ist doch ein voll alter Mann«, redet sie auf mich ein.

So langsam sickert die Information zu meinem Gehirn durch, und ich frage noch mal nach.

»Ihr habt gar nichts? Ihr seid kein Paar? Kein Sex oder so?«

»Ich weiß nicht, was oder so ist«, zeigt sie sich schlagfertig, »aber nix. Kein oder so, kein Sex, kein Paar. Der Fred ist in meiner Abteilung, und er hat mich voll nett gefragt, wegen des Duschens. Der Opa hatte kein Problem damit.«

Der Opa, der nicht mal zu Hause ist. Der diesen Fred wahrscheinlich noch nie gesehen hat.

»Wo ist Opa überhaupt?«, frage ich nach.

»Wer passt denn hier auf wen auf? Muss Opa mich um Erlaubnis bitten, wenn er mal weg will?«, bekomme ich die typische, patzige Claudia-Antwort.

Sie spürt schon wieder Oberwasser. Fred gesellt sich zu uns. Angezogen sieht er nicht mehr ganz so angsteinflößend aus. Sein Gesicht glänzt. Seine Hände auch. Der hat sich eindeutig eingecremt. Entgegen meiner Ansage! Hoffentlich nicht mit meiner teuersten Creme.

»Tut mir leid«, sagt der Glanz-Glatzkopf, »ich wusste

nicht, dass Sie nichts wussten. Also das ist mir jetzt peinlich.«

Zu Recht peinlich, denke ich nur, verkneife mir aber eine Bemerkung.

Es klingelt. Herr Reimer mit Mark. Er stützt meinen Sohn. Ich umarme Mark, der schrecklich bleich aussieht.

»Mama«, schluchzt er direkt los, »mir tut der Bauch so verdammt weh!«

»Hallo!«, begrüßt mich Herr Reimer, und ich schließe auch ihn in die Arme. Schon aus Dankbarkeit hat er das verdient. »Gut sehen Sie aus, so leicht gebräunt!«, begrüßt er mich mit einem Kompliment. »Nur bei der Klamotte hatte ich andere Hoffnungen!«, scherzt er noch.

»Ihr Wunsch wäre auch in Erfüllung gegangen, aber mein Bikini ist noch am Flughafen oder in Mallorca oder sonst wo auf der Welt!«, antworte ich.

»Sobald er wieder im Land ist, hoffe ich darauf, ihn näher kennenzulernen!«, geht es weiter. »Ist das Ihr Mann?«, fragt Herr Reimer dann und zeigt auf Fred.

Einerseits bin ich geschmeichelt, dass er mir einen so viel jüngeren Mann zutraut, andererseits entsetzt darüber, was er mir in Sachen Männergeschmack zutraut.

»Nein«, sage ich nur, »das ist nur Besuch. Ein Kollege meiner Tochter, der mal duschen musste.«

»Angenehm«, zeigt Fred Manieren. »Was hat der Klaane denn?«, will mein neuer Badmitbenutzer dann noch wissen.

»Verdacht auf Blinddarmentzündung!«, sage ich.

»Da sollte mer aber net mit spaße!«, antwortet Fred.

»Ich kapier überhaupt nicht, was ihr alle schon hier macht!«, platzt es aus Claudia heraus.

»Der Bub ist krank, und da kommt eine Mama natürlich heim!«, fasst Fred, der gar nicht mal so blöde zu sein scheint, wie er ausschaut, die Geschehnisse für meine Tochter zusammen.

»Und wer ist das?«, fragt Claudia und deutet auf Herrn Reimer. »Papa hatte ich irgendwie anders in Erinnerung.«

»Papa ist noch auf Mallorca!«, informiere ich die Anwesenden.

»Typisch!«, bricht es aus meiner Tochter heraus. »Wahrscheinlich spielt er eine Runde Golf.«

Im Normalfall hätte ich jetzt widersprochen und mich für Christoph in die Bresche geworfen, heute lasse ich es. So ganz falsch liegt sie ja nicht. Ich, als Vater, hätte mich selbstverständlich in die Abendmaschine gesetzt und wäre nach Hause geflogen.

»Ich kann nicht mehr stehen!«, sagt Mark noch und dann klappen ihm die Beine weg.

Wir legen ihn auf die Couch und Claudia tätschelt seinen Kopf.

»Du Armer! Du kleines Pöcki!«, sagt sie wieder und wieder.

Pöcki war früher ihr Kosename für ihren kleinen Bruder. Sie hat ihn lange nicht mehr benutzt. Wie viel Liebenswürdigkeit in meiner Tochter steckt und wie gut sie die im Alltag verstecken kann.

»Bei allem Erklärungsbedarf, jetzt sollten wir schnellstens handeln!«, übernimmt Herr Reimer die Führung. »Ich glaube es ist Zeit, dass Mark ins Krankenhaus kommt!«

»Ich komme mit!«, sagt Claudia sofort.

»Und wer ist hier, wenn Opa kommt? Wer weiß, ob er einen Schlüssel dabei hat?«, frage ich.

Das fehlt noch, dass Rudi auf der Straße steht und sich

Sorgen um Claudia macht. Leider hat mein Schwiegervater kein Handy und leider weiß auch niemand, wo er steckt. Darüber kann ich mir jetzt keine Gedanken machen, entscheide ich.

»Nur mal so, als Entschuldigung, ich meine, ich könnte hier die Stellung halten«, bietet Fred an. Er sieht die Zweifel in meinem Gesicht. »Ich seh' nur wild aus, ich bin en braver Kerl!«, schmunzelt er.

»Gut!«, willige ich ein, was soll schon groß passieren.

»Dann kann ich mich auch noch gründlich eincremen, des hab isch eben uff die Schnelle net mer hingekriescht.«

Ich glaube, jetzt hat mich Fred verarscht. Nicht unlustig dieser Fred.

»Abgemacht«, sage ich, und wir machen uns auf den Weg. Herr Reimer kommt wie selbstverständlich mit.

»Das müssen Sie nicht! Sie haben schon so viel für uns getan!«, säusele ich.

»Natürlich komme ich mit. Und mit dem Sie ist jetzt mal Schluss. Ich bin der Bastian. Und ich muss eh erst morgen wieder Richtung Fußballcamp.«

»Andrea!«, sage ich. »Danke für alles.«

»Für Sie, also für dich, jederzeit gerne!«, betont er noch.

»Was geht denn hier ab?«, nuschelt meine Tochter und hebt verwundert den Kopf.

Wir fahren Richtung Frankfurt. Unser Ziel: Die Notaufnahme der Uni-Klinik. Hier habe ich meinen ersten Abend mit Christoph verbracht, geht es mir durch den Kopf. Damals mit meinem Bänderriss. Apropos Christoph, der könnte auch mal anrufen. Ich schnappe mein Handy und sehe, dass er das auch getan hat. Habe ich wohl verpasst in all der Hektik. Sollte ich ihn zurückrufen? Ich sollte.

Später denke ich. Warten wir mal die Diagnose ab und dann melde ich mich.

Wie immer ist die Notaufnahme gut besucht. Im Wartezimmer ächzt und stöhnt es aus allen Ecken. Marks Kopf glüht, und er liegt quer über unseren Beinen. Wir müssen, obwohl ich mehrfach nachfrage, gut 40 Minuten warten, bis sich ein Weißkittel erbarmt. Der angebliche Arzt sieht aus, als würde er in Marks Parallelklasse gehen. Hilfe! Dürfen hier Kinder Patienten behandeln? Man merkt wie alt man wird daran, wie jung einem andere vorkommen.

»Der Papa legt dich jetzt mal hier auf die Liege!«, sagt der jugendliche Mediziner.

Der Papa, der nicht der Papa ist, macht es.

»Ich bin nicht der Vater!«, sagt mein neuer Duzfreund Bastian noch, um die Verhältnisse klarzustellen.

»Jetzt bitte keine Patchworkgeschichten, wir kümmern uns hier zuvorderst um den Patienten«, weist ihn der Doktor zurecht. »Sieht nach Blinddarm aus, aber wir müssen erst Blut abnehmen und schallen, dann sehen wir weiter!«, diagnostiziert er, nachdem er Mark auf dem Bauch rumgetatscht hat.

»Das haben Ihre Kollegen in Usingen auch vermutet!«, unterstützt ihn Bastian.

»Warum ist der Patient dann hier und nicht in Usingen!«, meckert der Mediziner.

»Weil wir hier in der Nähe leben und mein Sohn im Hintertaunus nur auf Ferienfreizeit war!«, antworte ich, obwohl ich die Anschuldigung reichlich vermessen finde.

Aber vielleicht sollte ich es mir mit dem Mann nicht verscherzen. Wer weiß, ob er es ist, der meinem Liebling gleich den Bauch aufschneidet?

»Zum Schall und zur Blutabnahme geht aber bitte nicht

die ganze Familie mit, Vater oder Mutter langt!«, teilt uns der Arzt mit.

Hat der eben nicht zugehört?

»Komm«, sagt Herr Reimer, also Bastian, zu Claudia, »wir setzen uns in den Warteraum. Lass das deine Mama machen!«

Zwei Stunden später ist klar: Mark muss operiert werden. Dringender Verdacht auf akute Appendizitis. Blinddarmentzündung. Er muss über Nacht stationär aufgenommen werden.

»Muss ich allein hier bleiben?«, fragt mein total verängstigter Sohn, der ansonsten ja gerne so tut, als könne er sein komplettes Leben längst allein meistern.

»Ich bleibe bei dir. Ich fahre nur schnell heim und packe ein bisschen was für uns zusammen. Ich lasse dich nicht allein. Keine Sorge.«

»Danke, Mama, ich hab dich lieb!«, sagt mein Sohn. »Beeil dich, ja?«

Das verspreche ich.

Während ich mit Bastian wieder nach Hause fahre, bleibt Claudia bei ihrem Bruder.

»Der soll jetzt nicht allein sein!«, hat sie beschlossen. »Ich wollte auch mit so Schmerzen nicht allein sein!« Guck mal einer an!

Auf dem Heimweg wähle ich erneut Christophs Nummer. Er ist auf Hundertachtzig.

»Ich habe bei uns zu Hause angerufen, und da war ein sehr seltsamer Typ namens Fred dran. Er hat behauptet, er passe aufs Haus auf!«

Ich habe keinerlei Lust, ihm all das jetzt zu erklären.

»Hör zu, Christoph«, sage ich nur, »Mark ist schon in der Klinik. Er wird morgen früh operiert. Sein Bauchweh war kein Heimweh, sondern tatsächlich der Blinddarm. Es geht ihm nicht gut, und ich fahre jetzt nur kurz heim und dann wieder zu ihm in die Klinik.«

»Hätte ich das gewusst!«, stöhnt Christoph. »Was mache ich denn jetzt? Die Abendmaschine ist lange weg.«

»Mach, was du für richtig hältst. Ich habe hier jetzt allerdings anderes zu tun. Du kannst ja morgen noch Golf spielen und dann kommen, wenn du magst«, schlage ich vor.

Mal sehen ob er die feine Ironie bemerkt.

»Ich kläre das und melde mich!«, sagt mein Mann. »Und grüß mir den Kleinen, er soll die Ohren steif halten.«

Das ist sicher ganz besonders wichtig – die Ohren steif halten!

Zu Hause sitzt Fred brav im Wohnzimmer.

»Zwei Leute haben angerufen. Das eine war glaube isch Ihr Mann und des andere irgendwer vom Flughafen, der Ihnen einen Koffer bringen will. Isch hab gesacht, her demit. Hoffe, des war rischtisch.«

Ich nicke.

»Aber Ihr Opa ist nicht uffgetaucht. Kein Opa weit un breit. Soll isch jetzt gehen?«, fragt er noch höflich. »Die Creme ist auch eingezogen!«, fügt er noch hinzu.

»Wir müssen gleich wieder los, also ich auf jeden Fall, ich muss nur was zusammenpacken und dann fahre ich wieder ins Krankenhaus. Über Nacht.«

»Wie geht's denn dem Kleinen?«, will Fred noch wissen.

»Er hat eine Blinddarmentzündung, aber ich muss mich jetzt beeilen. Danke, Bastian, für alles. Ich will dir nicht den ganzen Abend kaputt machen«, entlasse ich Bastian in den Feierabend.

»Und wie soll Claudia dann aus dem Krankenhaus nach Hause kommen?«, fragt er nur und lächelt verschmitzt. »Per Anhalter?«

Stimmt, das habe ich in all der Aufregung vergessen zu planen.

»Zur Not mit dem Taxi!«, sage ich. »Fühle dich nicht verpflichtet. Das schaffen wir schon.«

»Dass eine Frau wie du, das schafft, ist mir klar. Ich fahre aber trotzdem«, entscheidet er.

Während ich so schnell wie möglich alles zusammenpacke, klingelt es. Mein Koffer ist wieder da. Ein kleines Männchen steht vor der Tür und fragt nach Frau Schnidt.

»Hier bin ich!«, antworte ich. »Haben Sie Ihren Koffer gar nicht vermisst? Wir haben uns gewundert. Er war auf dem Band übrig, aber Sie haben sein Fehlen gar nicht gemeldet. So was kennen wir überhaupt nicht«, redet er auf mich ein.

Tja, jetzt kennen Sie es, will ich sagen, lasse es aber.

»Herzlichen Dank, es ging um einen Notfall. Also danke.«

Ich krame in meinem Portemonnaie und drücke ihm zwanzig Euro in die Hand.

»Oh, dann ist ja auch der Bikini wieder da!«, freut sich Bastian. Mein kleiner orangefarbener Bikini. Wer weiß, ob ich je den Mut haben werde, ihn zu tragen.

Ich verbringe die Nacht bei Mark im Bett. Der Stuhl war einfach zu unbequem. Beistellbetten gibt es hier nur für Mütter von kleinen Kindern.

»Später will ich eine Frau wie dich!«, nuschelt mein Sohn noch vor dem Einschlafen.

Sind das Auswirkungen der Medikamente, die er bekommen hat? Vielleicht braucht Christoph auch mal eine Blinddarmentzündung um zu solchen Einsichten zu gelangen. Mark hat so etwas auch zuletzt mit etwa vier Jahren gesagt. Damals allerdings ohne vorherige Medikamenteneinnahme.

14

Am nächsten Morgen läuft die gesamte Krankenhausmaschinerie ab sechs Uhr früh. Einlauf, Beruhigungsspritze und Anästhesievorgespräch. Auch der ausführende Operateur gibt sich die Ehre. Immerhin ist es nicht das Kind von gestern Abend, sondern ein etwas älterer Chirurg, etwa Mitte fünfzig. Es kann also nicht sein erster Eingriff dieser Art sein. Er scheint mir meine Unruhe ansehen zu können.

»Alles Routine, Frau Schnidt, wir vermuten eine Entzündung, aber noch nichts Lebensbedrohliches. Wenn er raus ist, wird sich der junge Mann schnell erholen. Man kann sehr gut ohne Blinddarm leben, ich habe auch keinen mehr!«

Das beruhigt mich natürlich ungemein.

Um zehn Uhr wird mein Sohn abgeholt. Ein mulmiges Gefühl, jede Verantwortung aus der Hand zu geben. Mark winkt noch, dann verschwindet er hinter der Automatiktür. Ab jetzt kann ich definitiv nicht mehr eingreifen. Es wäre schön, wenn jetzt jemand an meiner Seite wäre, aber Claudia ist im Baumarkt und Christoph wahrscheinlich auf dem Golfplatz. Meine Eltern sind für ein paar Tage an die Ostsee und meine Schwester ist mit ihrer Familie in Südfrankreich. Obwohl ich weiß, dass eine Blinddarm-Operation kein Hexenwerk ist, bin ich nervös. Ich drehe meine Runden vor der Tür mit der Aufschrift: OP – Zutritt nur für Befugte.

»Kaffee gefällig?«, fragt da auf einmal eine Stimme.

Rudi! Wie immer in letzter Zeit stürze ich mich in seine Arme. Dieser Mann weiß, wann er gebraucht wird.

»Wo um alles in der Welt ist eigentlisch mein Herr Sohn? Sollte der net hier an deiner Seite stehn?«, fragt mich Rudi, nachdem wir uns eine Weile wieder mal nur still umarmt haben.

Ich trinke einen Schluck Kaffee und nicke nur. »Eigentlich, Rudi, eigentlich finde ich auch, dass er hier stehen sollte.«

Nachts um elf steht Christoph dann tatsächlich im Zimmer. Mark schläft.

»Wie geht es ihm?«, fragt er.

»Es geht! Er hat sich stundenlang übergeben, aber jetzt geht es. Die Operation ist gut verlaufen. Er schläft, wie du siehst.«

Zärtlich streicht Christoph unserem Sohn über das verschwitzte Haar.

»Ich habe mir Sorgen gemacht!«, sagt er.

»Ach, tatsächlich!«, bricht all meine Wut aus mir heraus. »Konntest du vor lauter Sorgen die Golfschläger noch halten? Das wäre ja sonst wirklich schrecklich?«

»Was bist du denn so sauer?«, reagiert mein Mann voller Unverständnis. »Wir hatten unser Vorgehen doch abgesprochen!«

»Wir!«, kreische ich. »Wir? Fritz und du. Aber doch nicht wir. Du hast entschieden, und ich habe mich gefügt. Aber damit ist jetzt Schluss. Finde heraus, was du willst, und dann sehen wir weiter. So jedenfalls mache ich nicht weiter.«

Mark wirft sich im Bett unruhig hin und her.

»Lass uns mal eben vor die Tür gehen!«, bittet mich

Christoph, »das hier muss unser Sohn ja nicht mitbekommen!«

Wir verlassen den Raum, und er zieht mich zu sich heran.

»Andrea, was soll das jetzt und hier? Wir haben doch wirklich andere Sorgen! Das Generelle klären wir später irgendwann!«

»Später, später, später. Wir reden später, wir klären alles später – ich habe dieses Später so satt. Dieses ewige Später ist mir zu spät. Du ziehst aus. Heute noch. Da kannst du in Ruhe nachdenken. Und ich denke auch nach. Und wenn wir damit fertig sind, reden wir. Und kommen zu einer Lösung.«

Auf einmal ist in meinem Kopf alles klar. Um überhaupt noch mal so etwas wie eine Chance zu haben, muss dieser Mann erst mal gehen.

»Wo soll ich denn hin?«, kommt es da fast weinerlich.

»Ins Hotel, auf den Golfplatz, zurück nach Malle – keine Ahnung!«, antworte ich. »Das ist echt nicht mein Problem.«

Christoph sieht verzweifelt aus. Und tatsächlich: Er fängt zu weinen an.

»Das wollte ich so nicht. Wie soll das denn gehen?«, schnieft er.

Es ist so, als würde sich ein lange mühsam verschlossener Staudamm öffnen. »Erst das mit meiner Mama – die fehlt mir so sehr«, jetzt kullern die Tränen richtig, »und jetzt du.«

Da sind sie also. All die Tränen, die er bisher nicht vergossen hat. Über deren Ausbleiben ich mich immer gewundert habe. Aber manchmal ist es zu spät. Deshalb bin ich zwar angerührt, bleibe aber trotzdem bei meiner Meinung.

»Lass uns eine Auszeit nehmen, und dann werden wir beide wissen, was wir wollen. Ich will einen Mann an meiner Seite, der mich liebt. Den ich liebe. Ich will dieses ganze Halbherzige nicht mehr.«

»Rudi, ich brauche deine Wohnungsschlüssel!«, sage ich zu meinem Schwiegervater.

»Wollt ihr misch rausschmeisse? Nur weil ich abends mal fort war, ohne Bescheid zu sache?«, fragt er ängstlich.

»Nein, Christoph wird eine Weile dort wohnen. So lange, bis wir wissen, was mit uns wird. Er soll mal sehen, wie das allein so ist.«

»Muss ich mit?«, kommt es zaghaft von Rudi. »Ich meine, immerhin ist es mein Sohn, und ich mein, ihr, also du, habt ja keinerlei Verpflischtung mich hierzubehalte.«

»Rudi!«, sage ich nur, »Rudi du bist erwachsen. Du lebst wo du willst. Aber wenn du gerne bei uns bleiben willst – ich wäre mehr als glücklich. Aber du musst natürlich nicht. Mit Christoph hast du sicherlich mehr Ruhe.«

»Ruhe hab isch, wenn ich des Gras von unten anguck!«, antwortet mein Schwiegervater. »Wenn ich wähle derf, würde isch schrecklisch gern bei dir bleiben. Du bist mer so ans Herz gewachse! Un so ein bisschen Unnerstützung kannst de, glaub isch, aach gebrauche. Jetzt mach ich doch schon seit zwei Wochen den Kochkurs abends, heimlisch, sollte ne Überraschung wern, damit isch dich mehr entlaste kann, un die Kinner net immer nur Fertigpizza kriesche, wenn nur ich da bin.«

Ich freue mich wirklich. Das hätte ich nie für möglich gehalten. Jetzt lernt dieser Mann auf seine alten Tage auch noch kochen, und das für mich. Ich hätte um Rudi gekämpft, wenn er sich für Christoph entschieden hätte.

»Ich werde auch ganz bald die Rede für dich fertig ausarbeiten. Das habe ich irgendwie vergessen. Deine Trauerrede, tut mir leid!«, sage ich, um ihm zu zeigen, dass mir seine Belange durchaus auch wichtig sind.

»Vergiss es«, antwortet er und grinst. »Isch hab beschlosse, des des noch Zeit hat. Jetzt lebe mir zwei noch ne Runde. Gestorben wird später!«

Stimmt, denke ich und muss trotz aller Widrigkeiten lachen. Denn statt Unterwäsche trage ich heute meinen orangefarbenen Bikini. Mein kleiner Bikini und ich werden sehen. Einfach abwarten und dabei leben …

Ich habe Deine Nerven fast ruiniert, liebe Silke.
Danke für Deine Geduld.

Susanne Fröhlich
Lieblingsstücke
Roman
Band 17493

Was machen, wenn alles um einen herum plötzlich anders ist als es scheint und selbst die eigenen alten Eltern so tun, als könnten sie noch mal ganz von vorne anfangen? Vielleicht doch mal was beim Universum bestellen?

Voller Humor und blitzendem Witz erzählt Susanne Fröhlich von den alltäglichen Herausforderungen und stellt dabei immer wieder fest: Das Meiste im Leben hat nicht nur einen Grund, sondern auch einen Sinn!

»Susanne Fröhlich setzt
ihre Dauerheldin, Hausfrau & Mutter Andrea Schnidt
gewohnt witzig dem Alltagschaos zwischen Job,
Ehemann und Kindern aus.«
Bunte

»Witzig, locker, fröhlich,
hat man in einem Rutsch durch.«
Lea

Fischer Taschenbuch Verlag

Susanne Fröhlich
Treuepunkte
Roman
Band 16812

Was tun, wenn der Ehemann plötzlich so ganz anders ist als sonst? Und was, wenn man fühlt, dass es somit höchste Zeit ist, auch mal ganz anders zu sein?

Andrea Schnidt geht in die Offensive ... Pointiert und puppenlustig erzählt Susanne Fröhlich vom alltäglichen Ehe- und Beziehungschaos.

»Susanne Fröhlich spielt bewusst und intelligent mit den Klischees des Genres. Genau die richtige Balance, um schlau zu unterhalten.«
Bücher

»Irgendwie verdammt sympathisch, diese Fröhlich ...«
Bild

Fischer Taschenbuch Verlag

Susanne Fröhlich

Familienpackung

Roman

Band 15735

Wie kriegt man die drei großen Ks – Kinder, Küche und Karriere – mit den drei großen S' – Spaß, Spitzenfigur und Supersex – unter einen Hut? Bestsellerautorin Susanne Fröhlich weiß Bescheid: mit Witz, Humor und einer extragroßen Portion Selbstironie!

»Amüsant, sexy und gnadenlos ehrlich!«
Für Sie

Fischer Taschenbuch Verlag

Susanne Fröhlich

Und ewig grüßt das Moppel-Ich

Band 18681

Warum bloß ist Schlanksein so wichtig? Was passiert, wenn man von der Diätfront desertiert und einfach mal wieder herzhaft zubeißt? Kommt man an den Fettpranger? Darf man nicht mehr glücklich sein oder stellt man wie Susanne Fröhlich fest, dass auch Moppel ein feines Leben haben können?

»Ein Leben jenseits Konfektionsgröße 40 ist möglich.«
Susanne Fröhlich

Fischer Taschenbuch Verlag